Monika Feth • Der Schattengänger

Autorenfoto: © privat

DIE AUTORIN

Monika Feth wurde 1951 in Hagen geboren. Nach ihrem literaturwissenschaftlichen Studium arbeitete sie zunächst als Journalistin und begann dann, Bücher zu verfassen. Heute lebt sie in einem Ort in der Nähe von Köln, wo sie vielfach ausgezeichnete Bücher für Kinder, Jugendliche und Erwachsene schreibt.
Durch den sensationellen Erfolg der Bestseller »Der Erdbeerpflücker«, »Der Mädchenmaler« und »Der Scherbensammler«, den Krimis um Jette, wurde sie über die Grenzen des Jugendbuchs hinaus bekannt. Ihre Bücher wurden in 15 Sprachen übersetzt.

Weitere lieferbare Titel bei cbt:
Der Erdbeerpflücker (30258)
Der Mädchenmaler (30193)
Der Scherbensammler (30339)
Das blaue Mädchen (30207)
Fee – Schwestern bleiben wir immer (30010)
Nele oder Das zweite Gesicht (30045)

Die Presse über die »Erdbeerpflücker-Thriller«:

»Einfach gut geschrieben und zum sofortigen Verschlingen geeignet.«
Saarbrücker Zeitung

»Außergewöhnliche Charaktere und ein Spannungsbogen, der auch dann noch fesselt, als die Leser längst begriffen haben, wer der Mörder ist.«
Süddeutsche Zeitung

Monika Feth

Der Schatten-gänger

cbt – C. Bertelsmann Taschenbuch
Der Taschenbuchverlag für Jugendliche
Verlagsgruppe Random House

Mix
Produktgruppe aus vorbildlich bewirtschafteten Wäldern und anderen kontrollierten Herkünften

Zert.-Nr. SGS-COC-1940
www.fsc.org
© 1996 Forest Stewardship Council

Verlagsgruppe Random House FSC-DEU-0100
Das für dieses Buch verwendete FSC-zertifizierte Papier *München Super* liefert Mochenwangen.

1. Auflage
Originalausgabe April 2009
Gesetzt nach den Regeln der Rechtschreibreform

Der Abdruck des Zitats auf S. 5 erfolgt mit freundlicher Genehmigung des S. Fischer Verlags.
Umschlagabbildung und -konzeption: init.büro für gestaltung, bielefeld
st · Herstellung: ReD
Satz: Buch-Werkstatt GmbH, Bad Aibling
Druck und Bindung: GGP Media GmbH, Pößneck
ISBN: 978-3-570-30393-1
Printed in Germany

www.cbt-jugendbuch.de

Ein Wort lesen können,
ohne es buchstabieren zu müssen,
so etwas Ähnliches ist Intuition.

Miss Marple

aus: Agatha Christie, Mord im Pfarrhaus

1

Er blieb ein paar Sekunden reglos sitzen, bevor er die DVD herauszog und den Fernseher ausschaltete. Die plötzliche Stille ließ seine Haut kribbeln und machte ihm erst richtig bewusst, was er da eben erlebt hatte.

Er hatte sie *gesehen.*

Gehört.

Beinah sogar *gefühlt.*

Sie war ihm so nah gewesen, dass er gemeint hatte, ihren Atem zu spüren. Er war zärtlich mit der Hand über den Bildschirm gefahren. Nicht mehr lange, und er würde ihr von Angesicht zu Angesicht gegenüberstehen.

Er schob die DVD in ihre Hülle zurück und stellte sie zu den anderen, die ordentlich in einem eigens dafür angeschafften Ständer untergebracht waren. Dann ging er in sein Arbeitszimmer, setzte sich an den Schreibtisch und schaltete den Laptop ein.

In der Nacht. Rastlos unter deinem Fenster. Stumm. Aber deine Worte IN MIR! Küss mich und liebe den Schattengänger.

Etwas bewegte sich am Fuß der Schreibtischlampe. Eine winzig kleine pechschwarze Spinne. Interessiert beugte er sich vor. Stupste sie mit dem Zeigefinger an. Blitzschnell zog sie sich zusammen, stellte sich tot. Er hatte nicht gewusst, dass

Spinnen sich so verhalten. Er wusste überhaupt wenig über Spinnen. Und in diesem Moment wurde ihm klar, dass er sie nicht ausstehen konnte. Er zerdrückte sie mit dem Daumen. Wischte sich die Hand an der Hose ab.

Küss mich und liebe.

Wie schön das klang. Wie zärtlich. Und bald schon würden seine Träume wahr werden. Bald.

*

Sie trug die Post in den Wintergarten und machte es sich in einem der Korbsessel bequem. Rechnungen, die Verträge für die nächsten beiden Bücher, die Einladung zur Teilnahme an einem Krimifestival, ein Schwung von Rezensionen und jede Menge Werbung.

Als Letztes hielt sie einen edlen Briefumschlag aus elfenbeinfarbenem Büttenpapier in den Händen, den ihr Verlag an sie weitergeleitet hatte.

Imke Thalheim.

Noch nie hatte sie ihren Namen so kunstvoll geschrieben gesehen. Jeder Buchstabe war ein kleines Wunderwerk der Kalligrafie. Imke öffnete den Umschlag, indem sie den Zeigefinger zwischen Klebefläche und oberen Rand schob, zog den Brief heraus und faltete ihn auseinander.

Ich liebe dich.

Ich brauche dich.

Ich werde dich kriegen.

Darunter, wie ein Siegel aus bräunlichem Rot, ein walnussgroßer Fleck aus einer getrockneten Substanz.

Imke erstarrte. Es war nicht nötig, den Fleck analysieren zu lassen. Sie war sich sicher, dass er aus Blut bestand. Der Verfasser dieses Briefs hatte statt einer Unterschrift Blut auf das Papier tropfen lassen.

Angewidert warf sie Brief und Umschlag auf den Tisch. Sie

hatte das Bedürfnis, sich die Hände abzuschrubben, aber sie konnte sich nicht bewegen. Ekel, Wut und Furcht lähmten sie.

Sie schüttelte den Kopf. Wie oft schon hatte sie Post von wildfremden Menschen bekommen, die in ihrem Bedürfnis nach Mitteilsamkeit und ihrem Wunsch nach Nähe eine Grenze überschritten hatten. Wie oft hatte sie versucht, bizarre, befremdliche Gedankengänge nachzuvollziehen, die ihr ungefragt zugeschickt worden waren. Auch das gehörte doch zu ihrem Alltag.

Warum jetzt diese heftige Reaktion?

Sie überwand sich, hob das Papier mit spitzen Fingern auf, faltete es zusammen und schob es in den Umschlag zurück. Mühsam erhob sie sich und legte den Brief auf die Konsole in der Halle, um ihn später Tilo zu zeigen. Dann ging sie in die Küche, schäumte sich die Hände mit Spülmittel ein, bearbeitete sie mit der Bürste, bis die Haut brannte, und hielt sie danach minutenlang unter den klaren, kühlen Wasserstrahl. Ganz allmählich fühlte sie sich besser.

Mit einem extra starken Kaffee kehrte sie in den Wintergarten zurück, öffnete die Terrassentür und trat in den Garten hinaus. Für Anfang März war es schon recht warm. Die letzten Krokusse leuchteten im Gras und im Unterholz. Die Narzissen, die sich über die Jahre ungestört vermehrt hatten, strahlten wie Hunderte kleiner Sonnen. Weit und blau spannte sich der Himmel über dem Land.

Doch das Licht hatte urplötzlich an Wärme verloren.

Ich liebe dich.

Ich brauche dich.

Ich werde dich kriegen.

Imke stellte die Tasse ab, dass der Kaffee überschwappte, hastete ins Haus, schnappte sich Tasche und Mantel, holte den Wagen aus der Scheune und brauste los.

Eine Flucht. Kopflos. Ohne Sinn und Verstand.

Egal, dachte Imke. Hauptsache weg.

Sie wollte nicht grübeln. Vor allem nicht über die Angst, die plötzlich in ihr wach geworden war. Eine Angst, so kalt und schwer, dass sie Imke die Luft abschnürte.

*

Wir hatten lange geschlafen und ausgiebig gefrühstückt. Seit wir die Schule hinter uns hatten, wussten wir unsere freie Zeit zu schätzen. Wir arbeiteten beide hart, Merle im Tierheim und ich im *St. Marien,* wo ich mein freiwilliges soziales Jahr absolvierte. Die Wochenenden waren uns heilig, und wir erlaubten niemandem, sie ohne triftigen Grund zu stören.

Merle hatte Brötchen geholt und die Tageszeitung mitgebracht. Ich hatte den Tisch gedeckt und das Frühstück vorbereitet. Unser Samstagsritual. Es hatte sich ganz von selbst so eingespielt.

Jetzt tranken wir unseren dritten Kaffee, hatten die Zeitung zwischen Brotkrümeln und Eierschalen ausgebreitet und studierten gemeinsam den Immobilienteil. Smoky lag auf dem Sofa hingestreckt, seine beiden Haremsdamen rechts und links neben sich. Er hatte sich gut bei uns eingelebt und ließ sich von Donna und Julchen nach Strich und Faden verwöhnen.

»Hör dir das an«, sagte Merle und las vor, als hätte ich nicht selbst Augen im Kopf. *»Birkenweiler, Bauernhof, sechs Zimmer, Küche, Diele, Bad, Wohn-, Nutzfläche 220 Quadratmeter, 2700 Quadratmeter Garten, Scheune, Stallungen, 600 Euro warm plus Nebenkosten plus zwei Monatsmieten Kaution.«* Sie verschluckte sich vor Aufregung. »Zweitausendsiebenhundert Quadratmeter«, röchelte sie und versuchte, ihre Stimme wieder in den Griff zu kriegen, indem sie die tränenden Augen aufriss und sich mit der flachen Hand auf den Brustkasten klopfte.

Das war für Bröhler Verhältnisse direkt geschenkt und bei Weitem günstiger als alles, was wir uns bisher angesehen hatten. Ich fragte mich, wo der Haken sein mochte. Wahrscheinlich wellte sich das Linoleum auf den Böden oder es gab ein Plumpsklo auf dem Hof oder das Haus war auf einer ehemaligen Müllkippe errichtet worden oder der Schimmelpilz hatte es sich auf den Wänden gemütlich gemacht. Vielleicht sogar alles zusammen.

Birkenweiler ist ein kleiner, alter Ortsteil im Süden Bröhls, der ursprünglich selbstständig gewesen ist und irgendwann eingemeindet wurde, ohne den dörflichen Charme vergangener Zeiten zu verlieren. Es gibt dort noch eine Reihe von Bauern, die von der Landwirtschaft leben und in ihren Hofläden eigene Erzeugnisse anbieten. Ihre Kunden kommen aus dem gesamten Umland und manche von ihnen haben sich mit der Zeit unter die Alteingesessenen gemischt. Inzwischen gilt Birkenweiler als Paradies für Stadtflüchter, Alternative, Rentner und junge Familien. Genau die richtige Umgebung für eine Wohngemeinschaft.

»Zweitausendsiebenhundert Quadratmeter«, wiederholte Merle mit immer noch brüchiger Stimme.

»Viel zu schön, um wahr zu sein.« Ich notierte die Telefonnummer des Maklers. »Irgendwas ist da faul.«

»Oder es ist ein Ringeltäubchen.«

»Ein was?«

»Ein Ringeltäubchen. Das sagen wir bei uns zu Hause zu ganz besonderen Glücksfällen. Smoky zum Beispiel ist ein Ringeltäubchen. Und du bist eins.« Sie schmatzte mir einen Kuss auf die Wange. »Nicht zu vergessen Mike, Ilka und Mina.«

Mit Mike war unsere WG eigentlich komplett gewesen. Doch dann war nach einer Weile seine Freundin Ilka dazugekommen. Und seit wir Mina kennengelernt hatten, war klar, dass wir uns nach einer neuen Unterkunft umsehen mussten, die für uns alle Platz bieten würde.

Ilka und Mike, die sich nach dem Abi für ein Jahr Auszeit entschieden hatten, befanden sich noch immer auf ihrer Reise durch Brasilien. Mina hatte sich für eine langwierige Psychotherapie in eine Klinik zurückgezogen. Merle und ich hielten so lange die Stellung in Bröhl.

Zu fünft benötigten wir jede Menge Platz. Günstige große Wohnungen jedoch waren heiß begehrt und gingen meistens unter der Hand weg. Also hatten wir beschlossen, lieber nach einem Haus zu suchen. Das war uns sowieso viel sympathischer. Häuser hatten einen Garten. Man musste keine Rücksicht auf andere Mieter nehmen. Und niemand würde sich über die Katzen beschweren.

Falls wir überhaupt einen Vermieter fanden, der keine Vorurteile gegenüber Wohngemeinschaften hatte. Und gegen Katzen.

Wir hatten schon die scheußlichsten Bruchbuden besichtigt und waren auf die unglaublichsten Typen gestoßen. Sehr zum Kummer meiner Mutter, die nur zu gern bereit gewesen wäre, uns mit einem der angesagten Makler zusammenzubringen, die in der oberen Liga spielten und Leute wie uns im normalen Leben gar nicht zur Kenntnis nahmen.

Aber dafür reichten unsere Finanzen nicht aus.

»Geld ist doch kein Problem«, hatte meine Mutter auf meinen Einwand hin erwidert.

Da hatte sie recht. Ihre Krimis lagen stapelweise auf den Bestsellertischen der Buchhandlungen. Nach jeder Neuerscheinung wurde sie in den Talkshows herumgereicht. Imke Thalheim und ihre Thriller waren Kult. Der Rummel um ihre Person war sogar meiner Mutter selbst längst zu viel geworden.

»Wirklich, Jette. Ich habe schon seit einiger Zeit vor, ein Haus zu kaufen. Als Geldanlage, verstehst du? Und das könntet ihr dann doch von mir … sozusagen als eurer Vermieterin …«

Ich hatte sie nicht ausreden lassen. Geld war tatsächlich nicht das Problem meiner Mutter. Es war *mein* Problem. Ich hatte immer nur so viel von ihr angenommen, wie ich zum Leben brauchte. Es war eine Frage des Stolzes. Der Unabhängigkeit. Des Erwachsenseins.

Inzwischen konnte ich mich allein durchschlagen. Und mit Schickimickimaklern hatten Merle und ich sowieso nichts am Hut.

Der Makler, der den Bauernhof anbot, hieß Heiner Kerres. Er hatte die Finger in beinahe jedem Immobiliengeschäft stecken, das in Bröhl und Umgebung abgewickelt wurde. Sein Ruf war übel, denn er scheute nicht davor zurück, noch die baufälligste Hütte zu vermitteln, solange sie aus eigener Kraft aufrecht stehen konnte. Dass wir bei unserer Suche bislang noch nicht mit ihm zu tun gehabt hatten, war reiner Zufall.

Ich beschloss, dass wir es uns nicht leisten konnten, wählerisch zu sein, griff nach dem Telefon und tippte die Nummer ein. Gleichzeitig wappnete ich mich gegen die Fragen, die unweigerlich auftauchen würden, denn es waren immer hundert Erklärungen nötig, bevor man überhaupt so weit kam, ein Haus besichtigen zu dürfen.

»Maklerbüro Kerres und Söhne, Alice Morgenstern am Apparat, was kann ich für Sie tun?«

Alice. Sollte jemand mit einem solchen Namen nicht lieber Schauspielerin sein oder Sängerin? Alice. Morgenstern. Und eine Stimme wie Blütentau.

Ich hatte mir inzwischen ebenfalls einen Spruch zugelegt, den ich jedes Mal mit leichten Variationen abspulte. »Jette Weingärtner, guten Tag. Ich melde mich auf Ihre Annonce im *Bröhler Stadtanzeiger*. Sie bieten da ein Haus in Birkenweiler zur Miete an. Ist es noch frei?«

Es war tatsächlich noch zu haben. Ich kam gleich auf die kritischen Punkte zu sprechen und Merle beobachtete gespannt mein Gesicht.

»Eine Wohngemeinschaft?«, hakte Alice Morgenstern nach. »Wie viele Personen?«

»Fünf«, antwortete ich und beschloss, die Katzen erst bei der Besichtigung zu erwähnen. Falls eine Besichtigung überhaupt zustande käme.

»Studenten?«, fragte Alice.

»Noch nicht«, antwortete ich. »Wir haben gerade Abi gemacht.«

Merle hatte die Hände gefaltet und sah mich beschwörend an. Für sie als Tierschützerin wäre ein Bauernhof die Erfüllung eines Traums. Doch zunächst mussten noch die finanziellen Aspekte beleuchtet werden.

»Mit wem würde der Mietvertrag gegebenenfalls geschlossen?«, fragte Alice.

»Am liebsten mit uns allen.«

»Darauf wird sich der Vermieter nicht einlassen. Das wird zu kompliziert.«

»Dann mit mir«, beschloss ich kurzerhand.

»Gut.« Alice machte eine kleine Pause, in der ich Papier rascheln hörte. »Wann hätten Sie denn Zeit für eine Besichtigung?«

»Am liebsten sofort«, sagte ich, und Merle schlug die Hände vor den Mund, um nicht vor Begeisterung loszukreischen.

»Fünfzehn Uhr?«, fragte Alice.

»Perfekt«, entgegnete ich mit dem letzten Rest Selbstbeherrschung, den ich noch aufbringen konnte. Ich schrieb die Adresse auf, beendete das Gespräch und stieß einen Freudenschrei aus, der alle drei Katzen unter das Sofa flüchten ließ.

Merle sprang auf und umarmte mich. Wir tanzten durch die Küche. Wir lachten und kriegten uns gar nicht mehr ein.

Daran, dass mit dem Angebot etwas nicht stimmen könnte, dachten wir keine Sekunde länger.

*

Er liebte ihre Bücher. Er war süchtig danach. Jeder ihrer Sätze war wie für ihn geschrieben. Als hätte sie einen Blick in seine Seele getan.

Wie sie mit den Worten spielte. Und mit den Gedanken.

Wie sie die Mosaiksteine aneinanderfügte, einen nach dem andern, und so die Handlung aufbaute, eine Palette von Gefühlen beim Leser erzeugte und eine schier unerträgliche Spannung.

Ganz zufällig war er auf einen ihrer Krimis gestoßen. Er war durch seine Lieblingsbuchhandlunggestreift, an den prallvollen Regalen entlang und an den verführerischen Tischen mit den Neuerscheinungen, und da war sein Blick auf das Cover gefallen.

Es zeigte das Gesicht eines außergewöhnlich schönen Mädchens. So schutzlos und preisgegeben, dass er augenblicklich befürchtet hatte, jemand könnte dieses Gesicht verletzen. Darüber stand in roter Flammenschrift: *Stirb und lächle.*

Stirb und lächle!

Was für ein grandioser Gegensatz!

Er hatte das Buch mitgenommen. Es hatte ihn die ganze Nacht wach gehalten. Er hatte es nicht gelesen – er hatte es verschlungen. Als wäre er ausgehungert gewesen nach genau diesen Sätzen, diesen Bildern.

Schon immer hatte er gern gelesen. In der Phantasie war alles möglich. Da gab es keine Einschränkungen. Da wurde man nicht von Skrupeln geplagt. Man konnte alle Gefühle ausleben, unzensiert.

Im Kopf.

Man konnte sogar in die Haut des Mörders schlüpfen. Ihm

über die Schulter gucken. *Ihm die Hand führen!* Und wurde nicht von der Polizei gejagt, nicht vor Gericht gestellt und eingesperrt.

Lesen war absolute Freiheit. Es war noch besser als Kino. Weil keiner, wirklich NIEMAND, eingriff, kein Regisseur, kein Schauspieler, kein Kameramann. Da war nur die Geschichte, und da war er, der sie las.

Lesen war seine Droge gewesen. All die Jahre zu Hause. Eine beschissene, kümmerliche Kindheit lang. Hätte er seine Bücher nicht gehabt, wäre er ausgerastet irgendwann. Sie hatten es ihm ermöglicht, still wegzugehen. An einen Ort, an dem ihn niemand erreichte. Nicht die Eltern, nicht die Schwestern und nicht der Onkel, der bei ihnen lebte und das Klima mit seiner Bosheit vergiftete.

Ein Panoptikum, hatte er oft gedacht. Manchmal hatte er einfach nur dagesessen und sie beobachtet bei ihrem Kleinkrieg, den sie Familienleben nannten. Statt sich die Augen auszukratzen oder die Köpfe einzuschlagen, machten sie sich mit Worten fertig. Sie beschimpften und beleidigten einander, stießen wüste Drohungen aus.

Nicht laut. Niemand verlor die Kontrolle. Man sagte sich die gröbsten Gemeinheiten mit einem kleinen Lächeln. Es brodelte. Aber unter der Oberfläche.

Probleme wurden unter den Teppich gekehrt. Die Leute sollten nichts merken. Die Nachbarn nicht, die viel zu neugierig waren. Und die Bekannten nicht, die allesamt hereinfielen auf das Bild der heiligen Familie.

Und die Freunde? Vielleicht hatte der eine oder andere eine Ahnung. Doch sie bohrten nicht nach, mischten sich nicht ein. Vielleicht hätten sie sonst entdeckt, unter welchen Qualen der kleine Junge litt, der nirgendwo richtig zu Hause war, nicht einmal in sich selbst. Vielleicht hätten sie ihm helfen können.

Die Bücher waren ein Trost. Sie zeigten ihm Menschen, denen es ähnlich erging wie ihm. Die Opfer waren und ihrer Rolle nicht entfliehen konnten.

Sie zeigten ihm aber auch die Täter. Und er fragte sich bei jedem von ihnen, ob sie die Wahl gehabt hatten. Wahrscheinlich nicht. Das Leben stellte jeden an seinen Platz. Man war eine Figur in einem Spiel, das die Götter spielten.

An dem Tag, an dem er achtzehn geworden war, hatte er sein Bündel geschnürt und war weggegangen. Diesmal richtig und für immer. Keiner hatte das Recht gehabt, ihn daran zu hindern oder ihn zurückzuholen. Keiner hatte es versucht. Er war erwachsen und für sich selbst verantwortlich.

Sein Bündel geschnürt. Es war tatsächlich nicht viel gewesen, was er mitgenommen hatte, ein paar Jeans, Pullis, T-Shirts. Er hatte sich vorgenommen, auf der Straße unterwegs zu sein.

On the road again. Für unbestimmte Zeit.

Mit Gelegenheitsjobs hatte er sich über Wasser gehalten. Er hatte immer jemanden gefunden, bei dem er unterschlüpfen konnte für eine Nacht oder zwei. Zur Not tat es auch eine Scheune oder eine Garage.

Und dann war er bei einem seiner Jobs hängen geblieben. Handlangerarbeiten in einer Autowerkstatt. Es war nicht gerade sein Traum gewesen, mit ölverschmierten Händen und einem hartnäckigen Schmutzfilm unter den Fingernägeln an Vergasern und Zylindern zu fummeln, aber der Boss hatte ihm eine Wohnung über der Werkstatt angeboten, gutes Geld und schließlich die Möglichkeit, eine Ausbildung bei ihm zu machen.

Nach der Lehre war er geblieben. Und er war immer noch da.

Es war kein übles Leben. Er hätte es schlechter treffen können. In manchen Augenblicken war er dem Glücklichsein sogar ziemlich nahe gekommen. Und dann hatte er das Buch von Imke Thalheim entdeckt. Es hatte alles auf den Kopf gestellt.

Da sprach ihm jemand aus der Seele. Da war einer, der seine geheimsten Gedanken und Sehnsüchte kannte. Der Ähnliches durchgemacht haben musste wie er.

Er saugte jede Zeile in sich auf, die sie zu Papier gebracht hatte. Und danach alles, was andere über sie geschrieben hatten. Es ging ihm längst nicht mehr bloß um die Bücher dieser Frau. Es ging ihm um sie selbst. Imke Thalheim. Starautorin des Piepenbrink Verlags.

Er liebte sie. Und er hasste sie.

Er hatte längst aufgegeben, das verstehen zu wollen.

*

Hauptkommissar Bert Melzig hatte beschlossen, sich diesen Samstag endlich einmal Zeit für seine Kinder zu nehmen. Er hatte sogar überlegt, welche Alternativen er ihnen anbieten wollte: eine Fahrradtour, einen Ausflug in den Zoo oder ins Aquarium oder einfach einen gemeinsamen Spieltag zu Hause.

Doch dann waren beide mit Freunden verabredet gewesen.

»Das wundert dich?«, hatte Margot gefragt, nachdem die Kinder freudig aus dem Haus gestürmt waren.

Bert hatte genickt. Ja. Es hatte ihn gewundert. Wie oft hatten die Kinder sich beklagt und ihm vorgeworfen, er habe nie Zeit für sie. Und nun legten sie keinen Wert darauf, mit ihm zusammen zu sein.

»Wie naiv bist du eigentlich?«

Wenn Margot ihren spöttischen Ton anschlug, war ihm danach, die Augen zu schließen und zu vergessen, dass er dieser Frau jemals begegnet war.

»Nie bist du da. Immer ist die Arbeit das Wichtigste für dich. Und dann hast du zufällig mal ein paar Stunden Leerlauf zwischen zwei Fällen, erklärst die Kinder zu deinen Lückenbüßern und erwartest auch noch Begeisterung?«

Sie verzog den Mund zu einem ironischen Lächeln und fing an, mit großem Getöse die Wochenendeinkäufe auszupacken.

»Ich hab mir das doch nicht ...«

»... ausgesucht?«, beendete sie den Satz für ihn. Wie gut sie ihn kannte. Ihn und seine Ausflüchte. Seine Rechtfertigungen. »Mach dir doch nichts vor, mein Lieber.«

Mein Lieber. Was taten sie hier? Ihre Sätze klangen wie aus einem Theaterstück. Und war es nicht wirklich so, dass sie bloß noch ihre Rollen spielten?

»Was willst du eigentlich von mir?«, fragte er angriffslustig.

»Von dir?« Sie hob die Augenbrauen und ihre Stirn legte sich in müde Falten. »Nichts mehr. Nicht das Geringste.«

Sein Handy klingelte.

»Na bitte!« Margot warf die Arme hoch und ließ sie wieder sinken. »Was ist es diesmal? Eine neue Leiche? Entführung? Bewaffneter Raubüberfall? Irgendwas in der Art. Und weißt du was? Es ist mir egal! Es ist mir *ab-so-lut* gleichgültig, ob du hier bist, in deinem Büro oder sonst wo.«

»Melzig!«

Es war nicht fair, den unschuldigen Anrufer so anzublaffen, aber Bert hatte seinen Vorrat an Friedfertigkeit verbraucht. Er nahm sich seit Jahren zusammen. Immer und immer wieder. Allmählich wünschte er sich ein Ende herbei, wie es auch aussehen mochte.

»Imke Thalheim. Guten Tag, Herr Melzig. Störe ich Sie gerade?«

Ihre Stimme ließ seinen Atem stocken. Er hatte sie so lange nicht mehr gehört.

»Aber nein. Überhaupt nicht. Was kann ich für Sie tun?«

Ihr Zögern jagte ihm einen Schrecken ein. Jedes ihrer Zusammentreffen war durch ein Verbrechen zustande gekommen. Er hoffte inständig, dass nicht wieder etwas passiert war.

»Ich bin mir nicht sicher, ob ich Sie damit behelligen soll«, tastete sie sich vor. »Es ist nur so, dass ... ich ein ungutes Gefühl habe.«

Du darfst mich mit allem behelligen, dachte Bert. Jederzeit. Spürst du das denn nicht?

»Dann ist es auf jeden Fall gut, dass Sie sich melden«, sagte er. »Was ist denn los?«

»Ich habe einen seltsamen Brief bekommen.«

»Seltsam?«

»Viele meiner Leser schreiben mir zu meinen Büchern, stellen mir Fragen, bitten um ein Autogramm. Dieser Brief ist anders.«

»Inwiefern?«

Er konnte ihr Schaudern spüren, doch als sie antwortete, war ihre Stimme fest wie immer.

»Es ist ein Liebesbrief, der mich ... bedroht.«

Bert registrierte die Diskrepanz in ihren Worten, er bemerkte auch, wie vorsichtig sie die Begriffe wählte. Leise Furcht beschlich ihn.

»Haben Sie schon häufiger solche Post erhalten?«

Wieder ein kurzes Zögern.

»Schwärmerische Briefe, ja. Auch durchaus welche, die übers Ziel hinausgeschossen sind. Ein Drohbrief war noch nicht dabei.«

Erst jetzt fiel Bert auf, dass Margot mit verschränkten Armen am Kühlschrank lehnte und ihm zuhörte. Er drehte sich ein Stück zur Seite.

»Ich würde mir den Brief gern ansehen«, sagte er.

Imke Thalheim stieß einen Seufzer der Erleichterung aus. Als hätte sie Angst davor gehabt, dass er ihr Unbehagen nicht ernst nehmen könnte.

»Ich bin noch unterwegs«, erklärte sie. »Aber in einer Stunde könnte ich zu Hause sein.«

»Gut. In einer Stunde dann.«

Margot bedachte ihn mit einem verächtlichen Blick, stieß sich vom Kühlschrank ab und begann, mit ohrenbetäubendem Geschirrklappern die Spülmaschine auszuräumen.

Bert zog seinen Mantel von der Garderobe, verließ ohne ein weiteres Wort das Haus, setzte sich in seinen Wagen und machte sich auf den Weg.

2

Merle verliebte sich auf den ersten Blick in das Haus. Sie hatte das Gefühl, niemals mehr woanders leben zu können. Das Sonnenlicht ließ den Sandstein warm aufleuchten. Auf den Bäumen und Sträuchern, hinter denen Haus, Scheune und Stall verborgen waren, zeigte sich bereits ein zaghafter grüner Schimmer. Der Vorgarten war übersät mit wilden Narzissen.

Sie waren ein bisschen früher gekommen, um sich ungestört einen ersten Eindruck zu verschaffen. Hoffentlich ließ Alice Morgenstern noch eine Weile auf sich warten. Merle hatte das Bedürfnis, die Bilder in Ruhe auf sich wirken zu lassen.

Der Bauernhof war so gebaut, dass er ein Viereck bildete und einen Innenhof umschloss, in den man von außen keinen Einblick hatte. Drum herum war viel Platz. Auf dem noch winterdürren Gras standen hier und da vergessene Gerätschaften. Eine Leiter, eine rostige Schubkarre, ein abgehalfterter Rasenmäher, ein paar Eimer mit und ohne Henkel, zwei stumpfe Sicheln.

»Dornröschenschlaf«, murmelte Jette.

Merle hob einen blassen Tontopf auf. Er fühlte sich kalt an, als hätte er den ganzen langen Winter in sich gespeichert. Behutsam setzte sie ihn wieder ins Gras.

Das hier war das Paradies. Keine direkten Nachbarn. Der ideale Ort für die Treffen der Tierschutzgruppe und bestens geeignet, um den aus den Versuchslaboren befreiten Tieren für ein, zwei Tage Unterschlupf zu gewähren, bis man geeignete Pflegefamilien gefunden hätte.

Der Hof wirkte verlassen. Die ersten Anzeichen von Verwahrlosung waren nicht zu übersehen. Aber das machte nichts. Sie würden ihn schon wieder auf Vordermann bringen.

»Komisch, dass das Haus leer steht.« Jette spähte in eines der unteren Fenster. »Man sollte doch meinen, um so ein Goldstück würden die Mieter sich reißen.«

In diesem Moment hörten sie ein Auto heranfahren und drehten sich um.

Alice Morgenstern trug ein dunkles Kostüm mit einer lachsroten Bluse und spitze schwarze Schuhe mit hohen Absätzen. Sie hatte ihr schulterlanges braunes Haar im Nacken mit einer silbernen Spange zusammengefasst und musterte die Mädchen über eine randlose Lesebrille hinweg, bevor sie eine schmale weiße Hand ausstreckte und sich zu einem Lächeln entschloss. Ihr Alter ließ sich schlecht schätzen. Sie konnte Mitte zwanzig, aber ebenso gut auch zehn Jahre älter sein.

Ihre Lippen waren sorgfältig nachgezogen und glänzten feucht. Ihre Haut war sehr hell und schimmerte wie Porzellan. Sie nahm die Lesebrille ab und schob sie sich ins Haar. Ihre Fingernägel waren lang wie Büroklammern und mit einem glitzernden Muster bemalt. Sie trat einen Schritt beiseite und gab den Blick auf ihren Begleiter frei.

»Mein Kollege«, stellte sie ihn vor. »Lukas Tadikken.«

Wow, dachte Merle. Den musste sie sich genauer angucken.

Auf den ersten Blick schien er nicht zu seiner Kollegin zu passen. Der zweite Blick bestätigte diesen Eindruck. Er war eher nachlässig gekleidet. Das Blau seines T-Shirts war ausgeblichen, seine Jeans waren an den Knien abgewetzt und die Turnschuhe fleckig und ausgetreten. Einziges Zugeständnis an seine Funktion als Makler war sein Sakko. Allerdings war es eher eine Mischung aus Sakko und Hemd, aus verwaschenem grauen Leinen und ziemlich zerknautscht.

»Hallo.« Lukas Tadikken schenkte Merle und Jette ein breites Grinsen.

»Sie sind nur zu zweit?«, fragte Alice Morgenstern und sah sich suchend um. Anscheinend hatte sie die komplette zukünftige WG erwartet.

Jette nickte. »Die andern sind zurzeit auf Reisen.«

»Auf Reisen. Wie schön.«

Merle war sich nicht sicher, ob sie diese Frau mochte. Alles an ihr wirkte glatt und routiniert, selbst ihre Freundlichkeit war sachlich und kühl. Menschen, die keine Reibungsflächen boten, waren Merle unheimlich. An ihnen scheiterte sie zumeist schon bei den ersten Sätzen.

Alice steckte den Schlüssel ins Schloss und hielt ihnen die Haustür auf. Es roch nach abgelegtem Leben und ungezählten vergangenen Jahren. Es war staubig, düster und kalt. Das Klappern von Alices Absätzen hallte in dem langen Flur.

»Die Küche. Wenn ich mal vorgehen darf.«

Alice hatte die Lesebrille wieder aufgesetzt und blätterte in ihren Unterlagen. »Hier muss ein bisschen was getan werden«, sagte sie und taxierte die fleckigen Wände mit geübtem Blick. »Falls Sie es selbst übernehmen wollen, ist der Vermieter bereit, Ihnen finanziell entgegenzukommen. Dasselbe betrifft die Pflege des Grundstücks. Das kann alles vertraglich geregelt werden.«

Ein bisschen was ist gut, dachte Merle. Dieses Haus hatte schon ewig keine frische Farbe mehr gesehen. Es lechzte nach Aufmerksamkeit, Kreativität und einer Reihe radikaler Verschönerungen.

Die geräumige Wohnküche ließ den engen, dämmrigen Flur vergessen. Der dunkelrote Fliesenboden erinnerte Merle an

Ferien in Italien. Die beiden Fenster, die einander gegenüberlagen, waren schmal und hoch und ließen viel Licht herein.

Auf der einen Seite ging der Blick in den sogenannten Garten hinaus, ein riesiges, karges Stück holpriger Wiese, über das ein paar Vögel hüpften. Auf der anderen Seite blickte man in den gepflasterten Innenhof.

Merle stockte der Atem. Sie hatte selten etwas so Schönes gesehen. Da standen verwitterte Blumenkübel zwischen großen bemoosten Findlingen. Efeu und immergrüner Hibiskus rankten an den Bruchsteinmauern empor. Es gab einen alten Brunnen und ein gemauertes Hochbeet, das von noch winterkahlem Strauchwerk bedeckt war. Und über all das breitete ein hoher Baum schützend seine noch nackten schwarzen Zweige.

»Eine Akazie«, erklärte Alice Morgenstern, die Merles Blick gefolgt war. »Blüht weiß und spendet einen angenehm lichten Schatten.«

Hier würden sie im Sommer sitzen. Wenn Mike und Ilka von ihrer Brasilienreise zurück wären und Mina aus der Klinik. Hier würden sich die Katzen auf den warmen Steinen aalen und endlich ihre Freiheit genießen können.

Merle hätte gern Jettes Hand genommen und sie gedrückt, doch die Freundin stand am anderen Ende des Raums, den Kopf in den Nacken gelegt, und betrachtete die Zimmerdecke, an der eine nackte Glühbirne hing.

Merle versuchte es mit Telepathie.

Sag ja. Sag ja. SAG JA!

»Wenn Sie mir bitte folgen würden.«

Alice Morgenstern, die immer wieder nervös auf ihre Armbanduhr sah, schien darauf bedacht, die Besichtigung möglichst zügig hinter sich zu bringen. Mit leisem Bedauern verließ Merle die Küche, die sie im Kopf schon eingerichtet hatte. Sie versuchte, Blickkontakt mit Jette aufzunehmen, doch die

Freundin schien in Gedanken versunken. Ebenso wie dieser Lukas Tadikken, der gerade über seine eigenen Füße stolperte.

Einzig Alice Morgenstern war hoch konzentriert. Und nervtötend präsent. Merle wünschte, sie könnten sich allein umschauen. Seufzend tappte sie durch den langen Flur hinter den andern her.

*

Imke deckte den Tisch im Wintergarten. Für die Terrasse war es noch zu kalt. Der kräftige Sonnenschein täuschte leicht darüber hinweg, dass der Winter noch längst nicht zu Ende war, vor allem hier auf dem Land.

Auf dem Dach der Scheune hockte der Bussard. So reglos, dass man meinen konnte, er sei nicht echt. Wie diese lebensgroßen Kunststoffraben, die vor manchen Geschäften aufgestellt waren, um lästige Tauben von den Auslagen fernzuhalten.

Der Bussard gehörte zu Imkes Leben hier draußen wie die Schafe, die bald wieder auf den Wiesen grasen würden. Er gehörte dazu wie der winterliche Geruch nach Gülle und Schweinefarm und der sommerliche Erdbeerduft, der in den Erntemonaten von den Feldern herüberwehte.

Der Vogel wachte über sie. Ließ nicht zu, dass ihr etwas Böses geschah. Ihr oder den Menschen, die sie liebte.

Pass auf Jette auf, dachte sie unwillkürlich. Behüte meine Tochter.

Erschrocken hielt sie inne, mit den Servietten in der Hand über den Tisch gebeugt. Was tat sie da? Machte sie einen Gott aus diesem Tier?

»Unsinn«, murmelte sie. »In allen Kulturen gibt es Lebewesen, die wegen ihrer besonderen Kräfte verehrt werden. Eulen zum Beispiel. Wölfe. Oder Schlangen. Nur haben diese Kräfte in einer Welt ohne Magie keinen Platz mehr und werden einem fremd.«

Sie griff nach Notizzettel und Kugelschreiber und schrieb den Gedanken auf. Und erschrak wieder. Hatte Jette etwa recht, wenn sie ihr vorwarf, sie würde alles in ihrer Umgebung als Material für ihre Bücher betrachten?

»Quatsch«, beruhigte sie sich ein zweites Mal. Sie unterschied sehr wohl zwischen privat und öffentlich. Niemals würde sie Geheimnisse, die ihr anvertraut worden waren, in ihren Romanen ausplaudern. Noch nie hatte sie die Intimsphäre eines Menschen wissentlich verletzt.

Konzentriert deckte sie weiter den Tisch, stellte einen Teller mit Gebäck in die Mitte und rückte die Obstschale näher heran. Befriedigt rieb sie sich die Hände.

Im nächsten Augenblick war sie auf dem Weg nach oben, um sich umzuziehen. Vor dem geöffneten Kleiderschrank überfiel sie die Ratlosigkeit. Sie griff nach einer Hose und hängte sie wieder zurück, zog einen Rock heraus und überlegte es sich wieder anders. Was war los mit ihr? Wieso konnte sie sich für keines der Kleidungsstücke entscheiden?

Weil du ihm gefallen willst.

Sie lachte, aber das Lachen war nicht echt. Sie lachte nur, um die kleine gemeine Stimme in ihrem Innern zu übertönen.

»Ich *will* ihm nicht gefallen«, sagte sie trotzig. »Ich *weiß,* dass ich ihm gefalle.«

Im nächsten Moment hatte sie die Schranktür zugeschlagen. Sie würde sich nicht umziehen. Sie war nicht der Spielball ihrer Gefühle und würde sich nicht dazu machen lassen.

Auf dem Weg nach unten fiel ihr Blick in Tilos Arbeitszimmer. Vor wenigen Wochen erst hatten sie es eingerichtet, damit er nicht länger bloß ein Besucher in Imkes Haus war. An diesem Wochenende nahm er an einer Tagung in Zürich teil. Noch bis zur letzten Sekunde hatte er an seinem Vortrag gearbeitet: *»Sind wir Sklaven unseres Unterbewusstseins?«*

Imke wandte den Blick ab, als sie an der weit geöffneten Tür vorbeiging. Eher Sklaven unseres Schuldbewusstseins, dachte sie zerknirscht und verbannte den Gedanken sofort aus ihrem Kopf. Zurück im Wintergarten, schaute sie auf die Uhr. Noch fünf Minuten. Eine kleine Ewigkeit.

*

Die beiden passten nicht zusammen. Ich fragte mich, wie sie als Team zurechtkommen mochten. War Alice Morgensterns Schreibtisch wie sie selbst? Aufgeräumt, überschaubar und ohne jeden Hinweis auf den Inhalt seiner Schubladen? Und der ihres Begleiters? Wie sah der wohl aus? Unordentlich, kreativ und voller Widersprüche?

Ich ärgerte mich über meine Vorurteile, während ich hinter der kleinen Truppe herging, allen voran Alice Morgenstern, dann Lukas Tadikken, dicht gefolgt von Merle, die mich überholt hatte und wie trunken zu sein schien von den Eindrücken, die auf uns einstürmten.

Der Bauernhof war nicht gerade eine Zierde seiner Art, aber mit Ilkas Phantasie, Minas vielfältigen Fähigkeiten, Mikes Kraft, Merles Organisationstalent und meinem Durchhaltevermögen würde es uns gelingen, etwas Hinreißendes daraus zu zaubern.

Im Augenblick wurde der Eindruck von den zahlreichen Verfallsspuren getrübt, auf die man überall traf. Die Bewohner waren nicht gut zu dem Haus gewesen. Reste ihrer Habseligkeiten lagen in den Räumen verstreut, zwischen Müll und Zeitungsstapeln, achtlos in Plastiktüten gestopft oder einfach weggeworfen.

Der Geruch, der in der Luft hing, war modrig und kalt. Ein grauer Kellergeruch, der sich in allen Zimmern ausgebreitet hatte, der hartnäckig an den Wänden haftete, in die scheußlichen Teppichböden gesickert war und die schmutzblinden Fensterscheiben bedeckte.

»Als hätte Luzifer persönlich einmal tief ausgeatmet«, raunte Merle, die plötzlich neben mir war, schaudernd.

Lukas drehte sich halb nach uns um. Vielleicht hatte er sie gehört. Und sicherlich waren Makler empfindlich, wenn man an der Qualität ihrer Objekte herumnörgelte.

Ich blieb am Badezimmerfenster stehen und blickte auf eine große Fläche nackter Erde hinaus, die einmal ein Hühnerhof gewesen sein musste. Wo Hühner leben, gedeiht keine Blume, kein Grashalm. Hühner scharren alles tot. In Gedanken hörte ich ihr Gackern und Gluckern und das heisere Krähen eines Hahns.

Ich spürte Merles Atem an meinem Ohr.

»Wir könnten uns ein Schwein anschaffen«, flüsterte sie. »Oder besser zwei? Leiden Schweine unter Einsamkeit?«

»Bestimmt.« Ich ließ den Blick über den Hühnerhof hinweg zu dem Feld wandern, das an den Garten anschloss. »Gibt es überhaupt Einzelgänger in der Natur?«

»Ja«, mischte Lukas sich ungefragt ein. »Den Menschen.«

Merle warf ihm einen überraschten Blick zu. Sie mochte Männer mit klaren Vorstellungen und der Fähigkeit zur Ironie.

Aber hatte dieser Lukas das wirklich ironisch gemeint?

Ich hob den Kopf und begegnete seinem belustigten Blick.

»Menschen sind keine Einzelgänger«, behauptete ich, bloß um ihm zu widersprechen. »Sie sind wie Tauben. Oder wie Wale. Die verbringen, glaube ich, auch ihr ganzes Leben zu zweit.«

»Wale und Tauben leben monogam?« Sein Grinsen war fast schon unverschämt. Wollte er mich provozieren?

»Wie die meisten Menschen auch.«

Im nächsten Moment schoss mir die Erkenntnis durch den Kopf, dass meine Eltern mit ihrer Scheidung als leuchtendes Bespiel für das Gegenteil dienen konnten, doch das musste ich Lukas ja nicht auf die Nase binden.

»Das glaubst du doch nicht wirklich«, sagte Merle, die sich tagtäglich mit ihrer Liebe zu Claudio quälte, dem elenden Bigamisten mit seiner Verlobten in Sizilien. Er hatte sich noch immer nicht eindeutig zu Merle bekannt.

»Wenn Sie mir bitte nach draußen folgen wollen«, unterbrach uns Alice mahnend und war schon im Garten verschwunden. Vielmehr in dem, was sich Garten nannte.

Ich dachte nicht mehr an das Wortgeplänkel und ignorierte das kahle Stück Grün, das wir nacheinander betraten. Vor meinem inneren Auge erschien das Bild eines duftenden Kräutergartens, durch den Hummeln und Schmetterlinge flogen. Ich stellte mir einen großen Teich vor, mit Seerosen und Wasserhyazinthen, und hörte einen Springbrunnen plätschern. Wir könnten uns einen gebrauchten Strandkorb zulegen und einen Tisch aus Stein.

»Wahnsinn«, flüsterte Merle. »Die Katzen werden hier ausflippen.«

Das glaubte ich auch. Doch zunächst einmal würden sie vorsichtig die Umgebung erkunden und ihren Radius von Tag zu Tag erweitern. Sie würden Mäuse jagen, Libellen fangen und nach Fischen angeln. Kein Dach, kein Baum wäre vor ihnen sicher.

Weil es hier nicht viel zu besichtigen gab, gingen wir in den Innenhof. Er erinnerte mich an die Laubengänge alter Klöster und erzeugte ein Gefühl in mir, das ich lange nicht mehr gespürt hatte. Voller Angst, dass es sich wieder verflüchtigen könnte, blieb ich stehen und lauschte.

Glück.

Und gleich war es wieder verschwunden.

»Probleme?«

Lukas Tadikken hatte eine angenehme Stimme. Tief und warm – und irritierend. Sie ließ mich beinahe vergessen, warum wir hier waren.

»Ganz im Gegenteil.« Ich lehnte mich an die Hauswand, schloss die Augen und streckte das Gesicht in die Sonne.

»So ein Haus würde ich gern besitzen.« Ganz kurz warf er einen Schatten auf mein Gesicht, als er sich neben mich stellte und sich ebenfalls an die Mauer lehnte. »Man könnte ein wahres Schmuckkästchen daraus machen.«

»Warum tun Sie's nicht? Wo Sie doch an der Quelle sitzen.«

Das war mir einfach so herausgerutscht und ich hätte mir am liebsten die Zunge abgebissen. Es war verrückt, ihn auf die Idee zu bringen, uns dieses Schmuckkästchen wegzuschnappen.

»Mit einem Arbeitstag pro Woche wird man in diesem Job nicht reich«, antwortete er.

»Freier Mitarbeiter?«

»So ungefähr.«

Eine verfrühte Wespe surrte an meinem Gesicht vorbei. Sonst war es ganz still. Etwas in mir ließ los und entspannte sich. Zum ersten Mal seit langer, langer Zeit. Ich hatte Lust, mich hinzusetzen und zu bleiben. Für immer.

Doch Alice führte uns wieder ins Haus. Treppauf. Treppab. Sie fragte nach den übrigen Bewohnern der WG und erkundigte sich nach unserer finanziellen Situation. Natürlich hätte ich ihr anbieten können, eine Bürgschaft beizubringen. Meine Mutter hätte sich liebend gern dafür zur Verfügung gestellt, aber das wollte ich nicht. Ich wollte endlich auf eigenen Füßen stehen.

»Jaaa«, sagte Alice gedehnt und unterzog Merle und mich einer letzten gründlichen Musterung. »Wie gefällt Ihnen das Objekt denn nun?«

Merle und ich guckten uns an. Dabei war die Entscheidung längst gefallen.

»Wir würden gerne hier einziehen«, sagte Merle.

»So bald wie möglich«, ergänzte ich.

»Das freut mich.« Alice packte ihre Unterlagen zusammen und tauschte ihrerseits einen einvernehmlichen Blick mit Lukas. »Sie werden dann von uns hören.«

Die beiden schickten sich zum Gehen an.

»Gibt es noch andere Bewerber?« Sosehr Merle versuchte, ihre Aufregung zu überspielen, ihre erhitzten Wangen und der Glanz in ihren Augen verrieten sie.

»Selbstverständlich«, erwiderte Alice kühl.

Ein Schlag in die Magengrube, der meine Träumereien abrupt beendete und mich unsanft auf dem Boden der Tatsachen landen ließ. Ich blickte Lukas an. Er hielt Alice die Tür auf und zwinkerte mir zu.

Etwas in mir hüpfte auf.

»Mist!«, schimpfte Merle, als wir wieder im Auto saßen. »Die anderen Interessenten brauchen nur verheiratet zu sein, dann haben wir nicht den Hauch einer Chance.«

Mein Renault sprang erst beim vierten Versuch an. Ich würde mich um einen neuen Wagen kümmern müssen, denn irgendwann würde dieser hier mich auf der Autobahn oder mitten auf einer einsamen Landstraße hängen lassen. Gut, dass ich ein bisschen Geld zurückgelegt hatte. Wenn ich ein altes Modell fände, das noch ein paar Jahre durchhielte, käme ich wahrscheinlich darum herum, meine Mutter oder meine Großmutter anzupumpen.

»Den idealen Bewerber gibt es nicht«, beruhigte ich Merle. »Morgen haben wir das Haus. Versprochen.«

»Wie kannst du da so sicher sein?«

»Wegen Lukas.«

»Lukas? Wieso?«

»Er hat mir zugezwinkert.«

»Ach?«

Es wunderte mich ja selbst. Leise fing ich an zu summen, eine kleine Melodie, die mir gerade in den Kopf geweht war.

»Du bist ja enorm gut gelaunt«, stellte Merle mit einem misstrauischen Seitenblick fest.

Sie hatte recht. Es erstaunte sogar mich selbst.

*

Bert Melzig schluckte. Seine Wut überraschte ihn.

Ich liebe dich.

Was fiel diesem Dreckskerl ein, ihr das zu schreiben?

Ich brauche dich.

Natürlich konnte rein theoretisch auch eine Frau hinter diesem Brief stecken, doch Bert hielt das für unwahrscheinlich. Er *spürte* den Mann in jeder Zeile. Jede Silbe, jedes Wort verriet das Überlegenheitsgefühl eines Machos, der keine Grenzen akzeptierte.

Oder eines Psychopathen.

Ich werde dich kriegen.

Bert wischte sich mit dem Handrücken über den Mund, um seine Mimik unter Kontrolle zu halten. Imke Thalheim beobachtete ihn. Sie lauerte auf eine Reaktion, die sie deuten konnte.

Diese Gewalt in den Zeilen. Die unverhüllte Drohung.

Bert nahm einen Schluck Kaffee und schlug die Beine übereinander. Das signalisierte Entspannung und Kompetenz. Genau das, was sie von ihm erwartete.

Dieser obszöne Blutfleck auf dem Büttenpapier. Dass es Blut war, hatte Bert auf den ersten Blick erkannt. Er war zu lange in diesem Geschäft, um sich in solchen Dingen zu irren. Blut ließ die Alarmglocken in seinem Kopf schrillen, egal in welcher Form er es vor sich hatte.

»Was ... halten Sie davon?«

Er bemühte sich um den Anschein von Gelassenheit, bevor er den Kopf hob und sie anschaute. Die Furcht in ihren Augen machte ihn hilflos, doch das durfte er ihr nicht zeigen. Er verzog geringschätzig die Lippen.

»Ein Spinner.«

»Mehr nicht?«

»Wohl kaum.«

Sie neigte den Kopf. Betrachtete Bert voller Skepsis. Durfte er die Situation bagatellisieren? Sein Instinkt sagte ihm, dass dieses Schreiben alles andere als harmlos war. Wen wollte er beschwichtigen? Imke oder vielmehr sich selbst?

»Darf ich den Brief mitnehmen?«, fragte er wie beiläufig.

»Er ist übersät mit meinen Fingerabdrücken.«

»Trotzdem.«

Sie nickte. Für eine Weile war alles gesagt, und sie saßen im Wintergarten und schauten hinaus auf das stille Land, nach dem Bert Sehnsucht hatte, seit er es zum ersten Mal gesehen hatte. Auf dem Dach der Scheune hockte ein Raubvogel. Ein Bussard, wie Bert auf den zweiten Blick erkannte. Er erinnerte sich daran, dass dieser Vogel für Imke Thalheim eine besondere Bedeutung hatte.

»Er beschützt mich«, sagte Imke, die seinem Blick gefolgt war, leise.

In diesem Moment hätte Bert gern mit dem Tier getauscht. Er hätte alles getan, um nur selbst ein einziges Mal so von dieser Frau angeschaut zu werden. Und um sie beschützen zu können. Vor dem ganzen Leid der Welt.

Er faltete den Brief zusammen und schob ihn in die Tasche seines Sakkos.

»Ein Spinner?«, kam Imke Thalheim auf ihr Gespräch zurück. »Oder ein Irrer?«

Die wenigsten Menschen hätten zwischen den beiden Begriffen einen Unterschied gemacht. Doch sie als Schriftstellerin wusste, von was sie da redete, und er als Polizeibeamter ebenfalls.

»Eher ein Irrer«, antwortete er zögernd.

»Ein Psychopath?«

»Hören Sie ...«

»Ein Psychopath? Ja oder nein?«

Auf einmal wusste Bert, dass es keinen Sinn hatte, auszuweichen. Sie befand sich in Gefahr. Möglicherweise. Nein, bestimmt. Das ließ sich nicht herunterspielen.

»Ich kann Ihre Frage nicht beantworten«, sagte er. »Noch nicht. Aber ich werde mich darum kümmern. Das verspreche ich Ihnen.«

»Gut.«

Sie lächelte und wollte sich wieder dem Bussard zuwenden, doch der war vom Dach der Scheune verschwunden. Bestürzung malte sich auf ihrem Gesicht. Sie verschränkte die Arme vor dem Magen, als wäre ihr kalt.

Bert hätte ihr gern sein Sakko umgehängt, aber er blieb reglos sitzen. Er fragte sich, warum er sich so elend fühlte.

3

Bildete ich mir das ein oder klang die Stimme meiner Mutter irgendwie kleiner? Dünn und farblos, als wäre sie über Nacht geschrumpft.

»Alles okay mit dir?«, fragte ich vorsichtig.

Ihr Lachen war wie immer, und das erleichterte mich. Meine Mutter war eine starke Frau. Das Bewusstsein ihrer Kraft hatte zu meiner Kindheit gehört wie all die kleinen und großen Rituale, die sie geprägt hatten. Eine Pubertät lang hatte ich mich an der Selbstsicherheit meiner Mutter gerieben. Ich war nicht darauf eingestellt, dass sich das ändern könnte.

»Mama?«

»Willst du nicht endlich zur Sache kommen?«, fragte sie zurück.

Nichts lieber als das. Inzwischen war ich mir sicher, dass ich mich geirrt hatte. Meine Mutter war okay. Am Telefon konnten einem Stimmen schon mal Streiche spielen.

»Merle und ich möchten dich auf einen Kaffee einladen«, sagte ich.

»Hast du heute keinen Dienst?«

»Ich hab frei, weil ich neulich eine Vertretung gemacht habe. Aber das ist nicht der Grund für meinen Anruf. Es gibt Neuigkeiten, die wir dir erzählen möchten.«

»Nämlich?«

»Nicht am Telefon, Mama.«

»Du machst es aber spannend.« Ich hörte ihre leise Ungeduld. »Wie wäre es mit einem kleinen Hinweis?«

»Keine Chance. Es ist eine Überraschung. Wenn du sofort losfährst, brauchst du nicht so lange herumzurätseln.«

»Bin schon auf dem Weg.«

Ein Klicken, und das Gespräch war beendet. Ich sah auf die Uhr. Gerade noch Zeit, ein bisschen Ordnung zu schaffen und die Katzenklos sauber zu machen. Merle hatte ihren berühmten Restekuchen gebacken, der so hieß, weil dafür sämtliche übrig gebliebenen Zutaten zusammengeschüttet wurden, die sich in der Küche fanden. Der Duft ließ mir das Wasser im Mund zusammenlaufen.

Eine knappe Stunde später saßen wir um den Küchentisch und meine Mutter schaute uns erwartungsvoll an.

»Wir haben ein Haus gefunden«, platzte ich heraus, noch bevor wir den ersten Schluck Kaffee getrunken hatten.

»Einen Bauernhof«, schwärmte Merle mit leuchtenden Augen.

»Der Mietvertrag ist schon unterschrieben«, sagte ich.

»Und wir können sofort einziehen«, sagte Merle. »Das Haus steht nämlich leer.«

»Aber zunächst mal müssen wir jede Menge Arbeit reinstecken«, erklärte ich. »Das Ganze ist ziemlich heruntergekommen.«

»Macht aber nix.« Merle schaufelte meiner Mutter ein mächtiges Stück Kuchen mit gefühlten viertausend Kalorien auf den Teller. »Wir sind immerhin zu fünft. Das bedeutet zehn Hände, die zupacken können. Wenn Ilka, Mike und Mina erst wieder da sind, werden die Ärmel hochgekrempelt.«

Im Lächeln meiner Mutter steckten Zweifel. Sie äußerte sie jedoch nicht.

»Das freut mich für euch«, sagte sie.

»Wollen Sie es sehen?«

Merle sprang auf und setzte sich gleich wieder hin. Sie benahm sich seit dem Anruf von Alice Morgenstern wie ein Stehaufmännchen.

»Unbedingt.«

Merle verschlang in Rekordzeit zwei Stück Kuchen und wischte sich die Krümel von den Lippen. Auf dem Stuhl zappelnd wie ein Kind, das dringend aufs Klo muss, wartete sie, bis meine Mutter nach der Hälfte ihrer Portion kapitulierte.

»Der Kuchen ist köstlich, aber mehr schaffe ich einfach nicht.«

Sämtliche guten Manieren über Bord werfend, schoben Merle und ich unsere Stühle zurück, ohne meiner Mutter eine zweite Tasse Kaffee anzubieten oder sie auch nur ihre erste in Ruhe austrinken zu lassen.

Während der Fahrt schwieg meine Mutter. Vielleicht hörte sie Merle zu, die enthusiastisch die Vorzüge des Landlebens schilderte. Vielleicht konzentrierte sie sich auf den Verkehr. Aber irgendwie hatte ich den Eindruck, dass sie mit ihren Gedanken woanders war.

Es war ein gutes Gefühl, in einem Wagen zu fahren, der keine Macken hatte. Der an den Ampeln nicht ausging und ohne Stottern über die Landstraßen schnurrte. Aber es war ein noch besseres Gefühl, zu wissen, dass ich auch ohne diesen Luxus leben konnte.

Und dann standen wir vor unserem Bauernhof.

»Wunderschön«, sagte meine Mutter. Ihr Gesichtsausdruck jedoch sagte etwas anderes. Vielleicht lag es daran, dass heute die Sonne nicht schien und es kräftig geregnet hatte. Der Vorgarten war eine einzige schlammige Pfütze, und die kalte Feuchtigkeit, die noch in der Luft hing, hatte die Spuren des Verfalls sichtbarer gemacht. Sie drängten sich dem Auge förmlich auf.

Die ausgetrockneten, rissigen Holzrahmen der Fenster

mussten dringend gestrichen werden. Die Dachziegel waren von Moos und Flechten überwuchert. Unter der verbeulten Regenrinne hingen bröcklige Schwalbennester und die Mauern waren mit altem Vogelkot beschmiert.

Eine krumme Ölweide hatte einige der Waschbetonplatten, mit denen der Weg zur Haustür gepflastert war, mit ihren starken Wurzeln angehoben und wie Dominosteine ineinandergeschoben. Die Tannen, die zu hoch geworden waren, hatte man in der Spitze gekappt und wie traurige Schachfiguren stehen lassen.

Der Geruch nach Katzenpisse stieg mir beißend in die Nase. Rasch schloss ich die Haustür auf, um in den Innenhof zu gelangen. Der würde meiner Mutter auch bei bedecktem Himmel gefallen.

Tatsächlich blieb sie mitten im Hof stehen und schaute sich staunend um.

»Zauberhaft«, sagte sie.

Der Regen hatte den Staub von den Steinen gewaschen. Nicht mehr lange, und das Grün würde sprießen und den Hof in eine Oase verwandeln. Wir würden einen Tisch aufstellen und hier draußen sitzen und reden und lachen und endlich alle zusammen sein.

»Wenn ihr Hilfe braucht ...«

»... wirst du alle Hebel in Bewegung setzen und uns einen Trupp von Handwerkern schicken, der in Wolken von Staub und Krach durch die Räume wirbelt und uns ein toprenoviertes Haus zurücklässt. Lieb von dir, Mama, aber wir wollen das lieber allein hinkriegen.«

Ein Blick in Merles Gesicht zeigte mir, dass meine Freundin das anders sah. Aber sie hielt sich dankenswerterweise zurück.

Meine Mutter zuckte bloß mit den Schultern. Ihre Friedfertigkeit überraschte mich. Kein Vorwurf? Keine Empfindlichkeit? Nicht mal der Versuch, mich von meiner Meinung abzubringen? Ich schaute sie genauer an. Etwas beunruhigte sie. Ich kannte sie lange und gut genug, um das zu erkennen.

Nein, dachte ich. Nicht schon wieder.

Ich war es leid, dass sie sich ständig Sorgen um mich machte. Zugegeben, Merle und ich waren schon einige Male in gefährliche Situationen geraten. Aber wir waren immer wieder herausgekommen. Wie alt musste ich werden, um von meiner Mutter wie ein gleichwertiger Mensch behandelt zu werden?

Unsere Blicke begegneten sich. Und da wusste ich – ihre Besorgnis hatte nichts mit mir zu tun.

»Willst du reden?«, fragte ich sie.

»Reden?« Sie lachte ihr helles Lachen, mit dem sie Merle täuschen mochte, nicht jedoch mich. »Tun wir doch, Schatz. Die ganze Zeit.«

Sie drehte sich um und spazierte ins Haus.

*

Musik quoll aus dem alten Radio, breitete sich in der Werkstatt aus und sank zwischen den übrigen Geräuschen nieder. Niemand hörte hin. Nur der Lehrling pfiff manchmal mit, fröhlich, falsch und unbekümmert. Er leistete passable Arbeit, war aber alles in allem eine ziemliche Nervensäge. Ständig quatschte er und vergaß im nächsten Moment wieder, was er gerade gesagt hatte.

»Ey, Manu!«, rief er jetzt quer durch den Raum. »Wann is Mittag?«

Wenn er schon keine Armbanduhr trägt, dachte Manuel, kann er doch wenigstens auf die Wanduhr gucken, verdammt. Bin ich die Zeitansage?

Ohne hinzusehen, wies er mit dem Daumen auf die fußballgroße Uhr über der Tür und richtete den Strahl seiner Lampe erst auf den rechten, dann den linken Vorderreifen des aufgebockten Corsas. Der Mantel war beidseitig zerschlissen und das nach nur fünfzehntausend Kilometern. Klarer Fall von Materialermüdung. Aber der Hersteller würde das nicht zugeben und der Boss sich deswegen kein Bein ausreißen. Der Dumme würde wie immer der Kunde sein.

Manuel wischte sich die Hände an einem Tuch ab, das steif war von Schmutz und getrocknetem Öl. Er würde die Reifen im Auftrag des Kunden reklamieren, und das ohne jegliche Aussicht auf Erfolg. Der Hersteller fand immer eine Möglichkeit, sich herauszuwinden, und dieser Kunde gehörte nicht zu der Kategorie derer, denen der Boss Kulanz gewährte.

Pech, dachte Manuel, ging ins Büro und setzte sich an einen der beiden einander gegenüberstehenden Schreibtische. Ellen, das Mädchen für alles, hatte sich heute freigenommen. In einer Klitsche wie dieser war es möglich, das aufzufangen, indem jeder seinen Schriftkram selbst erledigte.

Er schrieb eine Schadensmeldung und legte sie zu den übrigen Papieren auf Ellens Schreibtisch. Mit geschlossenen Augen atmete er ein. Der Duft nach Ellens Parfüm schwebte noch im Zimmer. Er setzte sich erfolgreich gegen den Werkstattgeruch zur Wehr, der immer gleich war, ein Gemisch aus den Ausdünstungen von Benzin, Altöl, Motorenhitze, Wagenschmiere und Männerschweiß.

Ellen war wie ihr Parfüm, ein wenig zu schwer, zu aufdringlich und zu laut. Und dennoch liebenswert. Weil sie sich loyal verhielt und nicht unter Berührungsängsten litt, wenn es um Auseinandersetzungen mit dem Boss ging.

»Lass gut sein, Alex«, sagte sie oft, unbeeindruckt von seinen Wutausbrüchen, ließ ihn stehen und wartete, bis er sich beruhigt hatte und man wieder vernünftig mit ihm reden konnte. Der Boss nahm es hin. Man munkelte, dass sie mal was miteinander gehabt hätten, aber niemand wusste es definitiv. Manuel konnte es sich vorstellen. Und irgendwie auch nicht.

Alex war handzahm, beinah schon kleinlaut in ihrer Gegenwart. Es war, als besäße Ellen durch ihre bloße Anwesenheit die Fähigkeit, ihn einzuschüchtern. Dabei war er nun wirklich nicht der ängstliche Typ. Groß und ungeschlacht, der ganze Körper nur Muskeln und Sehnen.

Dreizehn Uhr. Mittagspause. Manuel kehrte in die Werkstatt zurück. Die Geräusche trafen ihn mit voller Wucht.

»Pause!«, schrie er dagegen an.

Augenblicklich ließen alle ihr Werkzeug fallen. Richie, der Lehrling, war der Erste, der sich im Pausenraum an den Tisch fläzte und seine Butterbrote auspackte.

»Kaffee«, sagte Manuel knapp.

Richie erhob sich mit einem vorwurfsvollen Ächzen und machte sich am Wasserkocher zu schaffen. Er gab Instantpulver in die Kaffeebecher und stellte Milch und Zucker auf den Tisch.

Aus der Werkstatt und aus dem Büro drang das Klingeln der Telefone herüber. Sie kümmerten sich nicht darum. Pause war Pause. Die stand ihnen zu. Das war gesetzlich geregelt. Alles andere konnte warten.

Schmierige Hände, dreckige Overalls, Schmutzstreifen in den Gesichtern. Fünf Männer um einen Tisch. Sie hatten sich nicht viel zu sagen und dennoch verbrachten sie den Großteil des Tages miteinander.

Manuel nestelte einen dünnen Spiralblock aus der Hosentasche und griff nach einem der Werbekugelschreiber, die überall herumlagen.

Weißt du, schrieb er, *von mir und meinen Träumen? Ist Platz für mich in deiner Welt?*

Richie grinste. Lars und Tonio, die Gesellen, warfen sich vielsagende Blicke zu. Manuel wusste es, ohne hinzusehen. Er wusste auch, dass Alfred, der Meister, mit den Augen rollte. Es war ihm egal. Es wäre ihm auch gleichgültig gewesen, wenn Alex einen seiner dummen Sprüche losgelassen hätte. Doch der war unterwegs. Chefsache.

Manuels Finger hatten Flecken auf dem Papier hinterlassen. Das machte die Worte billig. Ärgerlich strich er sie durch.

Ich liebe dich, dachte er. *Du bist sauber und gut gekleidet und klug und schön.* Er stellte sich vor, wie er von hinten zu ihr an den Schreibtisch trat und ihren Nacken küsste. Wie er ihren Namen flüsterte und mit der Zungenspitze ihre Schulter liebkoste.

Imke.

Sie war außergewöhnlich. Ein Wunder.

Und doch für ihn bestimmt.

Allzu lange konnte er nicht mehr warten.

*

Imke hatte den ganzen Nachmittag mit den Mädchen verbracht. Sie hatten sie in die Planung der Renovierungsarbeiten eingeweiht und Imke war dankbar darauf eingegangen. Im Leben ihrer Tochter war nicht mehr allzu viel Platz für sie, da freute sie sich über jeden gemeinsamen Augenblick, der nicht mit Konflikten belastet war.

Als sie nach Hause kam, dämmerte es bereits. Sie stellte den Wagen in der Scheune ab und ging auf Zehenspitzen über den knirschenden Kies. Der Weg war mörderisch für Schuhe mit Absätzen. Die kleinen Steine bohrten sich in das weiche Leder und verursachten hässliche Schäden. Seit sie hier wohnte, war sie Stammkundin beim Reparatureildienst im Einkaufszentrum des Nachbarorts.

Imke liebte die Abendstimmung auf dem Land. Wenn alles still wurde und sogar das Blöken der Schafe sich zu entfernen schien. Aber heute konnte sie es nicht richtig genießen.

Sie sehnte sich nach dem Anblick eines erleuchteten Fensters, hinter dem Tilo auf sie wartete. Sie hatte das Bedürfnis, sich in seine Arme zu kuscheln und den ganzen Abend dort zu verbringen.

Doch es kamen nicht einmal die Katzen, um sie zu begrüßen. Imke lockte sie leise. Sie fragte sich, warum sie sich nicht traute, laut nach ihnen zu rufen. Sie war doch gar nicht der Typ, der bei jedem Geräusch zusammenfuhr und sich vor den Schatten fürchtete.

Weil irgendetwas anders war.

»Hör auf«, tadelte sie sich selbst. »Mach dich nicht zum Narren.«

Alles war doch wie immer.

Sie hob den Kopf.

Alles war da, wo es hingehörte.

Nur der Bussard nicht.

Imke achtete nicht mehr auf ihre Absätze und beschleunigte das Tempo. Sie knickte um. Ruderte mit den Armen. Fluchte zwischen zusammengebissenen Zähnen. Setzte den Fuß wieder auf. Fühlte einen glühenden Schmerz in ihrem Knöchel explodieren.

Etwas stimmte nicht!

Sie spürte, wie ihr der Schweiß ausbrach. Der Hals wurde ihr eng. Sie bekam kaum noch Luft. Humpelte weiter, langsam, Meter für Meter.

Und dann sah sie das Päckchen. Es lag vor der Tür, DIN A 4, braunes Packpapier, unbeschriftet, ordentlich mit Paketband zugeklebt.

Unauffällig. Unschuldig.

Unschuld. Als ob es die noch gäbe, dachte Imke grimmig. Und zuckte sogleich vor ihrem Zynismus zurück. Weil man selbst die Unschuld verlor, sobald man nicht mehr an sie glaubte.

Imke starrte das Päckchen an. Sie hielt die Schlüssel so fest, dass ihre Finger sich verkrampften.

Aufheben oder nicht?

Sie bückte sich, streckte zögernd die freie Hand aus und zog sie wimmernd wieder zurück. Ihr Atem ging jetzt in raschen Stößen. Sie tupfte sich die Schweißperlen von der Oberlippe und stand vor dem Päckchen wie die Maus vor der Schlange.

Starr vor Angst.

Das war nicht bloß eine Redensart. Es dauerte eine Ewigkeit, bis es Imke gelang, sich zu bewegen. Ihre zitternde Hand hatte es eben geschafft, den Schlüssel ins Schloss zu stecken, als das Telefon im Haus klingelte. Hastig schloss Imke auf und stürzte in die Halle.

Die Küche. Das Telefon musste irgendwo in der Küche liegen. Sie folgte dem Ton, vertrat sich den pochenden Knöchel ein zweites Mal und fing sich stöhnend am Türrahmen ab.

Das Klingeln hörte auf.

»Mist!«

Trotzdem suchte Imke weiter. Sie fand das Gerät schließlich unter der Tageszeitung und nahm es mit, als sie zur Haustür zurückhinkte.

Sie konnte sie nicht schließen, bevor sie entschieden hatte, was mit dem Päckchen zu tun war. Ihr Herz klopfte heftig und schnell. Sie lehnte sich an den Türpfosten, legte den Kopf an das Holz und schloss erschöpft die Augen.

Im nächsten Moment riss sie sie wieder auf.

Irgendjemand musste das Päckchen hier abgelegt haben!

Es trug keine Briefmarken und keinen Stempel. Vom Postboten konnte es also nicht geliefert worden sein und die Kuriere der Paketdienste gaben eine Sendung höchstens bei einem der Nachbarn ab.

Mit den nächsten Nachbarn – wenn man sie überhaupt so nennen konnte, denn die Mühle lag ein gutes Stück außerhalb des Dorfs – hatte Imke eine klare Regelung getroffen: Wenn einmal jemand ein Paket für sie annahm, deponierte er es in der Scheune, wo es vor Regen und neugierigen Blicken geschützt war.

Imke bückte sich und tippte das Päckchen mit dem Zeigefinger an. Sie fuhr zurück wie von der Tarantel gestochen. Immer noch in gebeugter Haltung, schaute sie sich aufmerksam um. Keine verräterischen Spuren. Und der Bussard hatte vielleicht bloß Lust auf einen kleinen Abendflug gehabt.

Imke konnte fühlen, wie ihr Knöchel anschwoll. Er brannte wie Feuer. Sie sollte ihn kühlen und das möglichst bald.

Entscheide dich, dachte sie. Tu *irgend*was, um Gottes willen, aber tu's!

Als das Telefon in ihrer Hand läutete, hätte sie es vor Schreck beinah fallen lassen. Dann überschwemmte sie die Erleichterung. Sie war so sehr davon überzeugt, dass der Anrufer Tilo war, dass sie nicht auf das Display achtete.

»Gut dass du anrufst, Schatz. Ich …«

Etwas ließ sie mitten im Satz verstummen.

Sie warf einen verspäteten Blick auf das Display. *Rufnummer unbekannt.*

»Hallo?«, fragte sie leise.

»Heb es auf«, befahl eine dunkle Männerstimme.

Die Haut in ihrem Nacken zog sich zusammen.

»Heb es auf!«

Imke presste sich mit dem Rücken gegen die offen stehende Tür, als könnte das Holz ihr Schutz gewähren. Sie fühlte sich ausgeliefert und preisgegeben.

Er musste in der Nähe sein!

Sie wollte ins Haus laufen, doch sie war nicht fähig, sich zu regen. Es war wie in einem dieser Träume, in denen die Füße am Boden kleben und einen daran hindern, sich vor seinen Verfolgern in Sicherheit zu bringen.

»HEB ES AUF!«

Mit unendlicher Mühe drehte Imke sich um. Setzte den einen Fuß vor den andern. Betrat die Halle. Fasste nach der Klinke und stemmte sich mit ihrem ganzen Gewicht gegen die Tür, die laut ins Schloss fiel. Dann sackte sie zu Boden. Sie schaffte es gerade noch, das Gespräch wegzudrücken, bevor sie in Tränen ausbrach.

*

Tilo Baumgart machte sich in seinem Hotelzimmer für den nächsten Vortrag bereit. Für seinen Geschmack war er allmählich viel zu oft auf Reisen. Am vergangenen Wochenende erst hatte er in Zürich über die Macht des Unterbewusstseins gesprochen. Heute erwartete ein Publikum in Echternach seine Ausführungen zum Thema *Dissoziative Identitätsstörung – Das Zersplittern einer Persönlichkeit.*

Mina, mit ihren achtzehn Jahren die jüngste seiner Patientinnen, hatte ihn gebeten, ihren Fall öffentlich zu machen. »Lassen Sie andere daraus lernen«, hatte sie gesagt. »Dann sind meine Qualen wenigstens für etwas gut. Vielleicht wird mich das irgendwann sogar mit meinem Schicksal versöhnen.«

Sie bezeichnete sich selbst als multiple Persönlichkeit. Den Fachbegriff *Dissoziative Identitätsstörung* empfand sie als zu distanziert. Sie konnte sich darin nicht erkennen. Störung klang nach Krankheit. Mina jedoch war auf dem besten Weg, sich mit den zahlreichen Persönlichkeiten, die sie ausmachten, zu arrangieren.

Lange hatte sie sich geweigert, die Therapie bei Tilo zu unterbrechen, doch schließlich hatte er sie überzeugen können, dass es sinnvoll war, eine Klinik aufzusuchen. Die Therapeuten dort hatten viel mehr Möglichkeiten als er und konnten sich Mina intensiver widmen. Sie arbeiteten eng mit Tilo zusammen, das war Minas einzige Bedingung gewesen.

Ein weiter Weg lag noch vor ihr. Tilo freute sich darüber, dass Jette und Merle ihn mitgehen wollten. Die beiden hatten schon seit einiger Zeit vor, ihre Wohngemeinschaft zu erweitern. Bei ihnen wäre Mina gut aufgehoben. Die Freundinnen hatten bewiesen, dass ihre Verbindung auch schwersten Belastungen standhielt.

Krawatte oder nicht? Tilo hatte vorsorglich zwei eingepackt. Doch nun entschloss er sich, sie in der Reisetasche zu lassen. Während er sich noch einmal mit dem Kamm durchs Haar fuhr, fragte er sich, was Imke wohl gerade tun mochte.

»Nimm auf mich keine Rücksicht«, hatte sie ihm beim Abschied gesagt. »Die Vorträge gehören zu deinem Leben, und sie sind so gut, dass es eine Schande wäre, wenn du damit aufhören würdest.«

Als Schriftstellerin war sie selbst oft unterwegs, doch das machte es Tilo nicht leichter, Termine anzunehmen, im Gegenteil. Er hätte nicht geglaubt, dass er jemals eine Frau so sehr vermissen würde. Das war gleichzeitig erschreckend und wunderbar.

Er warf einen letzten prüfenden Blick auf sein Spiegelbild, schnitt ihm eine Grimasse und beschloss, Imke noch einmal kurz anzurufen.

Guten Tag. Leider kann ich im Augenblick nicht mit Ihnen sprechen. Hinterlassen Sie mir doch eine Nachricht. Ich rufe Sie so bald wie möglich zurück.

Tilo räusperte sich. Er war daran gewöhnt, über Anrufbeantworter zu kommunizieren, doch er tat es nicht gern.

»Du fehlst mir«, sagte er und fand, dass seine Stimme sich fremd anhörte. »Sehr«, fügte er hinzu. »Pass auf dich auf.«

Er blieb auf dem Bett sitzen, das Handy in der Hand, und versuchte, sich zu erinnern, ob Imke heute Abend etwas vorgehabt hatte. Im nächsten Moment hatte er die Wiederholungstaste gedrückt.

»Ich liebe dich«, sagte er. Dann stand er auf, nahm seine Unterlagen vom Schreibtisch, löschte das Licht und verließ das Zimmer. Erst als er auf das Rednerpult zuging, fiel ihm ein, dass er es versäumt hatte, es auf Imkes Handy zu probieren.

Das Publikum begrüßte ihn mit Applaus. Er lächelte und begann mit seinem Vortrag.

4

»Es war gut, dass Sie mich angerufen haben.«

Bert Melzig streifte sich hauchdünne Einweghandschuhe über, von denen er immer ein, zwei Paar bei sich trug, und hob das Päckchen auf. Nach einem letzten prüfenden Blick in die Dämmerung, die sich schon sehr verdichtete, folgte er Imke Thalheim in den Wintergarten, wo sie ihm die Schere reichte, um die er gebeten hatte. Vorsichtig schnitt er den Umschlag auf und zog den Inhalt heraus.

Eine aufklappbare Klarsichthülle mit Papieren. Bert ließ sie herausgleiten und breitete sie auf dem Tisch aus. Kopien von Zeitungsausschnitten, am oberen Rand fein säuberlich mit Quelle und Erscheinungsdatum versehen, Druckschrift, schnörkellos, wie gemalt. Auf den ersten Blick war Bert klar, dass hier ein Besessener am Werk gewesen war.

»Hätten Sie einen Tee für mich?«, fragte er.

Sofort verschwand Imke Thalheim in der Küche, um ihm seinen Wunsch zu erfüllen. Bert hörte sie mit Geschirr hantieren, hörte das Geräusch fließenden Wassers und beugte sich wieder über die Zeitungsausschnitte.

Er hatte aus gutem Grund um Tee gebeten und nicht um Kaffee. Mit einem Kaffee aus ihrer Espressomaschine wäre Imke Thalheim schnell wieder zurück gewesen, die Zubereitung von Tee hingegen würde sie für eine Weile vom Wintergarten fernhalten. Bert wollte sich allein einen Eindruck verschaffen, bevor er sich mit ihr darüber unterhielt.

Da sammelte jemand akribisch, was er an Informationen über Imke Thalheim in die Finger bekam, und hatte hier eine Auswahl zusammengestellt. Einzelne Begriffe waren mit leuchtend gelbem Marker hervorgehoben worden, manchmal auch ganze Sätze.

Sprachgewalt. Überbordende Phantasie. Gefangene ihrer Gedankenwelt.

Wieso lenkte jemand die Aufmerksamkeit auf diese Begriffe?

Feine Sensibilität. Psychologisches Gespür. Bilderreichtum. Metaphernflut.

Jeder kritische Einwand eines Rezensenten war in einem zornigen Impuls durchgestrichen worden. Nein, dachte Bert. Nicht einfach durchgestrichen. Niedergemacht. In Grund und Boden gestampft. Da schleppt einer eine ungeheure Wut mit sich herum. Aber auf was? Auf wen?

Die Fotos hätte er beinahe übersehen. Sie lagen zwischen den Kopien, ziemlich weit unten im Stapel, und Bert hätte sie fast überblättert, weil sie aneinanderklebten. Bereits nach dem ersten wusste er definitiv, dass er es hier mit dem Werk eines Psychopathen zu tun hatte.

Und absolut sicher mit einem Mann.

Der Kerl hatte sich die Kamera vors Gesicht gehalten und seine eigenen Lippen fotografiert, jede von einer Sicherheitsnadel durchbohrt. Das Blut, das ihm übers Kinn lief. Seinen obszön aufgerissenen Mund. Die Zähne, die ebenfalls blutig waren.

Krank. Dieser Typ war eindeutig krank. Aber war er auch gefährlich?

Bert wurde aus seinen Überlegungen gerissen, als Imke Thalheim ein Tablett mit Teegeschirr auf den Tisch stellte. Er hatte sie nicht hereinkommen hören. Verstohlen raffte er die Kopien zusammen und ließ die Fotos zwischen ihnen verschwinden. Imke schenkte ein.

»Zucker?«

Bert nickte und sie reichte ihm den Kandis.

»Sahne?«

Bert lehnte dankend ab. Er rückte ihr einen Stuhl zurecht und sie setzte sich zu ihm an den Tisch. Sie zog die Schultern zusammen, wie um sich zu schützen. Dann schaute sie ihn fragend an.

»Es sind Zeitungsartikel«, sagte er. »Über Sie und Ihre Bücher.«

»Auch über Lesungen?«

»Auch das.«

»Interviews?«

Er wusste, worauf sie hinauswollte. Sein Schweigen war ihr Antwort genug.

»Also hat er rund um meine Person jede Menge Material gesammelt.«

So sah es aus. Doch es lag kein Verbrechen vor. Als bekannte, in der Öffentlichkeit stehende Schriftstellerin besaß Imke Thalheim kein Leben, das nur ihr allein gehörte. Es wurde vielfältig zur Schau gestellt, im Radio, im Fernsehen, bei Veranstaltungen und vor allem im Internet.

»Wir leben in einer Zeit, in der es keine Geheimnisse mehr gibt«, sagte Bert. »Über kurz oder lang schnüffelt diese Gesellschaft jedes Detail über jeden Einzelnen aus, solange es nur von allgemeinem Interesse ist.«

Gedankenverloren nippte Imke an ihrem Tee. »Die Kehrseite des Erfolgs«, murmelte sie.

Bert hörte so etwas wie Bedauern in ihren Worten, doch er bezweifelte, dass sie ihren Entschluss, Bücher zu schreiben, jemals bereut hatte. Sie streckte die Hand aus. Bert zögerte, doch dann zog er das zweite Paar Handschuhe aus der Tasche und schob es ihr mit den Unterlagen über den Tisch.

Im Gegensatz zu ihm entdeckte sie die Fotos sofort.

Sie starrte sie an und wurde blass.

Bert nahm sie ihr aus der Hand. »Ein gestörter Mensch. Vergessen Sie ihn.«

»Und er?« Sie setzte die Lesebrille ab und massierte sich die Nasenwurzel. »Wird er mich auch vergessen?«

Nein, dachte Bert. Das wird er nicht. Er denkt Tag und Nacht an dich und schmiedet bereits Pläne, wie er noch näher an dich herankommen kann.

Sie tranken Tee, und Bert registrierte verwundert, dass es draußen stockdunkel geworden war. Auf dem Tisch brannte mit ruhiger Flamme eine Kerze, die Imke angezündet haben musste. Auch das hatte er nicht mitbekommen. Auf dem Spiegelbild im Fensterglas erblickte er einen Mann und eine Frau beim Tee.

Mit der Verzögerung einer Sekunde wurde ihm bewusst, dass es sich um Imke handelte und um ihn selbst. *Und dass sie auf dem Präsentierteller saßen!* Flaches, dunkles Land. Und mitten in der Einsamkeit, mitten in der stummen Dunkelheit ein altes Haus mit sorglos erleuchteten Fenstern und einem riesigen Wintergarten.

Betont lässig legte Bert alles zusammen und schob es in die Klarsichthülle zurück. Er sah auf seine Armbanduhr.

»Warum schickt er mir das?«, fragte Imke, als wollte sie ihn noch eine Weile hier halten. »Was will er mir damit sagen?«

Bert dachte an das Telefongespräch, das sie dermaßen aus der Fassung gebracht hatte. »Er will Sie kennenlernen.«

»Auf diese Weise? Indem er mir Angst macht?«

»Er möchte Sie kennenlernen und gleichzeitig kontrollieren. Er will die Fäden in der Hand behalten.«

»Das ist absurd. Er könnte mich nach einer Lesung ansprechen, mir eine E-Mail schicken, aber er kann doch nicht ...« Sie rieb sich die Arme.

»Passiert es häufiger, dass ein Leser Ihre Anschrift herausfindet?«, fragte Bert.

»Das ist doch keine Kunst, vor allem seit es das Internet gibt. In einer halben Stunde beschaffe ich Ihnen jede Adresse, die Sie haben wollen.«

Sie hatte recht. Niemand wusste das besser als Bert, dessen Ermittlungserfolge zum großen Teil von seiner Fähigkeit abhängig waren, möglichst schnell an möglichst umfassende Informationen aller Art zu gelangen.

»Und suchen Fans öfter direkten Kontakt zu Ihnen?«

Sie schüttelte den Kopf. »Das kommt eigentlich selten vor.«

»Ich würde das gern mitnehmen.« Bert hob die Unterlagen auf. »Um alles noch mal gründlich durchzusehen.«

Das war nur eine Seite der Wahrheit. Ihm war vor allem daran gelegen, diese Papiere aus Imke Thalheims Leben zu entfernen. Vielleicht war es bloß ein Strohfeuer gewesen. Vielleicht verlor der Typ gleich wieder die Lust daran, ihr nachzustellen.

Das glaubst du doch selbst nicht, dachte er. Du weißt doch genau, dass du den Anfang einer hässlichen, gefährlichen Geschichte in den Händen hältst.

»Selbstverständlich.« Sie wirkte wieder selbstbewusst, lächelte sogar. Wie konnte er ihr nahelegen, vorsichtig zu sein, ohne ihre Angst erneut aufflammen zu lassen?

Er bedankte sich für den Tee und Imke Thalheim begleitete ihn zur Tür. Als sie sie öffnete, flatterte ein Nachtfalter herein. Der erste in diesem Jahr. Beide schauten ihm nach, wie er seine Schleifen durch die Halle zog, dann reichte Imke Bert die Hand.

Sie war eiskalt, und Bert hätte sie gern an seine Brust gedrückt, um sie zu wärmen. Er musterte Imkes Gesicht, das immer noch ein wenig zu blass war. Ihre Lippen waren matt und ungeschminkt. Er sah die Zähne dahinter schimmern. Die Härchen auf ihren Wangen waren wie Pfirsichflaum.

Abrupt ließ er ihre Hand los.

»Sie brauchen sich keine Sorgen zu machen«, sagte er brüsk und trat einen Schritt zurück. »Aber ein bisschen Vorsicht kann nicht schaden.«

»Vorsicht?«

»Lassen Sie die Rollos herunter, wenn es draußen dunkel wird. Zum Beispiel.«

Mit allem hatte er gerechnet, doch nicht mit dem Zorn, der in ihren Augen aufblitzte.

»Und was noch? Nicht allein im Haus bleiben? Nachts die Türen und Fenster verrammeln? Nach Mitternacht nicht mehr ans Telefon gehen? Keine Interviews mehr geben? Bei Lesungen keine persönlichen Fragen mehr beantworten? Keine fremden Handwerker hereinlassen?«

Sie stand jetzt im Innern des Hauses und Bert stand draußen. Er hatte den Eindruck, sie hätte ihm am liebsten die Tür vor der Nase zugeschlagen, und er verstand sie nur zu gut. »Geben Sie auf sich acht«, sagte er. »Das ist alles, worum ich Sie bitte.«

Ihr Lächeln wirkte angestrengt und distanziert, aber Bert war noch nicht fertig. »Sind Sie allein im Haus?«

Sie nickte.

»Vielleicht sollten Sie diese Nacht tatsächlich lieber woanders verbringen.«

Er hatte das Gelände zwar durchsucht, aber er war sich nicht sicher, ob er nicht etwas übersehen hatte. Die Sträucher waren noch mehr oder weniger kahl, aber dazwischen wuchsen immergrüne Gehölze, die einem Eindringling hundertprozentigen Schutz boten.

»Ich denke nicht im Traum daran.«

Von ihrer anfänglichen Furcht war nichts mehr zu spüren.

Imke Thalheim war nicht die Frau, die sich einschüchtern ließ. Sie würde mit Zähnen und Klauen um ihre Freiheit kämpfen und sie nicht von einem Mann einschränken lassen, der sich feige im Dunkeln hielt. Bert musste das akzeptieren.

»Für alle Fälle haben Sie ja meine Nummern«, sagte er. »Festnetz und Mobil. Haben Sie keine Scheu, mich anzurufen, wenn Sie meine Hilfe brauchen.«

»Danke.«

Er hatte den Kontakt zu ihr verloren. Sie wirkte kühl und abweisend. Wie hatte er vergessen können, was er war? Ein Polizeibeamter, dachte Bert. Und sie ist eine berühmte Schriftstellerin.

Wortlos drehte er sich um und ging zu seinem Wagen. Er schaute nicht mehr zurück. Weil er nicht wissen wollte, ob sie die Tür zugemacht hatte oder ihm nachsah. Nach Hause, bloß weg von hier, dachte er und wäre doch am liebsten wieder umgekehrt.

*

Einen Bullen erkannte Manuel auf den ersten Blick. Er war froh, dass der Typ nach dem ganzen Hin und Her endlich in seinen Wagen gestiegen und abgerauscht war.

Wie er sich umgeschaut hatte! Mit einer Intensität, die Manuel ein ganzes Stück tiefer in den Schutz der Sträucher getrieben hatte. Die Zweige und Äste hatten sich wie Finger in seine Kleidung gekrallt und von allen Seiten an ihm gezerrt. Er hatte es kaum gewagt, sich zu regen.

Verpiss dich! Du hast den Garten doch schon abgesucht. Was willst du denn noch?

Irgendwas stimmte nicht mit diesem Bullen. Irgendwas lief da völlig falsch. Manuel konnte es förmlich riechen. Er hatte mal ein Buch über Körpersprache gelesen. Seitdem hatte er einen Blick dafür. Dieser Bulle bewegte sich nicht wie ein Bulle.

Er behandelte die Frau nicht, wie ein Bulle sie behandeln würde. Er behandelte sie wie …

Wie ein Mann!

Manuel beobachtete die beiden aus seinem Versteck heraus. Eifersucht nagte an ihm. Und hinter dieser Regung lauerte eine andere Empfindung, bereit, auszubrechen und ihn alles kurz und klein schlagen zu lassen. WUT.

Wie konnte dieser Typ es wagen, die Frau so anzuschmachten! So lange ihre Hand festzuhalten! Und sie dann so eilig loszulassen, als hätte er sich daran verbrannt! So lange zu zögern, bis er den verdammten Motor zündete!

Fast wäre Manuel aus seinem Versteck gestürzt, doch der Ausdruck auf dem Gesicht der Frau hatte ihn daran gehindert. Sie schien erleichtert zu sein, dass der Bulle sie verließ.

Hau ab! Sie will dich nicht hierhaben. Bist du blind?

Das Geräusch des sich entfernenden Wagens war leiser geworden und schließlich ganz verstummt. Die Haustür hatte sich wieder geschlossen.

Manuel entspannte sich. Begierig wartete er darauf, dass die Frau sich wieder in den Wintergarten begeben würde, doch das tat sie nicht. Nicht richtig. Sie räumte nur den Tisch ab und warf immer wieder gehetzte Blicke hinaus. Schließlich zog sie sich zurück, obwohl die Teekanne noch auf dem Tisch stand.

Die Rollläden fuhren quietschend nach unten.

Enttäuscht biss Manuel sich auf die Unterlippe. Er beobachtete, wie die Rollläden nach und nach sämtliche Fenster verschlossen und ihm den Blick versperrten.

Er hatte die Schallmauer durchbrochen und war zum ersten Mal hierhergekommen. Er hatte sich das ganz anders vorgestellt.

In einem Fenster des ersten Stocks flammte Licht auf. Manuel hielt den Atem an. Würde sie auch dort die Rollläden herunterlassen? Er wartete. Kaute nervös am Daumennagel. Nichts geschah.

Und dann sah er ihren Schatten an der erleuchteten Zimmerdecke, wie er sich hin und her bewegte.

»Meine Frau«, flüsterte er in die Dunkelheit und betonte beide Worte. »Du gehörst mir, auch wenn du es noch nicht weißt.«

*

Erst jetzt entdeckte Imke das blinkende Licht des Anrufbeantworters. Als sie Tilos Stimme hörte, kamen ihr die Tränen. Sie setzte sich an ihren Schreibtisch und machte den Computer an. Durch den Tränenschleier konnte sie den Monitor nur in Umrissen erkennen. Sie hörte sich schluchzen und fühlte den Schmerz der verkrampften Muskeln in der Kehle. Ihre Schultern bebten und zuckten.

Das war nicht nur die ausgestandene Angst. Da hatte sich vieles angesammelt, was sich ein Ventil suchte. Ein Damm war gebrochen. Ihr Schutzwall, in all den Jahren mühselig aufgeschichtet, zerstört durch einen heimtückischen Akt der Gewalt.

Stille Gewalt hatte manchmal eine weitaus verheerendere Zerstörungskraft als die Gewalt, die explosionsartig hervorbrach. Hatte sie das irgendwo gelesen? Oder selbst geschrieben? Der Gedankengang kam ihr so vertraut vor.

Stille Gewalt. Das war kein Widerspruch.

Heb es auf!

Imke musste seine Worte aus dem Kopf kriegen. Den Klang seiner Stimme. Durch ihr Ohr war beides in ihren Körper eingedrungen. Wie ein Gift. Nicht unmittelbar tödlich, eher eine schleichende, verzögerte Bedrohung.

Noch einmal hörte Imke Tilos Nachrichten ab.

Ich liebe dich.

Wort gegen Wort.

Heb es auf! Ich liebe dich. Heb es auf! Ich liebe …

Warum war Tilo ausgerechnet heute nicht hier? Sie hätten darüber reden können. Die Dunkelheit vor den Fenstern wäre nicht so undurchdringlich gewesen. Und nicht so gefährlich. Vielleicht hätten sie irgendwann sogar lachen können. Tilo schaffte es immer, sie zum Lachen zu bringen, selbst in der ausweglosesten Situation.

Imke putzte sich entschlossen die Nase, wischte sich die Tränen ab und wählte Tilos Nummer.

Der von Ihnen gewünschte Teilnehmer ist zurzeit leider nicht erreichbar …

Wie denn auch? Ein Blick auf ihre Armbanduhr zeigte Imke, dass Tilo sich gerade mitten in seinem Vortrag befand. Sie wählte die Nummer ihrer Mutter. Nach dem siebten Klingeln fiel ihr ein, dass ihre Mutter ihr von einem geplanten Theaterbesuch erzählt hatte.

Allein, dachte Imke. Ich bin vollkommen allein.

Sie hätte es bei Jette versuchen können oder beim Kommissar, aber gerade bei diesen beiden wollte sie sich zurückhalten. Sie wollte wenigstens den Anschein von Stärke wahren und vielleicht gab ihr das ja tatsächlich ein wenig von der verlorenen Kraft zurück.

Erst jetzt wurde ihr bewusst, dass er möglicherweise noch da draußen war.

Sie saß viel zu nah am Fenster!

Geduckt erhob sie sich von ihrem Schreibtischstuhl und zog sich ins Innere des Zimmers zurück. Sie löschte das Licht, sank auf dem Sofa nieder, kauerte sich an die Wand, umschlang die Knie mit den Armen und behielt das Fenster im Blick.

Ein Wort von ihr, und der Kommissar wäre geblieben. Er hatte es ihr ja förmlich in den Mund gelegt. Nur ein einziges kleines Wort. *Bitte.*

Sie schrieb lange genug Krimis, um zu wissen, dass Bert Melzig nichts in der Hand hatte, um in dieser Angelegenheit aktiv werden zu können. Angelegenheit, dachte sie. Mein Gott, was sind wir doch für hoffnungslose Bürokraten in diesem Land.

Sie dachte an Silke, eine junge Frau, die eine Zeit lang ihre Putzhilfe gewesen war. Regelmäßig war Silke von ihrem drogensüchtigen Freund massiv unter Druck gesetzt und bedroht worden. Imke hatte ihr geraten, sich an die Polizei zu wenden, doch der zuständige Beamte hatte Silke wieder weggeschickt. Es müsse erst ein Angriff stattfinden, hatte er ihr erklärt, bevor die Polizei eingreifen könne.

Imke hatte Silke eine kleine Wohnung vermittelt und die junge Frau war mit ihrem zweijährigen Sohn dort eingezogen. Nach ein paar Wochen hatte die Sehnsucht sie zu ihrem Freund zurückgetrieben. In der darauffolgenden Nacht hatte er sie im Streit erstochen (*aufgeschlitzt* nannte er es in der Gerichtsverhandlung, die er völlig unbeteiligt verfolgte). Der Junge in seinem Gitterbettchen hatte dabei zugesehen.

Drei Jahre in psychiatrischer Verwahrung, hatte das Urteil gelautet, weil die Tat unter Drogeneinfluss ausgeführt worden war. Danach war der Täter wieder entlassen worden. Imke hatte ein Buch darüber geschrieben, wie als Entschuldigung dafür, dass sie Silke nicht hatte helfen können.

Wie still es war. Wie einsam.

Nichts anderes hatte Imke gewollt, als sie aufs Land gezogen war. Jetzt richtete es sich gegen sie.

Die Zeit verging und Imke geriet in einen Zustand zwischen Schlaf und Wachsein. Ihr Körper hatte sämtliche Funktionen heruntergefahren, ihr Geist jedoch war scharf und klar. Als das Telefon läutete, konnte sie sich zunächst nicht bewegen. Es war, als wäre sie in der so lange eingehaltenen Position erstarrt.

Rufnummer unbekannt.

Tilo, dachte sie. Vielleicht rief er vom Apparat des Veranstalters an. Mit einem Tastendruck nahm sie das Gespräch an und hielt den Hörer ans Ohr.

»Ich liebe dich.«

Das Flüstern gehörte nicht Tilo.

»Sehr.«

Imke drückte das Gespräch weg und presste die Lippen zusammen, um nicht zu schreien.

*

Der Vortrag war ein Erfolg gewesen. Das Thema *Dissoziative Identitätsstörung* polarisierte, daran war Tilo gewöhnt, doch die Skepsis mancher Zuhörer war angesichts der Fakten von Satz zu Satz mehr dahingeschmolzen. Minas Fall machte Eindruck. Es schien an dem Mädchen selbst zu liegen, an ihrer bewundernswerten Stärke, ihrem Charakter, ihrer Intelligenz, vor allem jedoch an ihrem Mut, sich offen als Multiple zu bekennen.

Tilo hatte noch mit den Veranstaltern und einigen Kollegen zu Abend gegessen, aber er hatte sich nur mit Mühe auf die Gespräche konzentrieren können. Immer wieder waren seine Gedanken zu Imke abgeschweift.

Sie hatte versucht, ihn anzurufen, jedoch keine Nachricht auf seiner Mailbox hinterlassen. Das war ganz und gar untypisch für sie. Was Tilo jedoch richtig beunruhigte, war die Tatsache, dass er sie nicht erreichen konnte, weder auf dem Festnetzanschluss noch auf ihrem Handy. Er hatte ihr bereits mehrere Nachrichten hinterlassen, doch sie reagierte nicht.

Als er in sein Hotelzimmer zurückkam, überlegte er nicht lange, sondern warf in Windeseile seine Sachen in die Reisetasche. Ursprünglich hatte er vorgehabt, nach dem Frühstück am nächsten Morgen in aller Gemütsruhe auszuchecken und vor der Abreise noch eine oder zwei Galerien aufzusuchen, denn Imke hatte bald Geburtstag und er wollte ihr ein Bild schenken oder eine Skulptur.

Doch es zog ihn mit aller Macht nach Hause. Es sah Imke nicht ähnlich, das Läuten des Telefons zu ignorieren oder ohne ihr Handy wegzufahren. Sie hätte das niemals getan, nicht nachdem sie letzte Woche diesen merkwürdigen Brief erhalten hatte. Als Psychologe kannte Tilo sich mit Gefühlen aus, und er war alarmiert, als er eine Regung in sich aufkeimen spürte, die sich am ehesten mit dem Wort *Angst* beschreiben ließ.

Eine Viertelstunde später beglich er die Rechnung an der Rezeption, ließ sich noch einen starken Espresso servieren, um wach zu bleiben, und holte seinen Wagen aus der grottenähnlichen, schwach beleuchteten Tiefgarage. Er hatte eine lange Fahrt vor sich und war hundemüde. Das war keine gute Kombination.

*

Manuel war außer sich. Wie konnte sie es wagen, das Gespräch abzubrechen? Und danach nicht mehr ans Telefon zu gehen? Ihn hier blöd rumstehen zu lassen?

Anfangs hatte es ihn erregt, ihre Angst zu spüren. Es hatte ihm ein Gefühl von Macht verliehen, das er sich in seinen kühnsten Träumen nicht erhofft hatte. Doch die Erregung war verflogen. Er brauchte mehr.

Manuel wollte *sie*. Nicht nur eine ihrer Empfindungen.

Warum sollte er sich mit ihren Büchern zufriedengeben? Tag für Tag bloß in ihren Worten wühlen? Gedanken auf Papier – das war nicht genug!

Fürs Erste würde es ihm ja genügen, sich mit ihr zu unterhalten. Ihr dabei in die Augen zu schauen, ihr Lächeln zu beobachten und ihre Lippen, wie sie sich zu dem, was sie sagte, bewegten.

Sie war um einiges älter als er, doch das störte ihn nicht. Die

Jahre spielten keine Rolle bei dem, was ihn mit dieser Frau verband. Seine Liebe war mit den gängigen Maßstäben nicht zu messen. Sie existierte außerhalb von Zeit und Raum.

Seine Liebe war absolut.

Und nun das. Wie ein Depp kam er sich vor. Lief vor ihrem Haus auf und ab wie vor einer Festung. Das Licht hatte sie gelöscht. Vielleicht schlief sie längst?

Diese Vorstellung machte ihn rasend. Sie fürchtete sich so wenig vor ihm, dass sie schlafen konnte? Er trat gegen einen Stein, der über das Gras sprang und mit einem hellen Klacken gegen die Hausmauer prallte.

Nein, besänftigte er sich selbst. Sie schlief ganz sicher nicht. Er hatte nonstop bei ihr angerufen. Kein Mensch konnte bei einem solchen Dauerlärm schlafen.

Später würde er das Handy von Fingerabdrücken säubern und es dann entsorgen. Er lächelte in die Dunkelheit. Fahrlässigkeit gehörte nicht zu seinen Lastern. Für diesen Abend hatte er sich eigens ein Handy besorgt. Wie gut, dass es so viele arglose Mitbürger gab, die ihre Habseligkeiten achtlos auf den Stühlen der Cafés herumliegen ließen, während sie eifrig in Gespräche vertieft waren.

Manuel ging zur Haustür. Drückte auf den Klingelknopf. Lauschte dem melodischen Klang.

Und was, wenn sie aufmachte? Wenn sie plötzlich vor ihm auf der Türschwelle stünde?

Die Erregung breitete sich wie ein feiner Schmerz in seinem Körper aus.

»Du«, flüsterte er.

Ein Nachtvogel schrie. Dann war es wieder still.

*

Tilo fand die Mühle dunkel vor. Keines der Fenster war erleuchtet, doch das hatte er auch nicht erwartet. Es war tiefste

Nacht und Imke rechnete frühestens am kommenden Spätnachmittag mit ihm. Aus diesem Grund war auch die Außenbeleuchtung nicht eingeschaltet und Tilo stolperte mit seinem Gepäck fluchend über den Kies.

Das Geräusch seiner Schritte wurde von der schwarzen Stille verschluckt. Nicht ein einziger Stern war am Himmel zu sehen. Inzwischen war Tilo davon überzeugt, völlig hysterisch reagiert zu haben. Er gab normalerweise nichts auf Vorahnungen und war selbst nicht anfällig dafür. Mit seiner überstürzten Heimkehr würde er sich in höchstem Maße lächerlich machen. Wahrscheinlich hatte Imke sich einfach einen schönen Tag gemacht, und für alles andere gab es eine simple, harmlose Erklärung.

Es war so finster, dass er das Schlüsselloch nicht traf. Seine Müdigkeit und die Erschöpfung von der langen Fahrt machten ihn empfindlich und gereizt. Wieder fluchte er leise, während der Schlüssel zum x-ten Mal vergeblich über das Metall kratzte.

Etwas raschelte in einem der Sträucher. Wahrscheinlich der Kater oder die Katze. Sie liebten es, nachts umherzustreifen, und waren dann auf eine Art und Weise wild, dass sie sich dem Haus nicht näherten und auch keine Berührung duldeten.

Endlich glitt der Schlüssel ins Schloss. Tilo stieß die Tür auf und bückte sich nach seinem Gepäck. Er sah den Schatten, fühlte den Schlag und merkte noch, wie er fiel. Dann war jede Empfindung in ihm ausgelöscht.

5

Ich lief eine lange, menschenleere Straße entlang. Der Mond schien. Alle Häuser waren unbewohnt, die Fenster mit Pappkarton oder Brettern vernagelt. Eine vollkommene Lautlosigkeit lag auf den Dingen und in der Luft. Ich hatte Sehnsucht nach einem Geräusch, einer Bewegung, einem Gesicht, vielleicht einem Lächeln, selbst wenn es nicht mir gegolten hätte. Als schließlich ein Klingeln an mein Ohr drang, lauschte ich voller Hoffnung, aber ich fand nicht heraus, woher das Läuten kam.

In diesem Moment bezog sich der Himmel und ich stand in tiefster Dunkelheit. Das Klingeln wurde lauter. Es schien mich plötzlich von allen Seiten zu umgeben. Ich tastete mich mit beiden Händen durch die Nacht, das Geräusch des Klingelns hallte in meinem Kopf nach, als wären da tausend Räume, die nur darauf gewartet hätten, sich mit diesem Klang zu füllen.

Als ich realisierte, dass es mein Handy war, das mich aus dem Traum gerissen hatte, lag es auch schon auf dem Boden, zusammen mit dem Wecker, meiner Armbanduhr und dem Buch, in dem ich vorm Einschlafen gelesen hatte. Ich hatte alles vom Nachttisch gefegt.

Ein Anruf? Jetzt?

Der Blick auf den Wecker zeigte mir, dass es mitten in der Nacht war. Kurz vor fünf. Benommen klaubte ich das Handy vom Boden auf und fragte mich, was für Gründe es geben konnte, um diese Zeit irgendwo anzurufen.

Notfall. Falsche Verbindung. Schlichte Unverschämtheit. Ich hoffte, dass es kein Notfall war.

»Jette Weingärtner«, murmelte ich schläfrig.

»Ich würde dich gern mal treffen«, sagte eine Stimme, die ich auf Anhieb erkannte, eine Stimme, die mir schlagartig Gänsehaut über die Arme rieseln ließ. »Entschuldigung. Lukas Tadikken hier.«

Als hätte ich diese Erklärung gebraucht!

»Es ist …«

»Erst fünf, ich weiß«, unterbrach er mich. »Ich dachte nur, ich schieb es besser nicht auf die lange Bank.«

Ich setzte mich auf und rieb mir den Schlaf aus den Augen. Hätten ein paar Stunden die Bank zu lang gemacht?

»Das schlepp ich schon seit Tagen mit mir rum«, sagte er. »Jetzt musste es einfach raus.«

»Lukas …«

»Nenn mich Luke. Das ist der Name für die Leute, die ich mag.«

Luke. Ich wünschte mir, ich hätte Gelegenheit gehabt, diesen Namen für ihn zu erfinden.

»Luke …«

»Bevor du antwortest«, sagte er, »denk drüber nach. Ich melde mich wieder.«

Das Gespräch war beendet. Ich saß da und hielt das Handy in der Hand, so vorsichtig, als wäre es unendlich kostbar und höchst zerbrechlich. Lukes Stimme war noch in meinem Ohr, in meinem Kopf, und ich hätte wer weiß was getan, um sie für immer in mir zu behalten.

Mit einem Mal war ich hellwach. Und absolut unfähig, wieder einzuschlafen. Ich stand auf, schlich in Merles Zimmer und schlüpfte zu ihr unter die Decke.

»Was is?«, nuschelte sie benommen.

»Darf ich bei dir schlafen?«

»Warum?«

»Weil ... ach, weiß ich selber nicht.«

Merle nickte und gähnte. Sie drehte sich ein Stück von mir weg und war im nächsten Moment wieder eingeschlafen. Ich lag neben ihr, seltsam behütet von ihren regelmäßigen Atemzügen, und horchte in mich hinein.

Luke. Der Name tanzte in mir und hielt mich wach. Ich lächelte vor mich hin und konnte gar nicht mehr aufhören damit, obwohl etwas in mir mich hartnäckig zum Weinen bringen wollte, etwas, das sich dagegen wehrte, vergessen zu werden.

Du hast lange genug getrauert, sagte ich mir und wusste im selben Moment, dass das nicht stimmte. Ich würde mich mein Leben lang an meine erste große Liebe erinnern.

»Gib mir Zeit, Luke«, flüsterte ich und kuschelte mich an meine Freundin. »Hab Geduld mit mir.«

Und dann kamen sie doch, die Tränen, und ich ließ ihnen freien Lauf.

*

Der Notarzt war wieder in der Nacht verschwunden und Imke saß an Tilos Bett und hielt Wache. Mit dem Verband um den Kopf sah Tilo aus wie eine Mumie. Er war bleich und erschöpft, aber wenigstens hatten die Schmerzen nach der Spritze, die ihm der Arzt gegeben hatte, nachgelassen, sodass er sich allmählich entspannte.

»Es tut mir so leid«, sagte Imke und streichelte seine Hand, die kühl und schwer in ihrer lag. »Ich wollte, ich könnte es rückgängig machen.«

Tilo nickte vorsichtig. Er hatte bisher noch kaum ein Wort von sich gegeben.

»Ich habe wirklich geglaubt, du wärst dieser ... Kerl.«

Tilo hustete und verzog gequält das Gesicht.

Imke hatte ihm alles erzählt, obwohl sie nicht sicher gewesen war, wie viel er davon mitbekommen hatte. Erst allmählich schien er seine Situation zu begreifen.

»Ich hätte dich doch nie ...«

Tilo hob die Hand und berührte ihre Wange. Sie hielt seine Hand fest und küsste sie zärtlich und voller Bedauern.

»Das weiß ich doch«, krächzte Tilo, als hätte er bei dem Unfall nicht nur die Besinnung, sondern auch seine Stimme verloren.

Imke konnte das schreckliche Geräusch noch hören, mit dem die Kristallkaraffe auf seinen Kopf niedergesaust war, und sie wusste, sie würde es niemals vergessen. Erschüttert hatte sie in der Halle gestanden, den in sich zusammengesunkenen Tilo zu ihren Füßen, und hatte beobachtet, wie sich sein Haar am Hinterkopf rot gefärbt hatte.

Sie hatte seinen Namen gerufen, ihn geflüstert, geschluchzt. Hatte sich trotz der glitzernden Scherben neben seinen Kopf gekniet und sich nicht getraut, ihn zu berühren. Mit fliegenden Fingern hatte sie die Notrufnummer ins Telefon getippt, ihre Adresse angegeben, hinaus in die Dunkelheit gestarrt und gegen den Drang angekämpft, sich zu übergeben.

Tilo war genau auf der Türschwelle zusammengebrochen, und Imke hatte nicht gewagt, ihn ins Haus zu ziehen. Sie hatte ja nicht gewusst, wie schwer seine Verletzungen waren, vielleicht durfte er überhaupt nicht bewegt werden. Also hatte sie schnell das Licht gelöscht, sich neben ihn gekauert und Wache gehalten. Obwohl sie selbst schier verrückt gewesen war vor Angst.

Wenn dieser Mann noch da draußen ist, war es ihr durch den Kopf geschossen, dann hat er jetzt leichtes Spiel.

Die Haustür stand weit offen. Imke saß auf dem Silbertablett.

Nein, hatte sie gedacht. Bitte nicht!

Immer nur diese drei Worte. Wie eine Beschwörungsformel.

Nein. Bitte nicht. Nein. Bitte. Nicht.

Der Notarzt war nach zwanzig Minuten gekommen. Er hatte eine Gehirnerschütterung vermutet und Tilo ins Krankenhaus einweisen wollen, vorsichtshalber. Aber Tilo, der viel in Kliniken arbeitete, hatte selbst ein äußerst gestörtes Verhältnis zu Ärzten und Krankenhäusern. »Die behandeln eine Gehirnerschütterung auch nur mit Bettruhe und Handauflegen«, hatte er gewitzelt und sich stoisch geweigert.

Der Arzt hatte Imke geholfen, Tilo ins Schlafzimmer zu führen. »Ein harter Brocken«, hatte er beim Abschied zu ihr gesagt. »Sorgen Sie dafür, dass er sich in den nächsten Tagen röntgen lässt.«

Imke hatte ihm das versprochen.

»Oller Dickschädel«, sagte sie jetzt mit einem reumütigen Lächeln.

»Hätte ich keinen Dickschädel, dann wär ich jetzt vielleicht ...«

Imke beugte sich vor und küsste Tilo auf den Mund. So lange, bis er anfing zu zappeln. Er schnappte nach Luft.

»Nachdem es dir nicht gelungen ist, mich zu erschlagen, willst du mich jetzt wohl ersticken!«

Sie lachten und Tilo fasste sich mit einem Schmerzenslaut an den Kopf. Imke fiel auf, dass sie schon eine ganze Weile nicht mehr an den Mann da draußen gedacht hatte. Dankbar legte sie den Kopf auf Tilos Brust. Sie spürte, wie sich sein Brustkorb unter ihrer Wange hob und senkte. Als wären sie an Bord eines Schiffes, irgendwohin unterwegs, wo ihnen niemand etwas tun konnte.

*

Er war durch die Nacht gelaufen wie betrunken. Das Erlebnis hatte ihm einen Adrenalinstoß verpasst, der jede Zelle seines

Körpers in Aufruhr versetzt hatte. Wie nah er daran gewesen war, sie aus ihrer Höhle zu locken. Wie nah. Doch dann musste dieser Psychofuzzi auftauchen und alles verderben.

Wie konnte eine Frau wie Imke Thalheim bloß mit so einem Typen zusammenleben? Brauchte sie das? Einen Kerl, der ihr jede Regung auseinanderpflückte, jedes Gefühl erklärte?

Manuel stellte sich einen völlig anderen an ihrer Seite vor, einen, der ebenfalls Schriftsteller war, der Bilder malte oder Filme drehte. Einen mit einer Vision und genug Begabung, sie auch wahr werden zu lassen. Einen Seelenverwandten, der ihr ebenbürtig war.

Dabei wusste er doch, dass er auch so jemanden nicht dulden würde. Erst recht nicht so einen. Manuel machte das Licht aus und legte sich angezogen auf sein Bett. Er war viel zu aufgewühlt, um schlafen zu können. Er musste erst zur Ruhe kommen.

Niemand durfte für diese Frau wichtig sein. Niemand. Er selbst hatte nie irgendwen gehabt, der nur für ihn da gewesen wäre, nicht mal früher als Kind. Er hatte keine Ahnung, wie sich das anfühlte, für einen anderen Menschen das Kostbarste auf der Welt zu sein. Und wenn er noch so angestrengt nachdachte – ihm fiel nicht ein Einziger ein, der sich auch nur um ihn sorgte. Außer Ellen vielleicht.

Es hatte ihn schon immer fasziniert, dass es Menschen gab, die sich aus Liebe für einen anderen opferten, die ihre Frau aus den Flammen zogen und selbst darin umkamen, ihr Kind vorm Ertrinken retteten und selbst in den Fluten versanken. Unglaublich, so zu lieben. Und unglaublich, so geliebt zu werden.

Manuel konnte sich in solchen Geschichten verlieren. Den Film, in dem Clint Eastwood einen alternden Bodyguard spielt, der den amerikanischen Präsidenten vor einem Anschlag rettet, hatte er sich zwanzig Mal und öfter angeschaut.

Die Vorstellung, so jemanden an seiner Seite zu wissen, einen starken, durchtrainierten Mann, der nicht eine Sekunde zögern würde, sein Leben für ihn zu geben, trieb ihm die Tränen in die Augen.

Kaum zu glauben, dass es Leute gab, die sich das einfach kaufen konnten.

Auch Imke Thalheim gehörte zu ihnen. Ihre Bücher hatten sie reich gemacht. Man brauchte sich bloß ihr Haus anzugucken und das weitläufige Grundstück mitten im Landschaftsschutzgebiet. Atemberaubend. Kein Normalsterblicher konnte sich etwas Derartiges leisten. Und dann die Art, wie sie sich kleidete, sich bewegte …

Manuel konnte reiche Leute schon an ihrem Gang erkennen. Sie besaßen eine lässige Eleganz, an der sie alles und jeden abprallen ließen. Ihre Körperhaltung signalisierte absolutes Selbstbewusstsein und einen Besitzanspruch auf die ganze Welt.

Reiche hatten wenig gemein mit den Durchschnittsbürgern, die unendlich viel Zeit und Kraft aufwenden mussten, um ihren ganz normalen Alltag zu organisieren. Sie spannten ohne den Anflug eines schlechten Gewissens andere für sich ein.

Imke Thalheim war da keine Ausnahme. Sie hatte eine Haushaltshilfe, die ein-, zweimal die Woche zu ihr ins Haus kam, um zu putzen, zu waschen und zu bügeln, und bestimmt gab es auch jemanden, der die Büroarbeit erledigte, und einen, der den Garten in Ordnung hielt.

Doch Manuel nahm ihr das nicht übel. Er zweifelte nicht daran, dass sie umdenken würde, sobald er ihr erklärte, wie falsch ein solches Schmarotzerdasein war. Er kannte ihr Innerstes, er hatte es in ihren Büchern gesehen. Und ihr Innerstes war gut.

Imke Thalheim war einfühlsam und gescheit. Sie verstand es, tief in die Psyche der Menschen hineinzuleuchten und das

Wesentliche hervorzuholen. Das war ihre Kunst und ihre Kraft und er bewunderte sie dafür. Maßlos.

Inzwischen war aus der Bewunderung Liebe geworden. Nicht das flache, einförmige Gefühl, das die Menschen üblicherweise mit dem Begriff *Liebe* verbanden. Es war ein allumfassendes Empfinden, das sich über die gesamte Wirklichkeit spannte wie ein hohes, luftiges Zelt.

»Bald«, sagte er heiser und schlief ein, das Versprechen noch auf den Lippen.

*

Irgendwas hatte Bert geweckt, und nun saß er im Wohnzimmer, trunken von Schlaf und doch hellwach, und fragte sich, was er so früh am Morgen anfangen sollte. Der Wecker würde erst um sechs klingeln, also hatte er eine gute Stunde Zeit, bis alle anderen wach wurden. Zu früh für ein Frühstück, zu spät, um ins Bett zurückzukriechen.

Es war noch dunkel draußen, die Art von Dunkelheit, die bereits den beginnenden Tag erahnen lässt. Gähnend schaute Bert sich um. Die Möbel schienen noch in der Nacht festzustecken. Wäre er ein Dichter gewesen, hätte ihn das zu ein, zwei Zeilen inspiriert. Aber er war keiner. Manchmal bedauerte er das. Manchmal wurden Empfindungen in ihm so übermächtig, dass er sie sich gern vom Leib geschrieben hätte.

Seufzend griff er nach den Unterlagen, die er von Imke Thalheim mitgenommen hatte. Er würde sie auf Fingerabdrücke untersuchen lassen und sie dann Isa vorlegen. Es war ihm lange nicht möglich gewesen, sinnvoll mit ihr zusammenzuarbeiten, weil er ihrer Art der Problemlösung grundsätzlich misstraut hatte. Doch mit der Zeit war ihm bewusst geworden, dass ihre Denkweisen einander ideal ergänzen konnten.

Außerdem hatte er mittlerweile den Menschen Isa hinter

der Polizeipsychologin kennen und schätzen gelernt. Seitdem besprach er sich lieber mit ihr als mit den meisten seiner Kollegen.

Als er die Artikel jetzt noch einmal gründlich studierte, war es, als stünde Imke Thalheim hinter seinem Sessel und sähe ihm über die Schulter. Er hatte inzwischen jedes ihrer Bücher gelesen, mit dem Gefühl, ihr in die Seele zu blicken, ohne in Wirklichkeit das Geringste über sie zu wissen. Das hatte ihn verrückt gemacht, aber er hatte nicht aufhören können, weiter und weiter zu lesen.

Bert vertiefte sich in eines der Interviews. Er bewunderte ihren Wortschatz und die Sicherheit ihres Ausdrucks. Sie redete druckreif. Das würde ihm selbst in seinem ganzen Leben nicht gelingen. Doch was ihn regelrecht bestürzte, war die Offenheit, mit der sie auf die Fragen der Journalistin antwortete. Imke Thalheim gestattete dem Leser eine Nähe, die atemberaubend war.

Und hochgradig gefährlich. Es gab eine Menge Leute, die mit so etwas nicht umgehen konnten.

Bert griff nach den Fotos, um sie noch einmal zu betrachten, doch beim Anblick der roten Lippen und der blutigen Zähne schauderte es ihn, und er schloss für einen Moment angewidert die Augen.

»Perverser Wichser!«

Bert brachte es nicht fertig, länger herumzusitzen. Er musste sich bewegen, um einen klaren Kopf zu bekommen. Er tappte in die Küche, brachte die Kaffeemaschine in Gang und fing an, den Tisch zu decken. Seit Kurzem galt Stalking als Straftat und konnte deshalb strafrechtlich verfolgt werden, doch bei anonymen Stalkern waren einem immer noch die Hände gebunden.

Die Kaffeemaschine gurgelte und spuckte. Bert mochte das Geräusch. Es erzeugte selbst in diesem Haus, aus dem sich die

Liebe und das Glück längst verabschiedet hatten, ein Gefühl von Behaglichkeit, und er war dankbar dafür.

Vier Teller, vier Becher, zwei für Kaffee, zwei für Kakao, Messer und Löffel. Tausendmal aus dem Schrank geholt. Tausendmal Brot geschnitten und einen Teller mit Käsescheiben belegt. Tausendmal die Marmelade, den Honig und die Butter auf den Tisch gestellt. Tausendmal.

Wäre er wirklich fähig, daran etwas zu ändern? Auf die wunderbare Sicherheit zu verzichten, Teil einer Familie zu sein? Auf die Morgengesichter seiner Kinder, so furchtbar jung und verletzlich in ihrer Müdigkeit? Auf das Bewusstsein, sie jederzeit sehen zu können? Darauf, ihnen nah zu sein?

Der Magen drehte sich ihm bei dem Gedanken um, von hier wegzugehen.

Und da hörte er schon das Tippeln nackter Füße auf der Treppe. Das Rascheln eines Schlafanzugs. Er drehte sich um und begrüßte seine Tochter mit einem Lächeln.

»Hallo, Papa.«

Er drückte sie an sich und atmete ihren Geruch ein, diesen sauberen, frischen Duft, den nur Kinder an sich haben.

»Cornflakes?«, fragte er, obwohl er die Antwort kannte. Er schob seiner Tochter die Cornflakes über den Tisch und horchte auf die Geräusche im Haus. Sechs Uhr. Der Tag begann.

*

Merle fühlte sich zerschlagen und ausgelaugt. Jette lag friedlich schlummernd neben ihr, gemütlich in zwei Drittel der Bettdecke gekuschelt, während Merle sich notdürftig mit dem Rest zugedeckt hatte. Ganz schwach konnte Merle sich daran erinnern, dass Jette mitten in der Nacht zu ihr ins Bett geschlüpft war. Das war schon ewig nicht mehr passiert. Genau genommen seit …

»Morgen«, murmelte Jette, streckte sich und gähnte zum Steinerweichen.

»Es ist mir eine Ehre, dich in meinen Laken beherbergen zu dürfen«, sagte Merle ironisch. »Auch wenn ich fast erfroren bin.«

»Oh. Entschuldige!« Jette zerrte an der Bettdecke und schob ein gutes Stück davon zu Merle hinüber.

Versöhnt rückte Merle ein wenig dichter an die Freundin heran. »Erzähl.« Jette konnte ihr nichts vormachen. Sie kam nicht ohne Grund in der Nacht in Merles Zimmer. Vor allem nicht in ihr Bett.

»Luke.«

»Luke?«

»Lukas Tadikken ... du weißt schon.«

»Luke. Soso.«

»Hör auf!« Jettes Ellbogen traf Merle an der Schulter. »Wenn du dich über mich lustig machst, sag ich kein Wort mehr.«

Merle verschloss ihre Lippen feierlich mit dem Zeigefinger.

»Er hat mich angerufen. Heute Nacht. Er will sich mit mir treffen.«

»Und?« Merle hielt den Atem an. Sie hatte eine solche Nachricht schon so lange herbeigesehnt, sich so lange gewünscht, Jette würde endlich die Kraft finden, aus der Trauer um ihre erste große Liebe aufzutauchen, dass sie jetzt Angst vor der Antwort hatte.

Jette seufzte.

»Heißt das ... ja?«

Ein Lächeln stahl sich auf Jettes Gesicht, langsam und beinah leuchtend. Merle hatte die Freundin schon ewig nicht mehr so gesehen, so gelöst und unbeschwert, fast glücklich.

»Was genau hat er gesagt?« Merle setzte sich auf, drehte sich zu Jette und lehnte sich mit dem Rücken gegen die Wand.

»Wie hat er sich angehört? Was hast du geantwortet? Nun mach schon! Spann mich nicht auf die Folter!«

»Er lässt mir Zeit, um darüber nachzudenken.«

»Mensch, Jette! Ein schöner Film, eine gute Pizza, ein bisschen quatschen.« Merle wollte unbedingt verhindern, dass Jette Gründe ins Feld führte, sich nicht mit diesem Lukas zu treffen, welche auch immer. »Das könntest du eigentlich riskieren, ohne erst eine Doktorarbeit über das Für und Wider zu verfassen.«

Jette nickte gedankenverloren. Sie hatte sich ebenfalls aufgesetzt. Ihren Teil der Decke um die Beine geschlungen, hatte sie die Arme auf die Knie gelegt und ihr Kinn daraufgestützt.

»Luke. Der Name passt zu ihm, findest du nicht?«

Wie sie das sagte! Mit diesem träumerischen Ausdruck auf dem Gesicht, den Merle seit Monaten nicht mehr bei ihr gesehen hatte. Sie hatte kaum noch daran geglaubt, ihm jemals wieder zu begegnen.

»Du magst ihn«, wagte Merle sich vor.

»Sogar sehr.« Jette knabberte an ihrer Unterlippe.

»Du wirst ihn treffen?«

Jette setzte sich kerzengerade hin. Ihre Hände flatterten wie Schmetterlinge durch die Luft und sanken wieder nieder. Ihre Finger fingen an, die Bettdecke glatt zu streichen und gleich darauf wieder zu zerknautschen. Sie lachte, kurz und atemlos. Dann rollten Tränen über ihre Wangen.

Bestürzt zog Merle sie in die Arme. »Ist ja gut«, sagte sie leise und tätschelte tröstend Jettes Rücken, wie sie das schon so oft getan hatte. »Ist ja gut.«

Vielleicht war es noch zu früh. Vielleicht heilte ein gebrochenes Herz nicht so schnell. Merle machte sich Vorwürfe. Sie nahm sich vor, noch mehr Geduld zu haben.

Jette löste sich aus der Umarmung. Ihr Gesicht war nass

von Tränen, doch sie lächelte. »Ja.« Sie wischte sich mit dem Handrücken über die Wangen. »Ich werde ihn treffen.«

Ihre Stimme klang armselig und klein. Merle hatte selbst Tränen in der Kehle. Sie schluckte sie herunter. Wie tapfer dieses Mädchen war!

»Ich bin stolz auf dich«, flüsterte sie, und das war sie wirklich. Es war, als steckte Jette vorsichtig den Kopf aus dem Sumpf. Merle lächelte. Und wenn die Freundin dann auch noch die Augen aufmachte, was würde sie da alles zu sehen bekommen!

Vielleicht, dachte Merle, fängt jetzt ihr Leben wieder an. Sie sah diesen Lukas Tadikken vor sich, wie er sie durch das Haus geführt hatte. Was immer du auch anstellen magst, dachte sie, ich verzeih dir im Voraus, Luke. Weil du gut bist für Jette.

Aber wage es nicht, ihr wehzutun!

»Komm frühstücken!« Jette sprang aus dem Bett. »Ich hole schnell Brötchen und bringe die Zeitung mit.«

Eine ausgezeichnete Idee, obwohl heute nicht Samstag war, sondern ein ganz normaler Wochentag, an dem Jette im *St. Marien* arbeiten musste und Merle Dienst im Tierheim hatte. Ein normaler Wochentag. Wie beruhigend banal sich das anhörte. Ihr Bedarf an Aufregung war in den vergangenen zwei Jahren überreichlich gedeckt worden. Sie hatten es sich verdient, morgens aufzustehen und abends schlafen zu gehen und dazwischen einen Tag zu erleben wie die meisten Menschen – ohne Todesangst und ohne Gefahr.

An der Tür drehte Jette sich noch einmal um. »Ab jetzt wird alles gut«, sagte sie und verschwand unter der Dusche. Sie hatte anscheinend die gleichen Gedanken gehabt. Und sie ebenfalls nicht ausgesprochen.

Alles, dachte Merle und glaubte wirklich daran.

6

Die Frühbesprechung hatte unter dem Eindruck allgemeiner Müdigkeit gestanden. Isa hatte behauptet, das liege daran, dass zurzeit Vollmond sei. Der lasse die meisten Frauen und die sensibleren unter den Männern unruhig schlafen und schlecht träumen. Unter ihren Augen lagen, wie zum Beweis für ihre Theorie, Schatten von einem feinen, hellen Violett.

»Ich hätte geschworen, Sie als Psychologin seien immun gegen jegliche Art von Aberglauben«, hatte der Chef sie mit seinem charmantesten, falschesten Lächeln provoziert. Seiner rosigen Gesichtsfarbe nach zu schließen, hatte er wie ein Baby geschlafen, und er schien sich nun zu fragen, was das über seine Sensibilität aussagen mochte.

Isa hatte bloß milde zurückgelächelt und sich dann irgendwelchen Papieren gewidmet, die vor ihr auf dem Besprechungstisch lagen, das sicherste Mittel, den Blutdruck des Chefs in die Nähe der Zweihundertmarke zu treiben.

»Es ist längst erwiesen, dass der Mond Auswirkungen auf unser Wohlbefinden hat«, hatte Bert eingeworfen. »Wir von der Kripo wissen doch am besten, dass bei Vollmond die Zahl der Suizide und Tötungsdelikte rapide ansteigt.«

»Tun wir das?« Der Chef hatte sich mit säuerlicher Miene seinerseits über seine Notizen gebeugt und das Gespräch damit beendet. Wieder hatte Isa gelächelt und diesmal war ihr Lächeln voller Herzlichkeit gewesen und es hatte Bert gegolten.

»Du glaubst tatsächlich an die Besonderheit von Vollmondnächten?«, fragte sie jetzt, als sie in der Kantine saßen und in friedlicher Eintracht einen giftgrünen, lauwarmen Erbseneintopf mit schrumpligen Wurstscheibchen löffelten.

»Wirklich und wahrhaftig«, sagte Bert im Brustton der Überzeugung. »Wie willst du dir sonst die Vampire und Werwölfe erklären?«

»Oder Doktor Jekyll und Mister Hyde.«

»Genau.«

Isa grinste von einem Ohr zum andern. Sie schob ihren Teller beiseite und zog sich das Stück Sachertorte heran, das sie sich zum Nachtisch ausgewählt hatte. »Auch einen Kaffee?«, fragte sie und angelte ihre Geldbörse aus der Tasche.

»Gern.« Bert wischte sich den Mund mit einer Papierserviette, die so hauchdünn war, dass sie ihm unter den Fingern zerfiel. Ärgerlich knüllte er sie zusammen und warf sie in die übrig gebliebene Erbsensuppe. Er schaute Isa hinterher, die auf dem Weg zur Theke war, fing ihren Blick auf, wies auf ihr Stück Torte und dann auf sich selbst. Sie nickte und kam mit zwei Tassen Kaffee und einem weiteren Stück Sachertorte zurück.

»Wie schön, dass ich dich auch mal bei ungesunden Gelüsten ertappe«, sagte sie und setzte sich wieder. »Abgesehen von deiner Koffeinsucht, die ich ja teile.«

»Da hätte ich noch mehr zu bieten.« Bert zählte an den Fingern ab: »Erstens fröne ich dem Müßiggang, indem ich schon eine ganze Weile keinen Sport mehr treibe. Zweitens esse ich zu viel, seit ich das Rauchen aufgegeben habe. Und drittens trinke ich gern mal einen über den Durst.«

Isa ließ den ersten Bissen mit geschlossenen Augen auf der Zunge zergehen. »Hmmm … himmlisch …«

Die Qualität des Kantinenessens riss einen nicht vom Hocker, aber die Kuchen waren normalerweise eine Wucht. Dennoch verspeiste Bert sein Stück Torte heute ohne Genuss. Er machte sich Sorgen.

Auf keinem der Papiere, die Imke Thalheim ihm mitgegeben hatte, waren Fingerabdrücke zu finden gewesen, außer ihren eigenen. Das bedeutete, dass sie es mit einem Täter zu tun hatten, der planmäßig vorging und nichts dem Zufall überließ.

Isa breitete die Unterlagen auf dem Tisch aus. Die Fotos legte sie ein wenig abseits. Sie überflog den einen oder anderen Text und vertiefte sich dann in den Anblick der Fotos.

Bert war gespannt auf ihr Urteil. »Was hältst du davon?«, fragte er.

»Prominentenstalking ist ja ein Delikt, das immer häufiger vorkommt«, sagte sie. »Das liegt ganz klar an der Medienpräsenz in unserer Gesellschaft. Daran, dass Prominente ein gläsernes Leben führen.«

Ein gläsernes Leben. Kalt und zerbrechlich.

»Wobei ich mit der Bezeichnung *Stalking* in diesem Fall ein Problem habe«, fuhr Isa fort. »Ein Stalker will sich im Mittelpunkt der Aufmerksamkeit sehen. Er rückt seine eigene Person sozusagen ins Rampenlicht, und wenn er einem Prominenten nachstellt, dann auch in der Hoffnung, dass ein wenig vom Ruhm seines Opfers auf ihn abfärbt.«

Bert wusste sofort, was sie meinte. »Stalker bleiben normalerweise nicht anonym.«

»Richtig.« Isa nickte. »Denk nur an Mark Chapman, den Stalker, der 1980 John Lennon erschoss. Sein Motiv war der Wunsch, berühmt zu werden, und der ist ihm in gewisser Weise ja auch erfüllt worden.«

Indem er John Lennon in den Rücken schoss. Fünfmal. Bert zog gequält die Schultern zusammen.

»Allerdings war er zudem auch noch ein religiöser Fanatiker«, sagte Isa. »Er wollte Lennon für seinen lockeren Lebenswandel bestrafen.« Sie leckte sich Schokoladenkrümel aus den Mundwinkeln und zog die Fotos heran. »Dieser hier bleibt im

Dunkel der Anonymität. Gleichzeitig gibt er einen Teil seiner Identität preis – seine Lippen, seine Nase, sein Kinn.«

»Was bedeutet das?«

»Es offenbart seine emotionale Zerrissenheit.« Isa betrachtete die Fotos mit schräg geneigtem Kopf. »Er sucht die Nähe zu Imke Thalheim und zeigt ihr gleichzeitig, dass er gefährlich ist.«

»Um ihr Angst einzuflößen?«

»Ganz sicher erregt ihn die Vorstellung, sie in Angst und Schrecken zu versetzen. Aber er will auch seine eigene Verletzlichkeit demonstrieren. Imke Thalheim die Wunden zeigen, die ihm das Leben zugefügt hat.«

»Das heißt mal wieder, es kann so sein, so oder so – aber auch ganz anders?«

»Du darfst von der Psychologie nicht Sicherheit erwarten, Bert«, wehrte sich Isa. »Wie jede Wissenschaft ist sie hauptsächlich eine Wissenschaft der Fragen und erst in zweiter Linie eine der Antworten.«

Er stand auf und schob seinen Stuhl zurück. »Wozu ist sie dann nütze?«

Erst als er wieder in seinem Büro saß, fiel ihm auf, dass er vergessen hatte, Isa das Geld für den Kaffee und die Torte zurückzugeben, und dass er ihr die eigentlich wichtigen Fragen gar nicht gestellt hatte.

*

Tilo hatte immer noch Kopfschmerzen. Er war todmüde, obwohl er nichts anderes tat, als im Bett zu liegen. Nicht einmal zum Lesen konnte er sich aufraffen. Er hätte gern ein paar Stunden geschlafen, doch auch daran war nicht zu denken. Sobald er die Augen schloss, sah er weiße und gelbe Blitze durch das Dunkel schießen. Seine Lider fingen an zu zucken und so machte er die Augen lieber wieder auf.

Zum Röntgen war er nicht gegangen, obwohl Imke ihm damit in den Ohren lag, seit der Notarzt sie verlassen hatte. Er wusste, dass sein Verhalten unvernünftig war, aber ein Leben ohne Leichtsinn, sagte er sich, war wie ein Vogel ohne Flügel.

Er fühlte sich nicht krank, nur maßlos erschöpft. Vielleicht war der Unfall ein Wink mit dem Zaunpfahl gewesen. Vielleicht war es an der Zeit, endlich mal einen Gang runterzuschalten, wenn nicht sogar zwei.

Allein die täglichen Therapiesitzungen forderten ihm reichlich Kraft ab. Hinzu kamen die begleitenden Gespräche mit Mina, seiner multiplen Patientin, die er eigens in ihrer Klinik aufsuchen musste. Die Abende nutzte er für die Arbeit an seinem Buch, in dem er Minas Therapie dokumentierte. Und als wäre das alles noch nicht genug, schrieb er in jeder freien Minute an den Vorträgen, mit denen er dann durch die Lande tingelte.

Da mussten die Sicherungen ja irgendwann durchknallen.

Sind sie aber nicht, dachte er. Es war Imke, die ihn gestoppt hatte, und es war auch kein Unfall gewesen, sondern ... ja, was? Notwehr. Ein Irrtum. Irrtümliche Notwehr. Gab es so etwas?

Imke war rührend um ihn bemüht. Sie las ihm die Wünsche von den Augen ab. Immer wieder kam sie ins Zimmer, um nach ihm zu sehen, brachte ihm eine Zeitschrift, etwas Obst, eine Tasse Tee. Und immer war ihre Miene schuldbewusst.

Kleinlaut erkundigte sie sich nach seinem Befinden, fragte, ob er Schmerzen habe, Hunger oder Durst. Sie schüttelte sein Kissen auf, strich die Bettdecke glatt. Zog sich einen Stuhl heran und setzte sich eine Weile zu ihm, immer vorn auf der Kante balancierend, bereit, sofort aufzuspringen, sobald er eine Bitte äußerte.

Er wollte das nicht. Er wollte nur eines, so rasch wie möglich aus dem Bett kommen und zur Normalität zurückkehren. Ein Schlag auf den Kopf, na und? Mehr war es nicht gewesen. Dass er jetzt so durchhing, hatte garantiert eine ganze Reihe von Ursachen, für die Imke nicht verantwortlich war.

»Bist du wach?«

Tilo richtete sich auf und sah sie in der Tür stehen, ein Glas Milch in der Hand. »Komm«, sagte er. »Setz dich ein bisschen zu mir.«

Sie reichte ihm das Glas und nahm wieder vorn auf der Stuhlkante Platz. »Wie geht es dir?«

»Schlecht.« Tilo schnupperte an der Milch und stellte das Glas auf dem Boden ab, ohne zu trinken.

Imke musterte ihn besorgt.

»Weil du mich behandelst wie einen Patienten«, erklärte Tilo.

Ein erleichtertes Lächeln erschien auf Imkes Gesicht. »Du *bist* ein Patient, mein Lieber. Und du musst schnell wieder gesund werden. Das hat oberste Priorität.«

Ihre Augen waren rosa gerändert, ein Zeichen von Schlafmangel. Die Angst vor dem Mann, der ihr nachstellte, verfolgte sie bis in ihre Träume. Manchmal saß sie reglos da, den Blick ins Leere gerichtet, und wenn Tilo sie ansprach, zuckte sie zusammen wie ertappt.

Auch jetzt war sie gar nicht wirklich anwesend. Doch sie behielt ihre Ängste für sich. Als müsse sie ihn davor schützen.

Tilo verzog schmerzlich das Gesicht und griff sich ans linke Ohr. Sofort sprang sie auf und beugte sich über ihn. »Was ist …«

Im nächsten Moment hatte Tilo sie zu sich aufs Bett gezogen. Sie war so überrascht, dass sie sich nicht wehrte.

»*Das* hat oberste Priorität«, sagte Tilo leise und vergrub den Teil des Gesichts in ihrem Haar, der nicht bandagiert war.

»Und das.« Mit der Zungenspitze liebkoste er ihren Hals. »Und das.« Er drehte ihr Gesicht zu sich herum und sah ihr in die Augen, bevor er sie küsste.

Erst wenn sie sich von einer Situation unterkriegen ließen, hatten sie wirklich ein Problem. Er würde alles daransetzen, dass es nicht so weit kam.

*

»Was ist mit Ihnen, Kindchen?« Frau Sternberg studierte aufmerksam mein Gesicht. »Sie sind ja gar nicht richtig hier.«

Die alte Dame war mir so was wie eine zweite Großmutter geworden in all den Monaten, die ich mittlerweile im *St. Marien* arbeitete. Ich mochte sie sehr, egal ob sie gerade verwirrt war oder bei klarem Verstand. Zu sehen, wie ihre klaren Augenblicke weniger und weniger wurden, tat mir weh.

»Ich bin verabredet«, vertraute ich ihr an, und mein Herz hüpfte auf. Ich konnte es nicht glauben, dass ich Luke wirklich treffen würde.

»Ein Rendezvous?« Sie zog die Augenbrauen hoch, die sie sich flüchtig und schief übermalt hatte. »Mit einem Kavalier?«

Ab und zu benutzte sie Worte aus den dicken Romanen, die sie so gern las, Geschichten aus vergangenen Jahrhunderten, in denen die Frauen noch Damen gewesen waren und die Männer vornehme Herren.

»Mit Luke«, sagte ich.

»Luke.« Sie ließ den Namen eine Weile in ihrem Kopf nachklingen. »Ist er Amerikaner?« Sie wartete meine Antwort nicht ab, sondern stand aus ihrem Sessel auf und stellte sich ans Fenster. »Wie schön das Licht ist«, sagte sie. »Und wie lang der Tag.«

Ich wusste, sie würde jetzt nichts mehr sagen, sie würde stundenlang am Fenster stehen bleiben und einfach hinausschauen. Ich legte ihr ihre warme Stola um die Schultern und verließ leise das Zimmer.

Luke. Auch Merle war über den Namen gestolpert. Mir gefiel er. Lucky Luke und Jolly Jumper. Ich hatte die Comics früher verschlungen. Der Name erinnerte mich aber auch ein bisschen an Popeye, den Seemann, und an die Western, die ich mir als Kind mit meinem Vater zusammen angeschaut hatte. Mir wurde bewusst, dass ich die Vorlieben und Abneigungen meines Vaters längst nicht mehr kannte und dass ich schon lange nichts mehr mit ihm unternommen hatte. Was wahrscheinlich daran lag, dass ich ihn bloß noch im Dreierpack mit seiner neuen Frau Angie und meinem kleinen Halbbruder haben konnte, und darauf verzichtete ich gern.

Schwamm drüber. Nichts sollte mir den Tag vermiesen. Noch drei Stunden, dann würde ich Luke sehen. In mir rumorten die widerstreitendsten Gefühle. Im einen Moment war mir schwindlig vor Glückseligkeit, im nächsten stülpte sich mir vor Angst der Magen um. Meine Füße waren eiskalt, meine Hände feucht, mein Kopf glühte, und ich rannte ständig zum Klo.

Liebeskrank.

Das Wort taumelte durch meine Gedanken. Wie schrecklich war es, sich zu verlieben. Und wie schön.

Denn ich war im Begriff, mich zu verlieben. Das wurde mir plötzlich klar. Ein Tränenschleier ließ meine Umgebung verschwimmen. Ich war doch noch gar nicht so weit. Nicht vorbereitet darauf, einen Menschen so nah an mich heranzulassen. Ihn anzuschauen, trunken vor Zärtlichkeit. Ihm mit den Fingern durchs Haar zu streichen. Den Duft seiner Haut einzuatmen. Seinen Namen zu flüstern.

Und gleich hatte ich das Bedürfnis, alles wieder rückgängig zu machen, das Treffen abzusagen und Luke nie wiederzusehen.

»Hoppla!« Der Professor hatte mich lachend bei den Armen gefasst, um mir Halt zu geben. In Gedanken versunken, war ich direkt in ihn hineingelaufen. »So eilig?«

»Nein«, antwortete ich beschämt. »Eigentlich nicht.«

Wenn man in einem Heim für Demenzkranke arbeitet, hat man jederzeit voll und ganz bei der Sache zu sein. Es gibt keine Entschuldigung für Halbherzigkeit.

Der Professor ließ mich los und blickte freundlich auf mich herunter. Er war groß und hager und immer sorgfältig gekleidet, selbst wenn er mit seinen Depressionen zu kämpfen hatte. Diesmal trug er einen dunkelgrauen Anzug mit einem fliederfarbenen Hemd und einer Krawatte in tiefstem Aubergine. Seine Augen hinter den runden Brillengläsern waren von einem Kranz tief eingekerbter Falten umgeben, die zeigten, dass er früher einmal viel gelacht haben musste.

Er konnte immer noch fröhlich sein, obwohl er von seiner fortschreitenden Demenz wusste, obwohl ihm die Gedanken immer öfter entglitten und ihn die schwarzen Stimmungen immer häufiger niederdrückten.

»Das Leben ist ein Wagnis«, sagte er und lächelte mich bedeutsam an.

Perplex starrte ich zu ihm hinauf. Standen mir meine Gefühle so deutlich auf der Stirn? Wusste er, wie mir zumute war?

Er zwinkerte mir zu und ging weiter den Flur entlang, der zu seinem Zimmer führte. Seine Schritte waren heute sicherer als sonst. Ich wünschte ihm, dass das eine Weile so bleiben würde.

Ich sammelte das schmutzige Geschirr ein, das hier und da vergessen auf den Tischen stand, fleckige Gläser, Tassen mit eingetrocknetem Kaffeesatz, Teller, von denen Kuchen gegessen worden war, trug es in die Küche und räumte es in die Spülmaschine. Meine Handgriffe kamen mir auf einmal vor wie losgelöst von mir. Ich konnte meinen Händen dabei zusehen, wie sie ihre Arbeit verrichteten, als hätten sie nichts mit mir zu tun.

Ich streckte sie aus und bewegte die Finger.

Er liebt mich. Er liebt mich nicht. Liebt mich …

Ich dachte an Luke und stellte bestürzt fest, dass ich vergessen hatte, wie sein Gesicht aussah.

Liebt mich. Liebt mich nicht …

»Es sollten zehn sein. Fünf an jeder Hand.«

Wie ertappt fuhr ich zu Frau Stein herum. Sie stand da, gegen den Türpfosten gelehnt, und betrachtete mich mit spöttischer Miene. Wie lange schon?

Ich versteckte die Hände hinterm Rücken. Wie ein Kind. Beschämt zog ich sie wieder hervor. Meine Wangen brannten. Wahrscheinlich sah mir wirklich jeder an, was mit mir los war. *Verliebt, verlobt, verheiratet.*

Geschieden, hörte ich die Stimme meiner Mutter weit hinten in meinem Kopf. Meine Mutter liebt es, sich in meine Angelegenheiten einzumischen. Sie kann gar nicht anders.

Die Heimleiterin weidete sich nicht an meiner Verlegenheit. »War nur ein Scherz«, sagte sie und lächelte müde. »Leider nicht der beste, aber man kann nicht unentwegt in Hochform sein.«

Sie war rund um die Uhr aktiv, betrat das Haus morgens als Erste und verließ es abends als Letzte. Die Arbeit für dieses Heim war ihre Berufung. Sie opferte ihr alles, sogar ihr Privatleben, denn sie war nicht verheiratet und hatte keine Kinder.

Frau Stein rieb sich das Gesicht, griff in die Tasche ihres Blazers und zog ein ramponiertes Päckchen Zigaretten hervor. Dann öffnete sie die Tür, die auf die kleine Terrasse führte. »Leistest du mir Gesellschaft?«

Ich trat neben sie und fühlte die kalte Luft auf dem Gesicht. Sie kühlte mir die Wangen und brachte mich auf den Boden zurück.

»Auch eine?«

Ich schüttelte den Kopf und sah Frau Stein dabei zu, wie sie sich mit ihrem Feuerzeug abmühte. Nach fünf unergiebigen Funkenflügen züngelte endlich ein bescheidenes Flämmchen auf und setzte die Spitze der Zigarette knisternd in Brand. Frau Stein nahm einen tiefen Zug, behielt den Rauch ein paar Sekunden lang in der Lunge und atmete mit einem leisen, wohligen Stöhnen aus.

»Gut, dass du das Zeug nicht anrührst«, sagte sie und schnipste hellgraue Asche auf den Weg. »Bleib dabei.«

Eine Weile standen wir schweigend nebeneinander. Der Rauch roch angenehm würzig, solange ich ihn nicht direkt in die Nase bekam. Nach dem letzten Zug zertrat Frau Stein den Stummel und hob ihn auf, um ihn zu entsorgen.

»Pass auf dich auf«, sagte sie, klopfte mir auf die Schulter und ging wieder in ihr Büro zurück.

Ich blieb noch einen Moment draußen und ließ den Blick durch den kleinen Kräutergarten spazieren. *Pass auf dich auf.* Was, zum Teufel, hatte sie damit gemeint?

*

Imke saß am Schreibtisch und brütete über den Korrekturfahnen ihres neuen Romans. Sie hasste diese Arbeit mit aller Inbrunst. Jedes Mal hatte sie das Bedürfnis, das halbe Buch umzuschreiben, und konnte sich nur mit Mühe bremsen.

Sie las mit einer solchen Anspannung (um keinen Fehler zu übersehen) und langweilte sich gleichzeitig so tödlich (weil sie jeden Satz auswendig wusste), dass sie nach kurzer Zeit Kopfschmerzen bekam. Trotzdem zwang sie sich, am Schreibtisch sitzen zu bleiben, die Fahnen vor sich, den Kugelschreiber in der Hand.

Sie fand Rechtschreibfehler, falsche Trennungen und leider auch Wiederholungen, die sie störten. Ihre Anspannung verstärkte sich, die Kopfschmerzen verteilten sich von den Schläfen aus über die gesamte Schädeldecke.

Irgendwann waren die Worte bloß noch eine Ansammlung von Buchstaben, deren Sinn Imke auch nach dem dritten oder vierten Anlauf nicht durchschaute. Sie nahm die Lesebrille ab und massierte sich die Stirn. Es hatte keinen Zweck, weiterzumachen. Sie brauchte eine Pause.

Tilo schlief, wie sie sich mit einem Blick durch den Türspalt vergewisserte. Er lag auf dem Rücken, das Gesicht zur Seite geneigt, und schnarchte leicht. Imke schob die Tür so geräuschlos wie möglich zu, machte sich in der Küche einen Tee und war mit der dampfenden Tasse gerade auf dem Weg zum Wintergarten, als das Telefon läutete.

»Thalheim.«

»Hat er sich von dem Schlag erholt?«

Imke erstarrte. Sie wusste sofort, dass die Stimme *ihm* gehörte, auch wenn er sie verstellte. Ihr erster Impuls war, das Gespräch wegzudrücken, doch es gelang ihrem Gehirn nicht, die Botschaft an die Finger weiterzuleiten. Also stand sie da und hielt das Telefon hilflos ans Ohr gepresst.

»Böses, böses Mädchen.«

Ein leises, atemloses Lachen.

»Ich liege dir freiwillig zu Füßen.«

Imke konnte sich nicht bewegen. Kalter Schweiß sammelte sich auf ihrer Stirn. Sie biss die Zähne zusammen, bis ihre Kiefer schmerzten.

»So stumm?«

Wieder ein Lachen, diesmal beinah zärtlich.

»Meine Göttin.«

Imke spürte, wie ihr schlecht wurde. Sie beugte sich nach vorn und presste die freie Hand auf den Magen. Mit der anderen hielt sie weiter das Telefon ans Ohr, obwohl sie nichts mehr hören mochte, nicht ein einziges Wort.

»Ich bete dich an.«

Ein seltsamer, zischender Laut ertönte im Hintergrund, und endlich fand Imke die Kraft, auf die rote Taste zu drücken. Sie ließ das Telefon auf den Tisch fallen und stürzte auf die Terrasse hinaus. Draußen atmete sie tief in den Bauch ein und wieder aus, ein und aus, bis die Übelkeit verschwunden war.

Göttin. Dieser Mann war komplett verrückt.

*

Natürlich hätte er gern ihre Stimme gehört. Und wie sie mit ihm redete. Aber sie war vor Angst paralysiert gewesen. Ein kräftiges *Buh,* und sie wäre umgekippt, jede Wette.

Die Erregung hielt ihn noch immer gepackt. Sein Atem ging in kurzen Stößen. Er musste sich abreagieren, bevor er wieder in die Werkstatt zurückkehrte.

In einem der hohen, noch blattlosen Bäume keckerte ein Vogel. Manuel kniff die Augen zusammen, doch er konnte nicht erkennen, was für ein Vogel das war. Dafür entdeckte er die schwarz-braun gefleckte Katze, die unter den mageren Sträuchern am Rand des Grundstücks entlangschlich.

Wie er sie hasste, diese lautlosen Jäger, die ein so langes, grausames Spiel mit ihrem Opfer trieben, bevor sie es töteten. Er bückte sich nach einem Stein, zielte und warf ihn mit aller Kraft.

Die Katze schrie fauchend auf und huschte davon.

Befriedigt rieb Manuel sich die Hand an seinem Overall ab und grinste. Er wusste, warum er Katzen verabscheute. Er mochte nichts, was ihm zu ähnlich war.

In der Werkstatt empfing ihn das ganz normale Chaos. Er atmete den vertrauten Geruch ein und entspannte sich. Das hier war sein Leben. Und seine Liebe machte es noch besser.

7

Als sie auf die Straße hinaustraten, schlang Isa sich fröstelnd ihren langen, knatschbunt geringelten Wollschal um den Hals. Sie hatte die Angewohnheit, sich im Laufen anzuziehen, auf dem Weg vom Schreibtisch zur Tür ihres Büros in ihr Jackett zu schlüpfen, sich auf dem Flur den Mantel überzuwerfen, im Fahrstuhl oder auf der Treppe die Handschuhe überzustreifen, und das alles, während sie gleichzeitig geschickt mit ihrer Handtasche jonglierte. Als stünde sie ständig unter Strom und als sei sie nicht bereit, auch nur eine Sekunde mehr als nötig mit so profanen Dingen wie Ankleiden zu verschwenden.

Bert verlangsamte seine Schritte, um ihr Zeit zu lassen. Es war saukalt. Weiße Wölkchen kamen aus seinem Mund. und in seinen Nasenlöchern schienen Eiszapfen zu wachsen. Der Winter war noch nicht vorbei. Nacht für Nacht stellte er das unter Beweis, überzog Dächer und Wiesen mit seinem eisigen Atem und hüllte die Nadeln der Tannen und die Blätter der immergrünen Sträucher in winzige gläserne Särge.

»Brrr.« Isa rieb sich die Arme und tänzelte gegen den Wind, der durch die Straßen fegte und altes, knisterndes Laub vor sich hertrieb. Sie hielt den Kopf gesenkt. Ihre Nase war rot, wie angemalt.

Bert streckte spontan den Arm aus, zog sie an den Schultern zu sich heran und drückte sie an sich, um sie zu wärmen.

»Uuuh«, sagte Isa mit klappernden Zähnen.

Bert versuchte, sich ihren eiligen Tippelschritten anzupassen, gab es aber sofort wieder auf. Er musste lächeln. Wie viel doch ein paar Laute aussagen konnten. In manchen Momenten war Sprache schlichtweg überflüssig.

»Ich wollte mich noch bei dir entschuldigen«, sagte er. »Wegen heute Mittag. Ich hätte nicht so ... aus der Kantine rauschen sollen.«

»Schon gut.« Sie zitterte wie Espenlaub.

»Schön, dass du noch mit auf ein Bier kommst«, sagte er.

»L-l-lieber Gl-l-lühwein.« Isa zog die Nase hoch. Ihre Augen tränten. Sie sah erkältet aus, und Bert dachte schuldbewusst, dass sie zu Hause wahrscheinlich besser aufgehoben wäre als hier mit ihm. Er drückte sie fester an sich.

Auch er entschied sich für einen Glühwein, als sie endlich auf ungemütlichen Holzstühlen im Warmen saßen. Im Weinhaus war der Teufel los. Ein geradezu gehörschädigender Lärm von Stimmen und Geräuschen. Alle Tische besetzt, bis auf einen kleinen hinten bei der Treppe zu den Toiletten. Der beißende Gestank verbrannten Öls stand in der aufgeheizten Luft. Essensdünste waberten aus der Küche, in der es klapperte, schepperte und brutzelte.

Auf den Barhockern an der Theke saßen ein paar Businesstypen mit ihren Notebooks. Sie schienen außerhalb ihres Dunstkreises nichts wahrzunehmen und demonstrierten neben einer gelangweilten Gelassenheit einen unerschütterlichen Glauben an ihre eigene Individualität.

»Die werden das auch noch lernen«, murmelte Bert.

Isa sah ihn fragend an.

»Dass Individualität nichts weiter ist als eine Illusion«, erklärte Bert und nippte vorsichtig an seinem Glühwein, der ihm zu süß war und augenblicklich zu Kopf stieg.

»Da sollte ich dir als Psychologin energisch widersprechen.« Isa schnupperte an ihrem Glas und schloss selig die Augen.

»Und wieso tust du es nicht?«

»Weil ich zu träge bin.« Sie nahm den ersten, prüfenden Schluck. »Hmmm.«

»Oder zu aufrichtig?«

»Vielleicht auch das. Obwohl ich kein Freund großer Worte bin. Keine Freundin«, korrigierte sie sich postwendend selbst. »Manchmal könnte man meinen, die Emanzipationsbewegung sei spurlos an mir vorübergegangen.«

»Ist sie nicht.«

»Hoppla! Machst du mir da etwa ein Kompliment?«

Bert spürte, wie die Müdigkeit von innen gegen seine Stirn drückte. Nicht mehr lange, und sie würde sich zu handfesten Kopfschmerzen auswachsen.

»Geht es dir nicht gut, Bert?«

Isa schaute ihm besorgt ins Gesicht. Bert wusste, dass sie neununddreißig war, aber er hätte sie gute zehn Jahre jünger geschätzt. Die schulterlangen Haare hatten den Schimmer reifer Kastanien, und er musste sich zusammenreißen, um nicht mit beiden Händen hineinzugreifen.

Aber nur, weil sie so weich und duftig aussahen.

Nur aus diesem Grund? Wirklich?

Mach dir nichts vor. Du hältst dich zurück, weil eine andere dein Denken und Fühlen besetzt.

War das so? Würde er versuchen, etwas mit Isa anzufangen, wenn es ... Imke Thalheim nicht gäbe? Wäre er überhaupt imstande, Margot zu betrügen?

Betrügen. Was für ein Wort.

Auf immer und ewig. Bis dass der Tod euch scheidet.

»Ich bin müde und frustriert und fühle mich wie Methusalem«, beantwortete er Isas Frage.

Isa lächelte, und er merkte selbst, wie wehleidig er sich anhörte.

»Lass uns reden.« Er hob entschlossen den Kopf. »Lass uns an das Gespräch von heute Mittag anknüpfen.«

»Okay.« Isa benetzte sich die Lippen mit der Zungenspitze, die klein war und rosa und Bert so sehr rührte, dass er schlucken musste. »Was möchtest du wissen?«

»Warum wird jemand, in diesem Fall ein Mann, zum Stalker?«

Mit einem Seufzen zeigte Isa ihm, dass er mit dieser Frage mitten ins Schwarze getroffen hatte.

»Er kann verlassen worden sein oder abgewiesen, sich verraten fühlen oder missverstanden. Es kann sein, dass seine Liebe nicht erwidert wird, dass man ihm Unrecht getan hat oder ihn einfach nicht beachtet.«

»Also steckt das Zeug zum Stalker in jedem von uns?«

»Nein.« Isa schüttelte den Kopf. »Dazu gehören eine gehörige Portion Narzissmus und vor allem Selbstüberschätzung.«

»Über beides verfügt unser Chef beispielsweise im Übermaß«, warf Bert grinsend ein.

»Wer weiß – vielleicht wird er ja genügend geliebt, sodass es nicht zu einer Eskalation kommt.«

»Geliebt? Der Chef? Machst du Witze?«

Isa ging auf Berts scherzhaften Ton nicht ein. Sie starrte in ihr leeres Glühweinglas, als könnte sie aus dem Bodensatz lesen.

»Stalker sind oftmals Psychopathen. Sie überschreiten jede Grenze, die du dir nur vorstellen kannst, um ihr Opfer zu beherrschen.«

»Ist das ihr Ziel? Beherrschung?«

»Unter anderem. Sie wollen Kontrolle. Macht. Gottähnlichkeit. Und meistens sind sie nicht mal dann zufrieden, wenn ihr Opfer am Boden liegt.«

»Am Boden ...«

»Wenn sie es isoliert, unterdrückt und kleingemacht haben.«

»Das heißt, ein Stalker erfährt erst dann vollkommene Befriedigung ...«

»... wenn sein Opfer ausgelöscht ist.«

»Wenn er es getötet hat?«

»Oder in den Selbstmord getrieben.«

»Darf es bei Ihnen noch was sein?« Die forsche Stimme der Serviererin schreckte sie auf.

»Gern«, sagten sie beide gleichzeitig und reichten ihr die Gläser.

Bert schauderte. Er hatte es schon so oft mit Psychopathen zu tun bekommen und keiner war gewesen wie der andere. Zweierlei jedoch hatten sie alle gemeinsam gehabt: Sie waren von hoher, scharfer Intelligenz gewesen und hatten ihr Ziel kalt und beherrscht verfolgt.

»Ein Stalker behält sein Ziel unbeirrt im Auge«, sagte Isa. »Und wenn er geschickt vorgeht, gibt er der Polizei keinerlei Handhabe und kann ungestört weiter seine teuflischen Kreise ziehen.«

»Der Stalker, von dem wir hier reden«, überlegte Bert laut, »bleibt anonym. Das macht die ganze Angelegenheit noch komplizierter.«

»Weil du auf Spekulationen angewiesen bist.«

Bert stöhnte auf. Sie hatte recht. Er hatte tatsächlich nicht die geringste Ahnung, wo er anfangen sollte.

*

Mir war vor Aufregung schlecht, als ich endlich das *St. Marien* verließ. Einige der Heimbewohner winkten mir nach. Sie taten das jedes Mal und an jedem folgenden Tag begrüßten sie mich mit frischer, unverminderter Freude. Das *St. Marien* war ein zweites Zuhause für mich geworden, das wurde mir ganz plötzlich mit einem feinen Stich in der Magengegend bewusst.

Luke stand draußen gegen die Ziegelmauer gelehnt, die im letzten Schein der Abendsonne purpurrot leuchtete, und ich musste einen Weg von mindestens zehn Metern zurücklegen, um zu ihm zu gelangen. Ich hoffte inständig, meine Füße würden mich zuverlässig dorthin tragen.

Er sah mir entgegen, ein kleines, verlorenes Lächeln auf den Lippen, und plötzlich wusste ich – er hatte genauso große Angst wie ich.

Das machte meine Schritte ein wenig sicherer. Es ließ auch die Übelkeit verschwinden, die mich in den vergangenen Stunden gequält hatte. »Hallo«, sagte ich, noch etwa zwei, drei Meter von ihm entfernt.

»Hi«, antwortete er und stieß sich von der Mauer ab.

Langsam gingen wir aufeinander zu. Schritt für Schritt. Und ich sah alles überdeutlich. Die abgestoßenen Spitzen seiner Schuhe. Die ausgeblichenen Knie seiner Jeans. Den gelben Kopf des Kugelschreibers, der aus seiner Sakkotasche lugte. Den Rotschimmer auf seinem Haar.

Und dann sah ich das Lächeln in seinen Augen. Sie waren grau. Wie ein See an einem stillen Tag im Herbst.

Luke nahm meine Hand. Wie selbstverständlich. Und wie selbstverständlich gingen wir nebeneinander her. Ohne zu reden, denn dafür hatten wir noch Zeit genug.

*

Dunkelheit hatte die Landschaft verschwinden lassen und das Haus zum leuchtenden Mittelpunkt der Nacht gemacht. Imke hatte vom Wintergarten aus zugesehen, immer noch in der eigenartig unwirklichen Stimmung, die sie schon den ganzen Tag gefangen hielt. Sie hatte das Gefühl, sich in einem Theaterstück zu befinden, das sie gleichzeitig von außen betrachtete. Als könnte mit ihr und um sie herum jederzeit alles geschehen, ohne dass sie Einfluss darauf nehmen konnte.

Inzwischen war es ein Uhr geworden. Es war absolut still. Nicht mal ein Nachtvogel war zu hören. Selbst das Haus, das mit seinem Knarren und Ächzen so gern Geschichten erzählte, schwieg.

Tilo schlief. Die Schmerzmittel hatten ihn dermaßen außer Gefecht gesetzt, dass er den kompletten Nachmittag verdämmert hatte. Gegen Abend war Ruth mit einem Strauß Blumen vorbeigekommen. Sie war nicht nur Tilos Sekretärin, sie war längst eine Freundin geworden. Imke hatte sie richtig ins Herz geschlossen.

»Denk jetzt mal nur an dich«, hatte Ruth zu Tilo gesagt. »Die Patienten werden das überleben. Kurier dich bloß gründlich aus.«

Tilo hatte es versprochen, mit einem schiefen Lächeln auf den Lippen, das Gesicht beinah so weiß wie der theatralische Verband um seinen Kopf.

Über Imkes Anteil an seinem Zustand hatten sie lediglich eine Handvoll Worte verloren und Imke war froh darüber. Sie hatte Ruths Mitgefühl gespürt und mit den Tränen gekämpft. Das Schuldgefühl klebte hartnäckig an ihr. So bald würde sie es wohl nicht wieder loswerden.

Und jetzt schlief alles und Imke fühlte sich hellwach. Deshalb hatte sie beschlossen, noch ein bisschen zu arbeiten. Sie war tagsüber kaum dazu gekommen, und eigentlich liebte sie es über alles, am Schreibtisch zu sitzen, während die Nacht vor den Fenstern stand.

Sie fuhr den Computer hoch und nahm einen Schluck von ihrem Tee. Schreiben und Tee, das gehörte für sie zusammen wie Schnee und Stille oder Wüste und Sand. Es war schon eigenartig, welche Rituale sich mit den Jahren herausschälten und wie wichtig sie wurden.

Bevor sie den Text aufrief, der sie gerade beschäftigte, wollte sie nachschauen, ob E-Mails da waren. Eine einzige wartete darauf, abgeholt zu werden. Die Mehrzahl der Spams würde erst am frühen Morgen eintrudeln.

Als Absender war *LitBib* angegeben. Literatur und Bibliothek? Literarisches für Bibliophile? Von der Literatur zur Bibliomanie? Unter Betreff las Imke *»Interview«* und öffnete die Mail arglos und ohne zu zögern.

Ich gehe in deinem Schatten – höre die Dinge deinen Namen flüstern – und lächle ihnen zu. Spürst du meinen Atem – nah – an deinem Ohr – hörst du meine Sehnsucht – in deinem Herzen? So lerne denn meinen Namen kennen: Der Schattengänger.

Imke zuckte zurück, als wäre eine Vogelspinne aus der schwarzen Tastatur hervorgekrochen. Sie hörte sich keuchen und hielt sich die Hand vor den Mund.

Er nannte ihr seinen Namen.

Der Schattengänger.

Und er tat das auf eine Weise, als wäre er der wiederauferstandene Jesus. *So lerne denn meinen Namen kennen.*

Imke fühlte sich in ihre Kindheit zurückversetzt. Sie saß wieder in der Kirche, früh am Sonntagmorgen, fröstelnd vor Müdigkeit, die Rückenlehne der engen Holzbank hart und unnachgiebig im Kreuz, und hörte dem Pfarrer zu.

So lerne denn meinen Namen kennen.

Bibelworte. Fern und unwirklich. Geschichten aus uralter Zeit.

Voller Panik zog Imke den Cursor auf *Löschen,* doch dann überlegte sie es sich anders. Gleich nach dem Frühstück würde sie den Kommissar anrufen. Dies hier war ein weiteres Steinchen für das Mosaik, das schließlich ein Bild ihres Verfolgers zeigen würde. Jedes Detail konnte wichtig sein.

Mit spitzen Fingern speicherte sie die Mail und wäre doch am liebsten aufgesprungen und aus dem Zimmer geflüchtet. Nein, befahl sie sich selbst, den Gefallen tust du ihm nicht.

Du bewahrst die Ruhe. Du fängst nicht an zu hyperventilieren. Das hätte er gern, aber das wird er nicht kriegen, nicht von dir.

Es dauerte eine ganze Weile, bis sie sich halbwegs beruhigt und den Kopf wieder frei hatte für andere Gedanken. Ruhe war eine Grundvoraussetzung für das Schreiben. In aufgewühltem Zustand konnte sie ein paar Notizen hinkritzeln, mehr jedoch nicht.

Die wenigsten Menschen wussten, wie viel Disziplin und Fleiß für einen Roman nötig waren, wie unspektakulär monatelange Schreibvorgänge sein konnten und wie weit entfernt von so großen Begriffen wie Inspiration oder Besessenheit. Jeden Morgen an den Schreibtisch, Tag für Tag, nicht anders als eine Sachbearbeiterin in irgendeinem Amt. Fünf, sechs Seiten, oft weniger, und wenn es gut lief, ganz selten, auch mal mehr.

Ganz allmählich, während draußen die Jahreszeiten wechselten, entstand die Geschichte, sozusagen aus sich selbst heraus, Buchstabe für Buchstabe, Silbe für Silbe, Wort für Wort.

Nach dem letzten Punkt hinter dem letzten Satz erhob Imke sich jedes Mal mit einem Stöhnen. Und jedes Mal hatte sie den Eindruck, das vergangene Jahr damit zugebracht zu haben, durch eine dunkle Höhle zu kriechen, weiter und weiter, immer auf die Richtung zu, in der sie Licht vermutete. Dann tat ihr der Rücken weh, ihre Augen tränten, und in ihrem Kopf war eine Leere, von der sie glaubte, sie nie wieder füllen zu können.

Tatsächlich brauchte sie von Jahr zu Jahr länger, um nach einem abgeschlossenen Buch wieder aufzutanken und Energie zu speichern, und ein Erlebnis wie dieses hier brachte ihr mühsam aufgebautes Gleichgewicht gefährlich ins Wanken.

Sie tippte einen Absatz und schaute nachdenklich auf. Ihr

Gesicht spiegelte sich in der Fensterscheibe. Sie zog eine Grimasse, streckte ihrem Spiegelbild die Zunge heraus. Ihr fiel auf, dass sie zwar wach, aber dennoch todmüde war, ein Zustand, der ihre Gedanken taumeln ließ.

Es war heiß. Die Sonne war ein gleißender Fleck am dunkelblauen Himmel. Das Kreischen der Möwen hoch oben in der Luft klang hungrig und aggressiv. Schaumkronen tanzten auf den Wellen, und der Sand brannte Mia unter den Füßen.

Imke liebte es, im Winter über den Sommer zu schreiben oder umgekehrt. Es waren die Jahreszeiten ihrer Kindheit, die sie in ihren Büchern schilderte, denn damals hatte sie sie so intensiv erlebt wie danach niemals mehr.

Weil sich ein Kind von seinen Gefühlen nicht ablenken lässt, dachte sie. Und weil es alles zum allerersten Mal erlebt.

Sie beugte sich gerade wieder über die Tastatur, als ein Geräusch sie ablenkte. Es war ein feines, spitzes Geräusch und Imke erkannte es in Sekundenschnelle. In dem Augenblick, als sie den Laut eingeordnet hatte, wiederholte er sich, und Imke duckte sich Schutz suchend über die Tastatur.

Jemand warf Steinchen gegen ihr Fenster!

Plötzlich war es wieder still. Als wollte dieser Jemand ihr eine Atempause gewähren.

Dann ein heftiges Prasseln. Von vielen Steinchen auf einmal.

Als wollte der da draußen sich endgültig Gehör verschaffen.

Imke glitt vom Stuhl und kroch auf dem Boden zum Lichtschalter. Dann kauerte sie mit klopfendem Herzen in der Dunkelheit.

Er war in ihrem Garten!

Es hatte keinen Sinn, Tilo zu wecken. Er stand unter Medikamenten und würde gar nicht reagieren können. Außerdem durfte sie keine weitere Verletzung riskieren. Tilo wäre nicht in der Lage, einen Kampf auszufechten.

Und wenn sie den Kommissar anrief?

Wo war das verdammte Telefon? Hatte sie es zum Aufladen unten auf die Station gestellt?

Als ihre Augen sich an die Dunkelheit gewöhnt hatten und ihr Herz wieder in einem vernünftigen Tempo schlug, stand Imke langsam auf und bezog seitlich am Fenster Position. Sie überwand sich, hielt den Atem an und spähte hinaus.

Da war nichts, was nicht dorthin gehörte. Die Wolkendecke verschob sich und gab für einen Moment den Mond frei, und das Land wurde von seinem kalten Lichtschein erhellt wie eine Bühne, auf die ein einziger Scheinwerfer gerichtet ist.

Imke konnte jetzt einen huschenden Schatten bei der Scheune erkennen und sah im nächsten Augenblick, wie sich mit einem zornigen Ruf der Bussard vom Scheunendach in die Luft erhob.

Jemand hatte ihn aufgeschreckt. Jemand, dessen Namen Imke kannte.

Der Schattengänger.

*

Es war früher Morgen, als Luke mich nach Hause brachte. Wir hatten die ganze Nacht geredet und die Zeit war uns zwischen den Fingern zerronnen. Luke hatte mich zum Essen in sein griechisches Lieblingslokal ausgeführt und mir dann all seine Lieblingsplätze gezeigt.

Er hatte mich in seinem Wagen herumkutschiert, einem Volvo, der es an Jahren locker mit meinem betagten Renault aufnehmen konnte, und immer wieder waren wir ausgestiegen, um eine Bank an einem See zu betrachten, eine Waldlichtung im Mondlicht oder eine Skulptur in einem Park.

Es waren Plätze, die mir auf Anhieb gefallen hatten, und es hatte mir noch mehr gefallen, dass Luke überhaupt ein Mensch mit Lieblingsplätzen war.

»Jetzt weißt du alles über mich«, hatte er schließlich mit einem lakonischen Schulterzucken bemerkt, und ich hatte ihn skeptisch angeguckt. »Na ja.« Er war sich mit den Fingern durchs Haar gefahren, eine Geste, die ich an diesem Abend schon ein paar Mal beobachtet hatte. »Jedenfalls eine ziemliche Menge.«

Dabei wusste ich noch gar nichts über ihn.

Er hatte mir erzählt, dass er Jura studierte. Dass er das unglaublich spannend fand. *Es ist ein Abenteuer, sich in der Welt der Gesetze zu bewegen.* Und dass er schon als kleiner Junge davon geträumt hatte, unschuldige Menschen vor dem Gefängnis zu bewahren.

»Der Ritter ohne Furcht und Tadel?«, hatte ich gespöttelt.

»Vielleicht ein bisschen.«

Ich dachte daran, dass Merle sich wunderbar mit ihm würde streiten können. Als militante Tierschützerin setzte sie sich völlig entspannt über eine ganze Reihe von Gesetzen hinweg. Und ich überlegte, dass Jura zu den Studienfächern gehörte, für die ich mich nie im Leben einschreiben würde.

»Ich habe immer gedacht, Jura wär trocken und …«

»Langweilig?«

»… zum Sterben öde.«

»Glaub mir, es ist das heißeste Fach seit der Erfindung der Unis.«

Seine Augen leuchteten, und ich mochte das mehr, als mir lieb war. Es haute mich um, dass ein Studienfach wie Jura einen Menschen ins Schwärmen geraten lassen konnte.

»Und außerdem mache ich ja noch einiges nebenher.«

»Den Job als Makler.«

»Zum Beispiel.«

»Was noch?«

»Uninteressant«, wich er aus. »Verrate mir lieber *deine* Geheimnisse.«

Meine Geheimnisse. Dazu war es doch noch viel zu früh.

Ich erzählte ihm von Merle und davon, wie der Plan in uns gereift war, unsere WG zu vergrößern. Ich erzählte von Ilka und Mike, von Mina und von unseren Katzen. Ich beschrieb ihm, wie wir den Garten unseres Bauernhauses bepflanzen wollten und in welchen Farben wir die Zimmer streichen würden.

Aber von Caro erzählte ich nicht. Nicht von ihrer Freundschaft mit Merle und mir, nicht von ihrem Tod, nicht von ihrem Mörder, und erst recht nicht davon, was er mir bedeutet hatte.

Luke hörte mir zu. Er betrachtete mich mit einem Ernst, der mich erschreckte.

Was wollte er von mir?

Unsere Schritte hallten in den nächtlichen Straßen. Es hatte angefangen zu nieseln, ein feiner Regen, der auf den Wangen prickelte. Wir hatten miteinander geschwiegen und miteinander geredet und schwiegen nun wieder.

Lukes Gesicht schimmerte im Licht der Straßenbeleuchtung wie Porzellan. Niemals hätte ich den Mut gehabt, es zu berühren, aus Angst, es könnte mir unter den Händen zersplittern.

Doch Luke hatte diese Angst nicht. Er fürchtete sich auch nicht davor, den Zauber zu brechen, der über den Häusern lag, über den leeren Straßen und über uns beiden. Er beugte sich zu mir herunter, zog mich sanft an sich und legte seine Wange an meine.

Sie war kalt. Und feucht vom Regendunst.

Wir blieben so, Wange an Wange. In mir zerschmolz etwas und sank dann in mir nieder. Und ich wusste, ich hatte mich verliebt.

*

Tilo hörte Imke das Schlafzimmer betreten, obwohl sie sich alle Mühe gab, keinen Lärm zu machen. Er hörte verwundert, wie sie leise von innen die Tür abschloss, hörte das Tapsen ihrer nackten Füße auf dem Parkett, hörte ihre Kleider rascheln, und obwohl sie beinahe geräuschlos zu ihm ins Bett schlüpfte, hörte er ihre Angst. Sie atmete flach und viel zu schnell.

Er berührte sie an der Schulter.

»Schlaf weiter«, flüsterte sie.

Er machte das Licht an, und sie knipste es rasch wieder aus.

Das verriet ihm, vor wem sie sich fürchtete und warum sie abgeschlossen hatte.

Er setzte sich auf und wurde von einem Schwindelanfall zurückgeworfen. Ein stechender Schmerz schoss ihm in den Kopf. Stöhnend biss er die Zähne zusammen.

Imkes Atem strich über sein Gesicht. »Alles in Ordnung?«

Nichts war in Ordnung und das war ihnen beiden klar. Imke wurde von einem Psychopathen verfolgt, die Angst brachte sie beinah um den Verstand, und er lag hier herum, unnütz, ein Klotz am Bein.

»Hat er sich wieder gemeldet?«, fragte er, als die Schmerzen in seinem Schädel endlich nachgelassen hatten.

»Er hat mir eine Mail geschickt.«

»Aber dann«, fast wäre er wieder hochgefahren, diesmal vor Erleichterung, »dann kann die Polizei ihn doch ausfindig machen.«

»Er wird nicht so unvorsichtig gewesen sein, diese Mail von seinem eigenen Rechner aus abzuschicken.«

Sie hatte natürlich recht. Tilo wusste, wie überragend die Intelligenz psychopathischer Menschen sein konnte. Einige seiner Patienten demonstrierten ihm das tagtäglich. Erst jetzt fiel ihm auf, dass sie sich die ganze Zeit mit gedämpfter Stimme unterhielten. Als ob …

»Er ist hier!«

»Pschsch!« Imke drückte ihn mit sanfter Gewalt ins Kissen zurück. »Es ist nicht der richtige Zeitpunkt, um den Helden zu spielen«, raunte sie. »Außerdem glaube ich, dass er schon wieder weg ist. Ich hab ihn hinten bei der ... Scheune gesehen.«

Es tat Tilo in der Seele weh, zu hören, wie ihr die Stimme versagte. Im Dämmerlicht sah er, dass sie nach Luft rang. Er sah auch, dass sie sich nicht ausgezogen hatte, sondern noch die Sachen trug, die sie tagsüber angehabt hatte. Sie war außer sich vor Angst. Und doch ließ sie nicht zu, dass er aufstand.

»Dann ruf den Kommissar an.« Er sah ein, dass er ihr in seinem derzeitigen Zustand keine Hilfe sein konnte. Dieser Typ da draußen in der Nacht brauchte ihn nur einmal kräftig anzuhusten, um ihn außer Gefecht zu setzen. Und war die Polizei nicht für solche Fälle da?

Doch um anrufen zu können, hätte Imke erst das Telefon holen müssen. Sie hätte das Zimmer verlassen, die Treppe hinunter und durch das dunkle Haus gehen müssen – was verlangte er da von ihr?

»Bitte ...« Sie schmiegte sich an ihn. »Lass mich einfach hier bei dir sein. Er ... er ist ziemlich abgedreht, ich weiß, aber er wird es nicht wagen, ins Haus einzudringen.«

Nicht wagen? Tilo mochte sich nicht ausmalen, zu was ein solcher Mensch fähig war. Immerhin spazierte er (in diesem Augenblick?) bereits draußen auf dem Grundstück herum. »Und wenn ...«

»Tilo ...«

Er legte den Arm um sie und spürte, wie sie bei der Berührung am ganzen Körper zu schlottern begann.

»Er hat sich zu erkennen gegeben. Er nennt sich *der Schattengänger.*«

In diesem Augenblick konnte Tilo ihr Entsetzen nicht nur hören und fühlen, er konnte es auch schmecken.

Schattengänger.

Er wusste nicht, was das Wort so furchtbar machte, er spürte nur, dass Imke in Gefahr war. Und er war außerstande, sie zu beschützen.

8

Bert Melzig klopfte kurz an und öffnete die Tür. Der Chef saß am Schreibtisch und sah ihm grimmig entgegen. Er war schnell gereizt und ließ das jeden sofort spüren. Was ihn diesmal zur Weißglut gebracht hatte, würde Bert in den nächsten Sekunden erfahren.

»Guten Morgen, Chef.«

Man musste aufpassen, dass man nicht zu viel Fröhlichkeit oder Optimismus in die Begrüßung legte. Das konnte von einem waschechten Vollblutcholeriker wie dem Chef als Provokation gewertet werden.

»Guten Morgen?« Der Chef kniff die Augen zusammen. »Haben Sie die Zeitung gelesen, Melzig?«

Das hatte Bert beim Frühstück versucht, aber die Kinder hatten sich gestritten, ein Glas war umgekippt, Orangensaft hatte sich über den Tisch ergossen und von da aus in einem kalten Schwall über Berts Hose.

Das war es dann gewesen mit gemütlichem Frühstück und Zeitungslektüre.

»Nein? Dann haben Sie was verpasst, das haarsträubende Ergebnis einer Umfrage nämlich: Siebenundachtzig Prozent aller Bürgerinnen und Bürger unserer Region halten die Polizeiarbeit für ineffektiv, dreiundfünfzig Prozent unterstellen Polizeibeamten Anfälligkeit für Korruption und nur neununddreißig Prozent fühlen sich von der Polizei ausreichend geschützt. Wollen Sie noch mehr hören?«

Das wollte Bert auf keinen Fall, und so schüttelte er den Kopf, vielleicht ein wenig zu eifrig.

»Sollten Sie aber. Jeder vierte Bürger ist der Ansicht, unser Polizeiapparat sei aufgebläht und müsse verschlankt werden. Jeder zweite Bürger hat bereits negative Erfahrungen mit der Polizei gemacht. Und die linken Buschtrommeln palavern wieder von der Existenz eines Polizeistaats. Was sagen Sie dazu?«

Anklagend sah er Bert ins Gesicht. Er hatte ihm noch immer keinen Platz angeboten. Bert setzte sich einfach hin.

»Das verschlägt Ihnen wohl die Sprache?«

Als wäre Bert persönlich für sämtliche Missstände verantwortlich und als ginge es hier um wirkliche Fakten.

»Das ist doch bloß eine Umfrage, Chef.«

»Bloß eine Umfrage?« Jetzt lief der Chef zur Höchstform auf. Er warf die Zeitung auf den Schreibtisch, als hätte er sich an ihr die Hände beschmutzt. Auf seiner Stirn erschienen die wohlbekannten Wutfalten, die schon tiefe Linien in seine Haut eingraviert hatten. »Das kann uns den Kopf kosten, Mann!«

Der Chef liebte es theatralisch. Er erging sich gern in Übertreibungen. Bert fragte sich, wie wohl das Familienleben dieses Mannes aussehen mochte. Spielte man zu Hause seine Dramen mit?

»Wir müssen unser Image aufpolieren, Melzig. Es dürfen uns keine Pannen mehr unterlaufen. Unsere Ermittlungsarbeit muss tadellos sein.«

Solche Gespräche fanden in längeren und kürzeren Abständen immer wieder statt, ohne dass ihnen irgendwelche Konsequenzen gefolgt wären. Diesmal allerdings blieben die üblichen Ermüdungserscheinungen bei Bert aus. Die Wendung kam ihm sogar gelegen. Er berichtete von Imke Thalheim.

Der berühmte Name wirkte wie ein Zauberwort. Der Chef

beruhigte sich. Er lehnte sich in seinem Stuhl zurück und hörte aufmerksam zu.

»Hat sie Anzeige erstattet?«, fragte er, als Bert fertig war.

»Noch nicht.«

Anzeige gegen Unbekannt war nichts Halbes und nichts Ganzes, nicht Fisch, nicht Fleisch, das wusste auch der Chef. »Sollte sie aber. Damit wir aktiv werden können.«

»Aktiv?«

Dieses Wort war nur gefallen, weil es sich bei Imke Thalheim um eine prominente Persönlichkeit handelte, denn eigentlich hatten sie nichts, aber auch gar nichts in der Hand, was ein Eingreifen, wie auch immer, gerechtfertigt hätte.

»Sie wissen schon, das Übliche. Halten Sie Kontakt, nehmen Sie ihre Ängste ernst, sichten Sie das Beweismaterial – Himmel, Melzig! Muss ich Ihnen erklären, wie Ihre Arbeit geht?«

Bert verkniff sich eine passende Antwort und stand auf.

»Die Dame verfügt über jede Menge wichtiger Kontakte, Melzig. Und sie steht in der *Öffentlichkeit.*« Der Chef hob einen fleischigen Zeigefinger, um seinen Worten Nachdruck zu verleihen, und wedelte damit in der Luft herum, was ein wenig lächerlich wirkte. »Vergessen Sie das nie, Melzig. Fassen Sie sie mit Samthandschuhen an.«

Damit war Bert verabschiedet. Draußen auf dem Flur blieb er stehen, um tief Luft zu holen. Gleiches Recht für alle? War er für diese Forderung als junger Mensch nicht sogar auf die Straße gegangen? Gleiches Recht. Reine Illusion. Manche Menschen waren eben doch um einiges gleicher als andere.

Im nächsten Moment überschwemmte ihn eine Erkenntnis, die ihn fast singen ließ: Er hatte die offizielle Erlaubnis, sich um Imke Thalheim zu kümmern.

*

Merle machte sich Sorgen um Jette. Seit sie sich mit diesem Luke getroffen hatte, war sie wie ausgewechselt. Ihre Augen sprühten Funken, ihre Bewegungen hatten die typische Leichtigkeit des Verliebtseins, auf ihren Lippen lag dieses nahezu blödsinnige Glückseligkeitsgrinsen und man konnte kein vernünftiges Wort mehr mit ihr reden.

»Wenn die Hormone sprechen, schweigt der Verstand«, murmelte Merle und schob die wild protestierende Daisy sanft in den Transportkorb. Die Tierärztin hatte sich zum Impfen angemeldet und Merle musste die betreffenden Katzen pünktlich in den Behandlungsraum schaffen.

Ihr war nicht klar, was genau sie alarmierte.

»Liebe ist gefährlich«, erklärte sie Pepper und packte ihn entschlossen am Genick, bevor er ihr wieder entwischen konnte. Der Kater wehrte sich mit Zähnen und Krallen, er fauchte, knurrte und spuckte. »Lebensgefährlich«, fuhr Merle unbeeindruckt fort und verschloss den Katzenkorb. »Das muss Jette doch allmählich kapiert haben.«

Wenn sie sich mit einem Problem herumschlug, dann gab es nichts Besseres als ein Gespräch mit den Tieren. Danach waren die Dinge immer ein bisschen klarer. Manchmal allerdings war es ein steiler Weg bis dorthin.

»Sie weiß rein gar nichts über diesen Luke. Will sie etwa ein zweites Mal blind in eine Beziehung stolpern, die sie ... umbringen kann?«

Jetzt waren Milky und Honey an der Reihe, ein unzertrennliches Schwesternpaar, das halb verhungert aus der Wohnung eines alten Mannes geholt worden war, der zwei Wochen lang tot in seinem Schlafzimmer gelegen hatte, bevor man ihn entdeckte.

Milky und Honey waren klapprige alte Damen, ängstlich und still, dankbar für jedes gute Wort und so an ihre albernen Namen gewöhnt (die man von den Nachbarn des alten

Mannes erfahren hatte), dass niemand es übers Herz gebracht hatte, ihnen andere zu geben.

Honey gurrte leise und rollte sich neben ihrer Schwester im Korb zusammen.

»Du hast ja recht«, lenkte Merle ein. »Man muss nach vorne gucken und darf sich von den Gespenstern der Vergangenheit nicht auffressen lassen. Aber kann Jette nicht wenigstens ein bisschen vorsichtiger sein?«

Guter Witz. War sie selbst jemals vorsichtig gewesen? Hatte sie vor ihren ersten Dates etwa einen handgeschriebenen Lebenslauf von den Typen verlangt? War sie nicht mit offenen Augen in die Katastrophe mit Claudio gestolpert? Und hing sie nicht schon viel zu lange in dieser Liebe ohne Ausweg fest?

Nie würde Claudio sich zu ihr bekennen. Die Verlobte in Sizilien gab es immer noch und er machte nicht einmal mehr einen Hehl daraus. »Ich muss den geeigneten Zeitpunkt abwarten«, sagte er, wenn Merle ihn darauf ansprach. »Dann rede ich mit ihr.«

Den geeigneten Zeitpunkt gab es nie. Immer musste Claudio auf irgendetwas Rücksicht nehmen. Mal war die Mutter des Mädchens krank, und Claudio konnte die Verlobung nicht guten Gewissens lösen, dann verlor ihr Vater seinen Job, was eine Trennung vorerst unmöglich machte, mal war dies, mal das. Auf alles und jeden nahm dieser ach so zart besaitete Mistkerl Rücksicht, bloß auf Merles Gefühlen trampelte er nach Lust und Laune herum.

Merle schüttelte die Gedanken ab und schaute sich um. Alle Katzen waren verstaut. Sie nahm die ersten beiden Körbe und machte sich auf den Weg zum Behandlungsraum.

Heute war die Luft frisch und klar. Der Wind pustete den unverwechselbaren Tierheimgeruch auf die Felder hinaus und jagte lose Grasbüschel über das Gelände. Merle hörte das hysterische Bellen der Hunde und wusste, dass der Wagen der

Ärztin auf den Hof gefahren war. Keine Zeit mehr zum Nachdenken. Jetzt musste alles schnell gehen.

Merle war dankbar für die Hektik. Vielleicht hing sie ja nur Hirngespinsten nach. Bestimmt sogar. Warum sollte Jette in Gefahr sein, bloß weil sie sich endlich wieder verliebt hatte? Das war doch lächerlich. Energisch stieß sie die Tür auf, begrüßte die Ärztin und stellte den ersten Korb auf den Tisch.

Verlieben. Und wenn das Wort nicht zufällig dieselbe Vorsilbe hatte wie *ver-rückt, ver-kehrt, Ver-rat, Ver…?*

Hör auf, dachte Merle. Lass das sein. Sie zog Silver aus seinem Korb und setzte ihn ein klein wenig zu ruppig auf dem kalten Behandlungstisch ab. Er revanchierte sich postwendend, indem er ihr seine Krallen ins Fleisch schlug. Erschrocken zog Merle die Hände zurück.

Blut tropfte auf den hellen Fliesenboden. Die Ärztin fluchte, weil Silver die Gelegenheit genutzt hatte, um vom Tisch zu springen und sich hinter einer der beim Fenster gestapelten Arzneikisten zu verkriechen.

Während die Ärztin und zwei Mitarbeiter des Tierheims den armen Silver in die Enge trieben, um ihn wieder einzufangen, stand Merle reglos da und starrte auf die rote Spur, die mehr war als nur das, ein böses Omen nämlich, auf das Merle insgeheim die ganze Zeit gewartet hatte.

*

Seit Tagen hatte es keine bedrohlichen Vorfälle mehr gegeben, aber Imke hatte die deutliche Ahnung, dass es sich nur um eine Atempause handelte. Es würde weitergehen, da war sie sich sicher, weiter und weiter. Wie schnell man einem Menschen den Boden unter den Füßen wegziehen konnte. Mit scheinbaren Nichtigkeiten.

Ein Schatten unter dem Fenster. Der verstörende Duft eines erschreckend vertrauten Aftershaves im leeren Gang eines

Supermarkts. Ein flüchtiger Körperkontakt im Gedrängel der Stadt.

Der Kommissar hatte ihr geraten, Anzeige zu erstatten. So etwas hatte sie erst ein einziges Mal in ihrem Leben getan. Damals hatte man ihr in der U-Bahn die Handtasche gestohlen, mit sämtlichen Papieren und sämtlichen Schlüsseln. Anzeige gegen Unbekannt. Es war nichts dabei herausgekommen.

Dennoch würde sie dem Rat des Kommissars folgen. Er hatte ihr mehr als einmal beigestanden, als sie Angst um ihre Tochter gehabt hatte, und sie vertraute ihm bedingungslos.

»Lassen Sie sich nicht zum Opfer machen«, hatte er gesagt. »Wehren Sie sich.«

Konnte sie das? Sich wehren? Gegen wen? Einen Verfolger, der nicht sichtbar, nicht greifbar war? Der sich selbst den Namen *Schatten*gänger gegeben hatte?

Imke hatte das Internet durchforstet. Sie war auf Foren gestoßen, in denen Frauen und Mädchen, denen ein Stalker das Leben zur Hölle machte, einander mit Rat und Tat zur Seite standen. Sie hatte quälende Stunden an ihrem Computer verbracht und sich in das Phänomen Stalking eingelesen.

Das Gelesene hatte sie verfolgt. In unzähligen Variationen war sie dem begegnet, was ihr selbst widerfahren war. Und sie hatte eine Vorstellung davon bekommen, was dieser Mann ihr noch alles antun konnte. Sie hatte angefangen, sich vor den Nächten zu fürchten und vor den Träumen, die sie brachten.

Seit Tagen hatte Imke kein Wort geschrieben. Sie fühlte sich rastlos und unzufrieden. Wenn sie es doch einmal versuchte, scheiterte sie bereits an den ersten Sätzen.

Tilo hatte sich bereit erklärt, zu Hause zu bleiben, bis der Spuk vorüber sei, aber Imke hatte müde abgewunken. »Wir haben doch nicht die mindeste Ahnung, wie lange es dauern wird.«

»Wann wirst du es endlich Jette erzählen?«, hatte er gefragt, bevor er das erste Mal wieder zur Arbeit fuhr. »Es ist schließlich nicht nur dein Problem. Es geht alle an, die mit dir in Berührung kommen.«

Und wenn es jemand war, den sie kannte? An dem sie niemals zweifeln würde? Der zu ihrem Leben gehörte?

Der Gedanke nahm ihr die Luft. Nein. Sie würde Jette nicht beunruhigen. Die Mädchen freuten sich so sehr über ihren Bauernhof. Sie wollte ihnen diese Freude nicht verderben.

*

Dass wir den Bauernhof so problemlos hatten mieten können, hatten wir wahrscheinlich Luke und seinen Verbindungen zu verdanken. Ich hatte ihn danach gefragt, doch er war mir ausgewichen. Überhaupt schien er Fragen nicht zu mögen. Aber vielleicht kam mir das auch nur so vor.

Mike und Ilka hatten sich aus Brasilien gemeldet und am Telefon einen Freudentanz aufgeführt. Sie wollten ihre Reise vorzeitig abbrechen, um beim Renovieren zu helfen.

»Seid ihr wahnsinnig?« Merles Stimme war in die Höhe geschnellt. »Vielleicht habt ihr in eurem ganzen Leben nicht mehr die Möglichkeit, so eine Reise zu machen. Bleibt bloß, wo ihr seid.«

Auch Mina hatte sich nur mit Mühe davon abhalten lassen, sofort ihre Zelte in der Klinik abzubrechen, um mit anzupacken. Aber Tilo hatte uns recht gegeben – Mina durfte ihre Therapie auf keinen Fall unterbrechen, vor allem nicht jetzt, wo sie sichtbare Fortschritte machte. »Mich dürft ihr gern einplanen«, hatte er uns angeboten, »allerdings muss ich euch darauf hinweisen, dass ich zwei linke Hände habe.«

Meine Großmutter hatte versprochen, eventuell anfallende Näharbeiten zu erledigen (»Gardinen, Vorhänge, Sitzkissen, alles kein Problem«). Claudio wollte beim Tapezieren und Streichen helfen (»Sizilianisches Weiß und Gelb, voller Sonne, wie bei uns zu Hause«). Unter Merles Tierschützern fanden sich die verschiedensten Handwerker, auf deren Hilfe wir bei Bedarf zurückkommen konnten (Elektriker, Fliesenleger, Installateur). Und Luke hatte behauptet, er habe einen grünen Daumen und sei kräftig und zäh und würde uns gern bei der Anlage des Gartens unterstützen und bei allem andern sowieso.

Das Einzige, was uns fehlte, war Zeit. Bis zum Sommer waren Merle und ich ans Tierheim und ans *St. Marien* gebunden, danach war die Zukunft an der Reihe. Studium? Lehre? Wir hatten uns beide noch nicht entschieden, wie es weitergehen sollte.

Gleich nach der Schlüsselübergabe hatte Merle eine Handvoll Sonnenblumenkerne im Garten verbuddelt. »Stell dir vor, wie sie leuchten werden«, hatte sie geschwärmt. »Lauter kleine, nickende Sonnen.«

Vielleicht wäre ein bisschen Systematik sinnvoller gewesen, aber Sonnenblumen waren ein guter Anfang. Als Nächstes hatte sie ein paar Sträucher gepflanzt, kniehohe, noch kahle Bündel von Stängeln, die sie bei hobbygärtnernden Tierheimmitarbeitern abgestaubt hatte.

Tilo und ich hatten angefangen, ein wenig Ordnung zu schaffen. Was in den Zimmern herumgelegen hatte, hatten wir in die Scheune verfrachtet. Dort störte es keinen und konnte erst einmal liegen bleiben. Tilo war wiederhergestellt. Ich begriff immer noch nicht, wie es passieren konnte, dass meine Mutter ihn für einen Einbrecher gehalten hatte.

»Das ist die offizielle Version«, hatte Merle gefrotzelt. »Vielleicht hat er einfach zu tief ins Glas geguckt und ist die Treppe runtergesegelt.«

Ausgerechnet Tilo. Er trank gern mal ein Glas Wein, aber ich hatte ihn noch nie betrunken erlebt. Trotzdem. Irgendwas an der Geschichte war faul. Jedes Mal wenn ich mich mit Tilo unterhielt, hatte ich den Eindruck, er weiche meinem Blick aus. Etwas stimmte ganz und gar nicht, doch ich bekam nicht heraus, was es war.

»Einen Penny für Ihre Gedanken, mein Kind.«

Ich fühlte das Lächeln, mit dem Frau Sternberg mich ansah, wie eine Liebkosung auf dem Gesicht. »Wir ziehen bald um«, vertraute ich ihr an. »In einen alten Bauernhof. Und jetzt gibt es jede Menge zu überlegen.«

»Darf ich ihn sehen, wenn alles fertig ist?«

Es würde ein großes Fest geben, das hatten Merle und ich uns vorgenommen, eines mit Lampions und Windlichtern und Musik. »Aber ja! Dann lernen Sie auch meine Freunde kennen.«

»Wie schön!« Ihr Blick verlor sich. Irgendwohin. Ich hatte das Gefühl, dass wir uns mit den Arbeiten beeilen mussten, wenn Frau Sternberg unseren Bauernhof noch sehen sollte. Ich schaute ihr nach, wie sie langsam und unsicher über den Flur ging, und schloss für einen Moment die Augen, um nicht zu heulen.

*

»Ich werde für eine Weile wegfahren«, sagte sie.

Bert spürte zweierlei: Erleichterung, weil Imke Thalheim dann in Sicherheit wäre, wenigstens für kurze Zeit, und Enttäuschung, weil sie sich damit auch ihm entzog.

»Lesereise?«, fragte er.

»Nein. Ich werde für meinen neuen Roman recherchieren. Das hatte ich ohnehin geplant und im Augenblick kommt es mir sehr gelegen.«

Ihren Worten war es nicht anzuhören, doch Bert spürte, wie nervös sie war. Sie hatte Angst und wollte sich verkriechen. Das war ihr gutes Recht, und er würde ihr nicht vorhalten, dass das der falsche Weg war. Möglicherweise war es ja sogar der richtige, wer konnte das mit Sicherheit entscheiden?

Sie schwiegen beide. Bert wünschte sich, das Telefon wäre in der Lage, auch Gedanken zu transportieren.

»Ich habe gelesen, man dürfe in einer Lage wie meiner auf keinen Fall seinen Alltag verändern«, sagte sie schließlich. »Und dass man kein Geheimnis aus den ... Belästigungen machen soll, im Gegenteil. Damit würde man die Situation bloß verschlimmern. Jeder, der sich im Internet über Stalking austauscht, weiß irgendeinen nützlichen Ratschlag beizusteuern, aber soll ich Ihnen etwas verraten? Ich habe keine Lust, mich zum Opfer machen zu lassen. Ich will mich nicht mit einem mir völlig Fremden und seinen Psychosen beschäftigen, bloß weil er es auf mich abgesehen hat.«

Genau das wirst du aber tun müssen, dachte Bert. Weglaufen wird dir nichts nützen.

»Es ist keine Flucht«, fuhr sie fort, als wollte sie seinen Gedanken widersprechen. »Ich brauche nur ein bisschen Abstand. Ich werde mich von den abartigen Phantasien dieses ... Mannes nicht einfach so überrollen lassen.«

Damit provozierst du ihn, dachte Bert.

»Keine Ahnung, wie er darauf reagiert«, sagte sie, und Bert fragte sich allmählich, ob sie seine Gedanken tatsächlich hören konnte. »Vielleicht vergisst er mich. Hoffentlich. Und wendet sich einer anderen zu.«

»Nun ...«, begann Bert, doch sie unterbrach ihn sofort.

»So habe ich das nicht gemeint. Nein. Nein! Ich will doch nicht, dass er einer andern ... Bitte, glauben Sie mir, das habe ich nicht gemeint.«

Bert hörte Tränen in ihrer Stimme. Er hätte wer weiß was darum gegeben, bei ihr sein und sie in die Arme nehmen zu können. Seinen Gefühlen war einfach nicht beizubringen, dass es Grenzen gab, die er nicht überschreiten durfte.

»Dieser Mann hat nicht das Recht, in mein Leben einzudringen! Er hat nicht das Recht, sich mir aufzudrängen! Ich habe in meinem ganzen Leben keine Angst gekannt, außer der um meine Tochter, aber inzwischen erschrecke ich vor meinem eigenen Schatten.«

»Das ist es doch, was er will«, sagte Bert. »Dass Sie sich vor ihm fürchten.«

Er war sich keinesfalls sicher, dass er damit recht hatte. Man konnte Menschen nicht über einen Kamm scheren, auch und vor allem Psychopathen nicht. Möglicherweise wollte dieser Mann etwas ganz anderes. Vielleicht nur Aufmerksamkeit. Vielleicht die Liebe einer prominenten Frau.

Oder aber ihr Leben ...

»Können Sie sich überhaupt vorstellen«, fauchte sie, »wie das ist, bis ins Mark zu erschrecken, bloß weil ein Mann vor Ihnen auf dem Gehweg plötzlich stehen bleibt, um sich eine Zigarette anzuzünden? In Panik zu geraten, weil man in einer Tiefgarage Schritte hört? Hat es Sie jemals geschaudert, weil ein fremder Briefträger mit der Post vor Ihrer Tür stand?«

Bert konnte sich das sehr gut vorstellen, und er wünschte, er könnte sie vor diesen Ängsten beschützen.

»Entschuldigung.« Ihre Stimme klang auf einmal beschämt. »Was rede ich denn da? Ohne die Fähigkeit, sich in Menschen und Situationen zu versetzen, könnten Sie Ihren Beruf ja überhaupt nicht ausüben.«

Oh doch. Bert kannte durchaus Kollegen, die ihren Job ohne jede Spur von Einfühlungsvermögen ausübten. Er hatte sogar den Eindruck, dass ihnen das nicht einmal schadete. Meistens waren es gerade diese Typen, die ohne Verzögerung auf der Karriereleiter nach oben kletterten.

»Sind Sie noch da?«

»Ja. Und Sie brauchen sich nicht zu entschuldigen. Ich verstehe Sie.«

In dem Schweigen, das folgte, hörte er ihren Atem. Und plötzlich dachte er daran, dass möglicherweise noch jemand anders ihn hören konnte. Seine Kopfhaut schien sich zusammenzuziehen.

»Ich würde gern bei Ihnen vorbeikommen«, sagte er leise. »Wann wäre es Ihnen recht?«

*

Es gab Tage, an denen lief alles verkehrt. Dies war so ein Tag. Manuel ging seinen Kollegen aus dem Weg. Er stand kurz vor einer Explosion, da zog er sich besser selbst aus dem Verkehr.

Schon als Kind hatte er sich mit seinen Wutanfällen Respekt verschafft. Keiner war ihm in solchen Momenten zu nahe gekommen, keiner hatte gewagt, ihn anzugreifen. Er hatte das Zeug zu einem Leitwolf gehabt. Damals wollte jeder mit ihm befreundet sein.

Doch Manuel war wählerisch gewesen. Lieber Einsamkeit als Kompromisse. Lieber bastelte er an seinem Fahrrad, später an seinem Mofa und schließlich an seinem Motorrad herum, als die Zeit mit Langweilern totzuschlagen. Er war in einem kleinen, trüben Ort aufgewachsen. Es hatte nicht viele Möglichkeiten gegeben, sich zu amüsieren.

Meistens hatten die jungen Leute vor der Eisdiele auf dem Marktplatz herumgehangen. Sie hatten geredet, die ersten Zigaretten geraucht, das erste Bier getrunken. Manuel hatte ein paarmal mitgemacht, dann hatte es ihn angeödet und er war nicht mehr hingegangen.

Seine Leidenschaft waren Maschinen gewesen. Er hatte entsorgte Elektrogeräte aus dem Abfall gefischt, sie auseinandergenommen und wieder zusammengesetzt, hatte die verrücktesten Gebilde gebaut. In seinem Zimmer hatte es geblinkt, gerattert und gequalmt. Ab und zu hatte er kleinere Brände löschen müssen, einmal war sogar die Feuerwehr angerückt.

Wenn er nicht mit seinen Maschinen beschäftigt gewesen

war, hatte es ihn nach draußen gezogen, hinaus auf die Felder oder in den Wald. Tagelang hatte er sich herumgetrieben, war nicht zur Schule gegangen und nachts nicht nach Hause gekommen. Mehrmals hatte ihn die Polizei aufgegriffen. Das Jugendamt hatte sich eingeschaltet. Dabei hatte Manuel nur eines gewollt – dass sie ihn in Ruhe ließen.

Schon damals hatte er gespürt, dass es mehr geben musste als dieses kümmerliche kleine Leben, in das er hineingeboren worden war. Er hatte sich danach gesehnt, ohne eine genaue Vorstellung davon zu haben, maßlos, schmerzlich und vergebens.

Ein paar Mal hatte er sich verliebt, doch das Gefühl hatte ihn enttäuscht. Es hatte ihn bloß an der Oberfläche berührt. Er wollte aber eine Liebe, die war wie ein Schmerz. Die ihn in jeder Faser seines Seins erreichte. Ihm die Haut brennen ließ und ihm Tränen in die Augen trieb.

Und dann hatte er das erste Buch von Imke Thalheim gelesen. Es hatte alles auf den Kopf gestellt.

Endlich hatten sie sich gefunden.

Der Mann und die Frau.

Yin und Yang.

Endlich gab es ein Ziel, für das es sich zu kämpfen lohnte. Und das würde er. Kämpfen. Wenn es sein musste, gegen jede Macht der Welt.

9

Imke steckte in den Vorbereitungen für ihre Reise. Tilo hatte sie dazu gedrängt. Er fand keine Ruhe, wenn er in seiner Praxis war und Imke allein zu Hause wusste. Hätte es wenigstens Nachbarn gegeben, die hin und wieder einen Blick aus dem Fenster geworfen hätten. Doch die gab es nicht. Die Mühle lag einsam inmitten zwanzigtausend Quadratmetern unberührter Landschaft. Da konnte alles passieren.

Es fiel Tilo nicht leicht, Imke wegzuschicken. Sie waren aus beruflichen Gründen so oft getrennt, dass sie jeden Tag genossen, den sie gemeinsam verbringen konnten. Aber auch er hatte im Internet recherchiert. Knappe fünfzig Millionen Einträge unter *Stalking*. Er wusste, dass die Gefahr noch lange nicht gebannt war.

Imke hatte sich für eine kleine Pension im Sauerland entschieden. »Es kommt nicht darauf an, möglichst weit wegzufahren«, hatte sie ihre Entscheidung begründet. »Es kommt darauf an, möglichst unspektakulär unterzutauchen.«

Vielleicht lag sie damit richtig. Nichts verband sie mit dem Sauerland. Warum also sollte der Stalker sie dort suchen?

»Und du kommst nach?«, hatte Imke sich vergewissert. »Später?«

Später. Tilo hatte genickt. Wann würde das sein? Für wie lange musste eine Frau aus ihrem Leben verschwinden, nur weil es einem durchgeknallten Verehrer passte, sie zu belästigen?

»Seltsam«, sagte er jetzt und sah Imke dabei zu, wie sie ihren Schreibtisch aufräumte. »Dein nächster Roman wird also im Sauerland spielen.«

»Ja, nicht?« Imke grinste. »Und irgendwer wird später eine Arbeit darüber schreiben und sich fragen, welche Beziehungen die Autorin zu dieser Gegend pflegt.«

Tilo entdeckte einen Ausdruck von Spannung in Imkes Gesicht und etwas, das eindeutig als Vorfreude zu identifizieren war. Sie hatte schon ihre Fühler ausgestreckt und mit dem neuen Buch zu spielen begonnen. Gut, dachte er. Das wird sie ablenken. Wir dürfen uns von unserer Angst nicht lähmen lassen.

»Dieser Typ wird uns nicht kleinkriegen«, sagte Imke grimmig.

Sie hatten denselben Gedanken gehabt. Tilo zog Imke an sich und küsste sie.

*

Verwundert hatte Bert registriert, dass Imke Thalheim der Fortführung ihres Gesprächs ausgewichen war. Er hatte sie anders eingeschätzt, offen, zupackend und geradeheraus. Wenn es um ihre Tochter gegangen war, hatte sie nie gezögert, den Problemen ins Gesicht zu blicken.

Er hatte zweimal nachhaken müssen, um einen Termin mit ihr zu vereinbaren. Als er jetzt nach einem langen Arbeitstag auf die alte Mühle zufuhr, war es schon dunkel. Alle Fenster waren erleuchtet, und auch über der Scheune, die als Garage genutzt wurde, brannte Licht. Wieder einmal dachte Bert, dass er für sein Leben gern hier zu Hause wäre.

Nicht Imke Thalheim öffnete ihm, sondern Tilo Baumgart. Es gab Bert einen Stich, ihn so selbstverständlich in der Rolle des Hausherrn zu sehen. Mit einem festen, beinah freundschaftlichen Händedruck zog der Psychologe Bert in die Halle, auf deren Wänden der Schein eines gemütlichen Kaminfeuers tanzte. Die beiden Katzen lagen lang gestreckt nebeneinander auf dem schönen Terrazzoboden. Sie hoben nicht einmal den Kopf.

Tilo Baumgart war Berts Blick gefolgt. »Ein scharfer Wachhund mit kräftigen Zähnen wäre mir lieber«, sagte er, als er ihm die Jacke abnahm. »Und glauben Sie mir – keinen erschrecken solche Gedanken mehr als mich selbst.«

Das war für Bert nicht neu. Die Konfrontation mit Gewalt erzeugte in Menschen oft eine ungeahnte eigene Bereitschaft zur Gewalt. Selbst eingeschworene Pazifisten verwahrten plötzlich Pfefferspray oder ein Messer unter ihrem Kopfkissen.

Bert wusste, dass ein Rottweiler, eine Dogge oder ein Dobermann lediglich beruhigten. Ein zuverlässiger Schutz waren sie nicht. Er hätte Imke Thalheim lieber eine Kollegin oder einen Kollegen zur Seite gestellt, rund um die Uhr. Doch daran war nicht zu denken.

Er folgte Tilo Baumgart in den Wintergarten, wo Imke Thalheim damit beschäftigt war, Bücher in einem Trolley zu verstauen. Sie kam ihm mit einem strahlenden Lächeln entgegen. Ihre Hand fühlte sich kühl an und schmaler, als Bert sie in Erinnerung hatte. Prüfend musterte er ihr Gesicht.

»Mir geht's gut«, beantwortete sie seine unausgesprochene Frage. »Ich lasse mich nicht einschüchtern, erst recht nicht von so einem.«

Eine glatte Lüge. Die Schatten unter ihren Augen verrieten die Wahrheit. Sie erzählten von Schlafmangel, schlechten Träumen und Angst.

»Ist es nicht eine fabelhafte Idee, für eine Weile zu verschwinden?«

Hatte jemand, der sich nicht einschüchtern ließ, das Bedürfnis, zu verschwinden? Offenbar spürte sie seine Skepsis, denn sie wurde rot. Sie lenkte ab, indem sie zum Tisch wies, auf dem ein kleiner Imbiss vorbereitet war. »Essen Sie einen Happen mit uns?«

»Es war nicht einfach, sie zu dieser Reise zu bewegen«, plauderte Tilo Baumgart aus dem Nähkästchen, als Imke Thalheim in der Küche war, um den Tee zu holen. »Wenn nicht sowieso gerade Recherchen angestanden hätten, wäre es mir wohl nicht gelungen.«

Bert erkannte die Besorgnis in Tilos Augen. Er nahm wahr, wie grau und müde die Haut dieses Mannes wirkte. Fast hätte er ihm die Hand auf den Arm gelegt und ihm versprochen, Imke werde nichts zustoßen.

Doch das konnte er nicht.

»Ich hätte gern die Anschrift Ihrer Unterkunft«, sagte er, als auch Imke am Tisch Platz genommen hatte. »Und ich möchte, dass wir telefonisch in Kontakt bleiben.«

»Selbstverständlich.«

Imke nötigte ihn zuzugreifen. Sie selbst aß mit gutem Appetit. Doch Bert ließ sich nicht täuschen. Ihr Schutzpanzer zeigte bereits erste Risse.

»Wie hat Ihre Tochter reagiert?«, fragte er.

»Gar nicht«, antwortete Tilo prompt. »Sie weiß nichts von den Vorfällen.«

»Sie haben sie nicht eingeweiht?« Verblüfft ließ Bert die Gabel sinken.

»Eingeweiht!« Imke ließ ein kleines, abfälliges Lachen hören. »Das klingt ja nach ganz großem Geheimnis.«

»Du machst schließlich eins daraus.«

Der warnende Blick, den Imke Tilo zuwarf, verfehlte seine Wirkung. Tilo gab ihn ungerührt zurück.

»Ich mache kein Geheimnis daraus. Ich möchte meine Tochter nur nicht mit den Spinnereien eines Mannes belasten, der schon morgen keine Rolle mehr für mich spielen wird.«

»Du bagatellisierst die Geschichte, Ike.«

Der Kosename ging Bert durch und durch. Er machte ihm mit brutaler Deutlichkeit bewusst, dass Tilo Baumgart der Mann an der Seite Imke Thalheims war. Zwischen den beiden bestand eine Vertrautheit, die man fast mit Händen greifen konnte.

»Selbst wenn.« Imke funkelte Tilo zornig an. »Es ist *meine* Geschichte, nicht deine.«

»Bitte ...« Tilo hob die Hände. »Mach, was du willst. Aber versuch nicht, mir einzureden, die Vorfälle seien harmlos. Sie sind es nicht.«

»Herr Baumgart hat recht«, mischte Bert sich ein. »Dieser Mann ist gefährlich. Sie dürfen ihn nicht unterschätzen. Und es gibt einige Regeln, die Sie unbedingt befolgen sollten.«

»Nämlich?« Ihre Stimme klang spitz.

»Machen Sie, darüber haben wir ja schon gesprochen, vor allem kein Geheimnis aus dem, was Ihnen zustößt. Er will Sie ja genau da haben, in dem Gefängnis aus Angst und Schweigen, das er um Sie herum aufzubauen versucht. Weihen Sie Ihre Umgebung ein, die Dorfbewohner, die Familie, die Freunde. Damit nehmen Sie Ihrem Verfolger einen Teil seiner Macht über Sie. Es ist der erste Schritt.«

»Dieser Mann hat keine Macht über mich!«

Ihr Zorn richtete sich jetzt gegen Bert. Er erlebte das oft. Solche Übertragungen fanden statt, weil das wirkliche Objekt der Wut nicht greifbar war.

»Keine Macht über dich?« Tilo wischte sich den Mund und warf die Serviette auf seinen Teller. »Er hat ja sogar Macht über mich. Mir ist jedes Mal unbehaglich zumute, wenn ein neuer Patient meine Praxis betritt. Wenn jemand anruft und wieder auflegt, ohne sich zu melden. Und beim Anblick eines Briefs mit unbekanntem Absender bekomme ich Herzklopfen. Dieser Mann nennt sich nicht umsonst *Schattengänger* – er betrachtet uns aus dem Dunkeln heraus, während wir im vollen Scheinwerferlicht auf der Bühne stehen. Und du behauptest, er hat keine Macht über dich?«

Imkes Augen füllten sich mit Tränen. Ihre Hände zitterten. Sie versteckte sie unter dem Tisch.

»Erzähl es Jette«, bat Tilo sanft. »Schon damit sie vorsichtig ist.«

Bingo, dachte Bert. Das waren exakt die falschen Worte.

»Du meinst ...« Imke starrte Tilo an. »Du glaubst, Jette ist in ...«

»Sie ist nicht mehr oder weniger gefährdet als jeder andere Mensch aus Ihrem Umfeld«, kam Bert Tilo zuvor. »Es ist einfach von Vorteil, wenn die Leute die Augen offen halten. Zerren Sie den Täter aus seiner Deckung. Er soll wissen, dass die Menschen, die Sie umgeben, wachsam sind.«

»In Ordnung. Ich werde es Jette sagen.« Imkes Blick wanderte zu den Fenstern, die den Wintergarten begrenzten. Dahinter lag das Land in völliger Finsternis.

Bert musste Tilo zustimmen. Sie saßen hier wie auf einer Bühne. Und vielleicht hatten sie auch in diesem Moment ein Publikum. Einen Mann, der nicht das Recht hatte, dem Stück zuzuschauen, das auf der Bühne gespielt wurde.

*

Wir hatten uns in unserem Bauernhaus getroffen, um die letzten Aufräumarbeiten in Angriff zu nehmen, Dorit und Bob, Luke, Merle und ich. Dorit und Bob waren nicht nur Merles engste Freunde aus der Tierschutzgruppe, sie waren auch mir inzwischen ans Herz gewachsen.

Später am Abend wollte Claudio dazukommen. Das hatte Merle mir mitgeteilt, nachdem sie erfahren hatte, dass Luke mit von der Partie sein würde. Sie benahm sich ihm gegenüber ziemlich eigenartig, ablehnend, schroff, beinah schon feindselig. Wie eine eifersüchtige Ehefrau. Nichts konnte Luke ihr recht machen. Ständig war er ihr im Weg. Fasste er etwas an, nahm sie es ihm gleich wieder aus der Hand. Fiel ihm etwas hin, verzog sie das Gesicht, als hätte er Meißner Porzellan zertrümmert.

Luke ertrug es mit Gelassenheit, begegnete ihr sogar mit besonderer Freundlichkeit. Doch das machte sie nur unleidlicher.

»Was für eine Laus ist dir denn über die Leber gelaufen?«, fragte ich sie, als wir für einen Moment allein im Schuppen waren und im blassen Licht einer knisternden, flackernden Neonlampe die Sachen für den Sperrmüll sortierten.

»Du kennst ihn doch überhaupt nicht«, legte sie los, als hätte sie nur auf meine Frage gewartet. »Und trotzdem führt er sich auf, als wäre er seit Jahrhunderten dein Freund.«

»Klingt, als hieltest du ihn für einen Vampir.«

»Lass die Witze, Jette! Du weißt, was ich meine.«

»Weiß ich nicht! Hast du mir nicht all die Monate gepredigt, ich solle mich nicht in meiner ... Trauer verkriechen?«

Merle ließ den dreibeinigen Stuhl fallen, den sie auf den Haufen kaputter Möbel werfen wollte. Sie drehte sich zu mir um und nahm mich in die Arme.

»Entschuldige, Jette!« Sie brach in Tränen aus. Ihr Atem verfing sich heiß und feucht in meinen Nackenhaaren. Ihre Tränen durchweichten die Schulter meines T-Shirts. »Ich kann mir das auch nicht erklären. Es ist ... ich hab einfach Angst um dich.«

Ich streichelte ihren Rücken und hielt sie ganz fest. So blieben wir, bis wir Schritte hörten.

»Oh«, sagte Luke und wollte auf dem Absatz kehrtmachen.

»Komm rein.« Merle wischte sich die Augen, wobei sie Staub und Schmutz großflächig auf den Wangen verteilte.

Luke blieb unschlüssig im Tor stehen. Er traute dem Braten nicht.

Merle löste sich mit einem schiefen Lächeln aus meiner Umarmung und trat auf ihn zu. »Wenn du Jette jemals wehtust«, sagte sie leise, »dann gnade dir Gott.« Sie gab ihm einen freundschaftlichen Kuss und ließ uns allein.

*

Imke hatte hin und her überlegt, wie sie das Gespräch mit ihrer Tochter möglichst schonend gestalten könnte, aber sie war keinen Schritt weitergekommen. Schließlich hatte sie beschlossen, es am Telefon zu versuchen. Dabei würde Jette nicht in ihren Augen lesen können, was von Vorteil war, denn Imke hatte ihre Gefühle noch nie gut verstecken können.

»Hallo, Mama.«

Im Hintergrund hörte Imke hallende Geräusche und Stimmen.

»Störe ich dich?«

»Nein. Wir sind in unserm Haus. Die letzte Aufräumrunde, dann fangen wir mit dem Streichen an.«

»Ich kann dich auch später ...«

»Nicht nötig, Mama. Ich geh in ein Zimmer, wo es ruhig ist.«

Die Hintergrundgeräusche nahmen ab. Imke konnte den leisen Atem ihrer Tochter hören. Genau so hatte er früher geklungen, wenn Jette am Küchentisch gesessen und ein Bild gemalt hatte, die kleine rosige Zungenspitze im Mundwinkel, der schmale Körper angespannt vor Konzentration.

»Okay. Leg los.«

»Ich wollte nur ... der Kommissar meinte ...« Imke ärgerte sich über sich selbst. Kaum zu glauben, dass Worte ihre Leidenschaft waren.

»Der Kommissar?«

Zwei halbe Sätze, und es war Imke gelungen, ihre Tochter zu beunruhigen. Das Gegenteil davon hatte sie beabsichtigt.

»Eigentlich wollte ich dir gar nichts davon sagen, aber Tilo redet mir die ganze Zeit ins Gewissen und der Kommissar ... also, die Sache ist die ...«

Imke hätte sich selbst einen Tritt geben können. War sie denn nicht ein einziges Mal imstande, ihrer Tochter das Gefühl zu vermitteln, die Dinge im Griff zu haben, wie jede andere Mutter auch?

»Ich werde ... wie soll ich das ausdrücken ... sagen wir: belästigt.«

Gottogott, dachte Imke. Das entsprach jetzt nicht gerade den Richtlinien aus dem Handbuch der Pädagogik.

»Belästigt?«

»Offenbar von einem ... Fan.«

Jette schwieg. Imke spürte die Erwartung ihrer Tochter, aber wie sollte sie die befriedigen, ohne zu viel zu verraten? Sie hätte am liebsten aufgelegt und den ganzen dummen Anruf rückgängig gemacht. Sie hätte ihre Strategie, Jette nicht in ihre Angelegenheiten hineinzuziehen, beibehalten sollen. Doch nun war es zu spät. Das hatte sie Tilo und dem Kommissar zu verdanken.

»Er schwärmt für mich, schickt mir Mails, ruft an – wie das eben so ist.« Wie das eben so war? Keiner ihrer Fans hatte sie jemals so bedrängt.

»Und was hat der Kommissar damit zu tun?« Jette war nicht dumm. Sie hatte den Finger sofort auf die kritische Stelle gelegt.

»Ich finde, dieser Mann geht zu weit, und das kann ich nicht einfach so hinnehmen.« Vielleicht würde Jette das schlucken. Sie kannte ihre Mutter als konsequente, streitbare Person.

»Er macht dir Angst«, stellte Jette fest.

Wie hatte Imke nur glauben können, mit einem raschen Telefongespräch sei es getan. Jette ließ sich nicht so leicht beschwichtigen. Sie hatte schon zu viel erlebt, um nicht die Untertöne in der Stimme ihrer Mutter wahrzunehmen. Es hatte keinen Sinn mehr, drum herumzureden.

»Das stimmt«, gab Imke deshalb zu. »Und ich dachte, es wäre besser, wenn ich für eine Weile von der Bildfläche verschwinde.«

»Dann machst du in Wirklichkeit gar keine Recherchen?«

»Doch. Ich verbinde sozusagen das Unangenehme mit dem Nützlichen.« Imke lachte leise, aber ihre Tochter lachte nicht mit.

»Ein Stalker«, sagte Jette und fasste die Informationen damit in dem Wort zusammen, das sie alle ständig feige umschrieben hatten.

Das Schweigen, das folgte, dauerte lange. Imke hätte viel dafür gegeben, die Gedanken ihrer Tochter hören zu können.

»Es ist gut, dass du wegfährst«, sagte Jette schließlich. »Und es ist gut, dass du es mir erzählt hast. Merle und ich werden die Augen offen halten.«

Genau das hatte Imke vermeiden wollen. »Das werdet ihr *nicht* tun, Jette! Ihr haltet euch da raus, verstanden? Versprich mir das!«

Keine Antwort.

»Jette!«

»Ich will mich nicht einmischen, Mama. Man muss nur aufmerksam sein, wenn man es mit einem Stalker zu tun hat. Kennst du ihn? Hast du ihn angezeigt?«

Imke zog sich einen Stuhl heran. Das würde ein längeres Gespräch werden. Tausend Dank, Tilo, dachte sie sarkastisch, gut gemacht, Herr Kommissar. Aber sie hatte nun einmal angefangen und musste es zu Ende bringen.

*

Niemand wusste, wo Jette abgeblieben war. Merle steckte den Kopf in jedes einzelne Zimmer. Sie fand ihre Freundin schließlich im Schweinestall, wo sie auf einem alten Futtertrog saß, das Handy in der Hand, und vor sich hin brütete.

»Alles paletti mit dir?«, fragte Merle und setzte sich vorsichtig neben sie. Der kalte Rand des groben Steins bohrte sich in ihre Oberschenkel.

Jette nickte und starrte weiter geradeaus.

Merle stützte sich mit den Händen ab, um den Druck zu reduzieren. Wieder meinte sie, einen Hauch von Viehduft wahrzunehmen, obwohl das unmöglich war. Der Hof war seit vielen Jahren nicht mehr bewirtschaftet worden.

»Diesmal ist es ein Stalker«, sagte Jette.

Merle konnte absolut nichts mit der Bemerkung anfangen. Wieso diesmal? Und wieso Stalker?

»Meine Mutter hat angerufen. Sie wird seit Kurzem belästigt. Von einem durchgeknallten Fan. Deshalb macht sie so urplötzlich diese Reise. Und Tilos Unfall ist weder auf einen Vollrausch zurückzuführen, noch darauf, dass meine Mutter ihn für einen Einbrecher gehalten hat – sie hat schlichtweg geglaubt, er wäre dieser Stalker, verstehst du?«

»Ein Stalker?«, fragte Merle. »Jemand, den sie kennt?«

»Nein. Sie hat Anzeige gegen Unbekannt erstattet, der Kommissar ermittelt, aber es ist noch nichts dabei herausgekommen. Wie denn auch? Anonym kannst du jeden fertigmachen. Du musst nur deine Spuren gründlich verwischen.«

»Das Übliche?«, fragte Merle. »Oder ist er gefährlich?«

»Eher die gefährliche Sorte. Er schickt ihr nicht nur Mails und Briefe, er ruft sie auch an. Und er beobachtet sie. An dem Abend, als meine Mutter Tilo niedergeschlagen hat, war der Typ in ihrem Garten und hat alles mitangesehen.«

»Heilige Scheiße!« Merle verstand jetzt, was Jette gemeint hatte.

Wieder waren sie in etwas hineingeraten, das aus dem Ruder laufen konnte.

Jette drehte den Kopf und schaute sie an. In ihren Augen konnte Merle tiefes Erstaunen erkennen.

»Das ist doch nicht möglich«, sagte Jette leise. »Wir können doch nicht schon wieder in so was verwickelt werden. Jetzt wo es endlich ruhig geworden ist, wo Mike und Ilka bald aus Brasilien zurückkommen, Mina mit ihrer Therapie Fortschritte macht und wir uns hier alle zusammen einrichten wollen. Bitte sag mir, dass ich den Anruf meiner Mutter nur geträumt habe.«

»Stalker gibt es wie Sand am Meer.« Merle tätschelte Jettes Knie. »Das ist ja schon fast ein Volkssport geworden. Ein Fan ist hingerissen von den Büchern deiner Mutter und will ein bisschen Kontakt. Das verläuft sich auch wieder, du wirst sehen.«

»Und wenn nicht?«

»Komm jetzt.« Merle stand auf und klopfte sich den Staub von der Hose. »Claudio muss gleich hier sein. Er bringt Pizza mit.«

Widerstrebend ließ Jette sich hochziehen. Sie verließen den Stall und gingen Hand in Hand zum Haus zurück. Es war dunkel und der Himmel stand voller Sterne.

»Guck mal.« Merle legte staunend den Kopf in den Nacken. »Hast du je einen so klaren Sternenhimmel gesehen?«

»Nie.«

Andächtig betrachteten sie die Sterne, und Merle wünschte sich von ganzem Herzen eine Sternschnuppe, um einen Wunsch loszuwerden. Doch der Himmel tat ihr den Gefallen nicht. Er blieb, wie er war, schwarz und still und von Sternen gesprenkelt.

10

Allmählich bekam Manuel Stress mit dem Boss. Er, der sonst so viel auf Pünktlichkeit und gewissenhaftes Arbeiten gab, war in letzter Zeit mehrfach zu spät gekommen. Es machte ihm Mühe, sich auf die Arbeit zu konzentrieren, und er hatte mehrmals Pfusch abgeliefert. Erst vor ein paar Tagen hatten sie den Wagen eines Kunden in die Werkstatt zurückrufen müssen, weil Manuel falsche Schrauben für die Reifen verwendet hatte.

»Pass auf«, hatte Ellen ihm neulich zugeflüstert. »Alex steht unter Strom. Du solltest ihn besser nicht reizen.«

Manuel wusste, dass er sich auf Ellens Loyalität verlassen konnte. Er wusste auch, dass sie ihn nicht ohne triftigen Grund warnte. Wenn sie sich so weit aus dem Fenster lehnte, dann standen die Zeichen auf Sturm.

Der Boss machte krumme Geschäfte. Die Spatzen pfiffen es von den Dächern, aber Manuel hatte sich nie für Details interessiert. Womit Alex sich die Finger schmutzig machte, war seine Sache. Hauptsache, er verlangte nicht, dass Manuel dabei mitmischte.

Manchmal wurden Manuel Einzelheiten zugetragen. Von Lars und Tonio, die kein Problem damit hatten, ihren Gesellenlohn mit schummrigen Deals ein bisschen aufzubessern. Unfallfahrzeuge wurden mit gefälschten Papieren versehen und an windige Abnehmer verscherbelt. Wagen unbekannter Herkunft wurden in Nacht- und Nebelaktionen umgespritzt und ins Ausland verfrachtet. Und ganz generell wurde so mancher Handel unter der Hand abgeschlossen.

Einige Male hatte Alex versucht, auch Manuel in diese Machenschaften zu verwickeln, doch Manuel hatte eindeutig klargestellt, dass er nichts damit zu tun haben wollte.

Einzig um die Jacht, die Alex mal gekauft und an der er schnell wieder das Interesse verloren hatte, kümmerte Manuel sich. Ansonsten hielt er sich aus den Geschäften und allem, was damit zusammenhing, raus. Alex hatte das akzeptiert und kein weiteres Wort darüber verloren.

Jetzt waren anscheinend wieder einmal einige dieser Transaktionen schiefgelaufen. Es ging häufig etwas daneben, aber Alex wurstelte sich immer wieder durch. Irgendwann würde er im Morast stecken bleiben, so viel stand fest, doch Manuel hatte vorgesorgt. Er hatte genug Geld zurückgelegt, um eine ganze Weile ohne Job überleben zu können.

»Alex hat dich in Verdacht, Kungeleien mit der Konkurrenz zu machen«, hatte Ellen ihm verraten.

Manuel hatte laut gelacht. Sollte er tatsächlich jemals daran denken, *Kungeleien* zu machen, wie Ellen es kreativ umschrieb, dann im ganz großen Stil. »Da kannst du ihn beruhigen«, hatte er geantwortet. »Ich hab wirklich andere Sorgen.«

»Sorgen?«

Ellen hatte ihn mit so viel Mütterlichkeit angesehen, wie sie aufbringen konnte. Sie mochte ihn, das wusste er. Es hatte ihn gereizt, damit zu spielen, früher einmal. Er konnte sich kaum noch daran erinnern.

»Nichts Ernstes«, hatte er ihre neugierige Frage abgewehrt. »Und jetzt entschuldige mich, ich habe zu tun.« Dabei gelang es ihm nicht mal fünf Minuten lang, bei der Sache zu sein. Seine Hände taten mechanisch die Arbeit, während sein Kopf nahezu zwanghaft mit Imke Thalheim beschäftigt war.

Bisher hatte Alex niemals protestiert, wenn Manuel um einen freien Tag gebeten hatte oder für ein paar Stunden einfach verschwunden war. Würde sich das jetzt ändern? Musste Manuel in Zukunft vorsichtiger sein? Wie sollte er sich dann um Imke kümmern?

Ärgerlich schnauzte er Richie an, der ihm im Weg stand. Der Lehrling zog sich verschnupft zurück. Gut so. Wenigstens würde er nun für eine Weile mit seinem unablässigen Gequassel aufhören. Das raubte einem wirklich den letzten Nerv.

»Schlecht drauf, Manu?« Der Meister mischte sich normalerweise nicht ein, wenn es einen Wortwechsel unter den Männern gab, aber seine Geduld mit Manuel war wohl auch allmählich erschöpft.

»Und wenn schon.«

»Reiß dich gefälligst zusammen, Mann! Die Luft hier drin ist echt zum Schneiden.«

Alfred hatte recht. Manuel spürte ja selbst, wie seine Launen das Klima vergifteten. Er musste versuchen, sich zu kontrollieren. Er konnte es sich nicht leisten, die Kollegen gegen sich aufzubringen. Noch würden sie alles für ihn tun. Beinah alles. Das durfte er nicht verspielen.

»Hab's nicht so gemeint«, rief er quer durch den Raum. »Bin nur ein bisschen geschafft.«

Richie hob die Hand, grinste versöhnlich und beugte sich wieder über seine Arbeit.

Manuel sah zu der gewaltigen Fensterfront hinüber, die sich aus sechzig Scheiben von je einem halben Quadratmeter zusammensetzte. Das Glas war blind von Schmutz. Graue Spinnweben zogen ungestört ihr Muster darauf. Hier und da zeigte sich ein Riss, notdürftig mit Kreppband geflickt.

Wie anders war das Leben in Imke Thalheims Büchern. Wie anders war *sie*. Unvorstellbar, dass sie auch nur einen Fuß in diese Werkstatt setzen würde.

Etwas an diesem Gedanken beunruhigte Manuel, doch er hatte nicht die Zeit und vor allem nicht die Ruhe, darüber nachzudenken.

*

Imke Thalheims Reisepläne hatten zwiespältige Gefühle in Bert hervorgerufen. Einerseits begrüßte er es, sie außerhalb der Reichweite des Stalkers zu wissen. Andrerseits war es ihm unmöglich, sie in diesem sauerländischen Kaff im Auge zu behalten.

»Wenn er Sie aufspürt«, hatte er Imke Thalheim erklärt, »dann haben Sie dort ein weitaus größeres Problem als hier in Ihren eigenen vier Wänden, wo Sie sich sicher fühlen.«

»Sicher fühle ich mich längst nicht mehr«, hatte sie mit einem freudlosen Lächeln entgegnet. »Auch hier nicht.«

Bert hätte alles dafür getan, ein wirkliches Lächeln auf ihr Gesicht zu zaubern, ein strahlendes, eines, das den Namen verdiente. Er hätte alles dafür getan, jede Gefahr von ihr abzuwenden.

Doch es war Tilo, der den Arm um sie legen und sie tröstend an sich drücken durfte. Beide hatten Bert nach ihrem Gespräch zur Tür gebracht, im gelben Schein der Außenlampe gestanden und ihm nachgeschaut, ein glückliches Paar.

Dem Anschein nach, dachte Bert. Er hatte zu oft verfolgt, wie die Maske fiel und das zur Schau getragene Glück in tausend Scherben zersprang. Er erlebte ja selbst gerade, wie seine eigene Ehe zerbrach.

Er gab sich einen Ruck und konzentrierte sich auf den Monitor. Für heute hatte er sich vorgenommen, die Stalkingfälle der vergangenen zehn Jahre zu überprüfen. Er hatte beschlossen, das selbst zu tun und die Aufgabe nicht an einen Kollegen zu delegieren. Manchmal nämlich half ihm sein Instinkt, brachte ihm der Anblick eines Fotos, das Lesen eines Satzes eine Assoziation, die der erste Schritt in die richtige Richtung sein konnte.

Die meisten Stalker stammten aus dem direkten Umfeld ihres Opfers. Ehemalige Ehepartner, abgewiesene Verehrer, nicht beachtete Arbeitskollegen, nette, hilfsbereite Nachbarn und beste Freunde. Oft waren sie der Polizei bekannt, doch solange sie keine direkte Gewalt ausübten, konnte man ihnen das Handwerk nicht legen. Man konnte sie nur beobachten.

Anonyme Stalker allerdings nicht. Sofern der Täter keine Fehler machte, war es so gut wie unmöglich, ihm auf die Spur zu kommen, erst recht, wenn es sich bei dem Opfer um eine prominente Person handelte, deren Umfeld nicht eingrenzbar war.

Bert hatte gelesen, dass inzwischen drei Viertel aller Prominenten von dem Phänomen Stalking betroffen waren. Eine wahnsinnig hohe Zahl. Viele Prominente erduldeten Belästigungen bis zu einem gewissen Grad und betrachteten sie einfach als Schattenseite ihres Berufs, die sie hinzunehmen hatten.

»Wer in der Öffentlichkeit steht«, hatte eine große Schauspielerin in einem Interview gesagt, »der kann nicht nur die Früchte des Erfolgs genießen. Er muss sich auch den negativen Begleiterscheinungen stellen.«

Ihre Sichtweise hatte Bert imponiert. Das Interview war ein paar Jahre alt. Damals hatte Stalking noch nicht strafrechtlich verfolgt werden können. Heute dagegen schon. Manchmal gab es auch erfreuliche Entwicklungen in Berts Beruf. Diese gehörte dazu.

Normalerweise fing Bert mit seinen Ermittlungen im engeren Umfeld des Opfers an. In Imke Thalheims Fall gab es kein engeres Umfeld. Der Freundeskreis ging nahtlos in den Kreis derer über, mit denen die Schriftstellerin über ihre Arbeit verbunden war.

»Das kann man nicht trennen«, hatte sie ihm erklärt. »Ich bin mit Lektoren, Journalisten und Schauspielern befreundet, mit meiner Agentin, mehreren Politikern, Buchhändlern und Veranstaltern. Die Menschen, mit denen ich zu tun habe, sind über die ganze Welt verstreut.«

Ein seltsames Leben, dachte Bert, und ein beneidenswertes. Doch wo sollte er da mit seiner Suche anfangen?

»Haben Sie Feinde?«, hatte er gefragt. »Gibt es Kollegen, die Ihnen den Erfolg missgönnen?«

Sie hatte seinen Blick fest erwidert. »Ich wüsste nicht, wen ich mir zum Feind gemacht hätte. Aber bestimmt habe ich dem einen oder anderen schon auf die Füße getreten. Und natürlich gibt es Neider. In Berufen wie meinem gehört das leider dazu.«

In welchem Beruf nicht, hatte Bert gedacht. Und je größer der Erfolg, desto heftiger die negativen Reaktionen.

»Haben Sie sich mit Verlagen überworfen?«, hatte er nachgehakt.

»Nun ja, es hat Konflikte gegeben und zwei- oder dreimal wären sie fast in einen Prozess gemündet. Da wird sich schon so mancher geärgert haben.«

»Genug, um ...«

»Eben nicht«, schnitt sie ihm das Wort ab. »Ich kann mir einfach nicht vorstellen, dass einer der Menschen, die zu meinem Alltag gehören, beruflich oder privat oder beides, zu so etwas fähig sein sollte. Nein.«

Doch Bert wusste, dass sie sich irrte. Es konnte jeder sein. Ein Buchhändler, ein Verlagsmitarbeiter, ein Journalist.

Und dann kamen noch einige Millionen Leser infrage.

Er rieb sich die Augen, fuhr den Computer herunter und wählte Isas Nummer. »Lust auf ein Essen bei Marcello?«

»Hmmm.«

Isa nutzte, genau wie Bert, ab und zu gern die Möglichkeit,

den Mittagspausen in der Kantine auszuweichen. Es war allmählich auch wieder an der Zeit, ein Gespräch zu führen, das nicht alle naselang von irgendwelchen Kollegen unterbrochen wurde.

»Bist du in diesem Stalkingfall weitergekommen?«, fragte Isa, als sie das Präsidium hinter sich ließen und um die erste Ecke bogen.

Bert schüttelte den Kopf. »Ich habe zwar die offizielle Genehmigung, in der Sache tätig zu werden, aber der Fall hat nicht oberste Priorität.«

Sie nickte, denn das kannte sie selbst sehr gut. Ständig war sie in mehrere Fälle gleichzeitig eingebunden. »Irgendein Anfangsverdacht?«

»Fehlanzeige. Ich sitze vor einem riesigen Puzzle und sämtliche Teilchen sind noch durcheinander.«

Ihr Atem wölkte weiß in der bitterkalten Luft. Sie beeilten sich, um ins Warme zu kommen.

»Ah! La bella Dottoressa!« Marcello küsste mit galantem Schwung Isas Hand, die rot gefroren war.

Isa schenkte dem Wirt ihr strahlendstes Lächeln. Wie Bert gehörte sie schon lange zu Marcellos Stammkunden und doch waren sie sich lange Zeit nie hier begegnet.

»Commissario!« Marcello machte eine Verbeugung bis zum Boden, schwenkte dabei das weiße Tuch, das er über dem Arm trug, in einem großzügigen, eleganten Bogen und führte sie zu Berts Lieblingstisch am Fenster.

Er schob Isa den Stuhl zurecht und reichte ihnen die Karte. Wenig später servierte er ihnen einen Aperitif auf Kosten des Hauses. Während sie ihn tranken, studierten sie die Speisekarte, und Marcello tauchte genau zum richtigen Zeitpunkt geräuschlos wieder neben ihnen auf. Bert bestellte Lasagne, wie er das jedes Mal tat, Isa entschied sich für einen Salat mit Putenbruststreifen.

»E un aqua minerale?«, fragte Marcello. Wie immer.

»Si.« Bert nickte. Wie immer.

Isa beobachtete das Ritual, das sich zwischen Marcello und seinem *Commissario* entwickelt hatte, sichtlich amüsiert. Sie selbst probierte zu gern immer wieder andere Gerichte aus, als dass sich eine Gewohnheit hätte einschleichen können.

»Ich frage mich, was passieren würde, wenn ich mir je etwas anderes bestellen würde«, sagte Bert leise.

»Das darfst du ihm nicht antun«, gab Isa grinsend zurück. »Es würde seine schöne Inszenierung komplett in sich zusammenfallen lassen.«

Der Hof vor dem Fenster war leer geräumt. Eine riesige, zu einem grauen Spiegel gefrorene Pfütze bedeckte den Boden. Die vom frostigen Wind der vergangenen Wochen verwehten Blätter hatten sich in der Kälte zusammengezogen. Ihre vereisten Ränder leuchteten im trüben Winterlicht.

Bald würden wieder Gäste dort sitzen, geschützt unter gelben Sonnenschirmen. Vögel würden im Efeu rascheln, und die schwanzlose weiße Katze würde sich ein abgelegenes Plätzchen suchen und darauf hoffen, für eine Weile von Marcello geduldet zu werden. Dezente Musik würde das eifrige Klappern der Gabeln und Messer begleiten, und Marcello würde jedem einzelnen Gast das Gefühl vermitteln, nirgendwo könnte mehr Italien sein als hier.

Beim Essen erzählte Bert von Imke Thalheims Reiseplänen. Die ersten Bissen einer vorzüglichen Lasagne begannen, seinen Magen zu füllen und sein Gemüt zu besänftigen. »Was glaubst du«, fragte er schließlich. »Wie wird der Typ reagieren?«

»Schwer zu sagen.« Isa hob den Kopf. »Nach allem, was ich über diesen Mann erfahren habe, scheint er mir nicht zur Kategorie derer zu gehören, die ihr Opfer aus den Augen verlieren und dann einfach vergessen.«

»Sondern?«

»Es kann eine ungeheure Wut in ihm auslösen, wenn er die Kontrolle über sein Opfer verliert. Nichts ist schlimmer für einen Stalker, als das Objekt seiner Begierde nicht erreichen zu können.«

»Wut …«

»Zuerst wird er verwirrt sein, dann verzweifelt, und schließlich wird seine Hilflosigkeit kippen und ihn rasen lassen. Wahrscheinlich.«

»Wahrscheinlich? Hatte ich fast vergessen, dass man sich in deiner Branche ungern festlegt.«

»Das hat mit gern oder ungern nichts zu tun, Bert. Es geht hier um einen gestörten Menschen. Die Reaktionen eines Normalbürgers, wenn du mir diesen Ausdruck verzeihst, sind schon nicht berechenbar. Wie viel weniger dann die eines psychisch Gestörten?«

Isa redete sich immer mehr in Rage. Marcello, der an ihren Tisch getreten war, um sich zu überzeugen, dass mit dem Essen alles in Ordnung war, zog sich dezent zurück.

»Du hast ja recht.« Bert berührte ihren Arm. »Ich komme mir nur vor wie einer, der im Schnee einen Eisbären sucht.«

»Kein gutes Gefühl.«

»Wahrhaftig nicht.«

»Wenn du Fragen hast …«

»Eine. Sie brennt mir auf der Seele.«

Isa schaute ihn erwartungsvoll an, Messer und Gabel wie vergessen in den Händen.

»Soll ich versuchen, Imke Thalheim zurückzuhalten? Sollte sie besser nicht verreisen?«

Isa blickte nachdenklich aus dem Fenster. Dann sah sie ihn an und schüttelte kaum merklich den Kopf. »Ich weiß es nicht, Bert. Ich wünschte bei Gott, ich wüsste es.«

Bert hatte mit dieser Antwort gerechnet. Dennoch fühlte er sich alleingelassen. Wie so oft. Doch das hatte nichts mit Isa zu tun. Er wusste, dass sie sich alle Mühe gab, ihn zu unterstützen.

Sie schien mit sich zu kämpfen, und als sie endlich aussprach, was sie dachte, begriff Bert, warum.

»Du magst diese Frau.«

Bert wich ihrem Blick aus. Er senkte den Kopf.

»Lieber Himmel …«

Bert war ihr dankbar dafür, dass sie den Rest ihrer Gedanken für sich behielt.

*

Alles war vorbereitet. Koffer, Büchertrolley und Laptop standen fertig gepackt in einer Ecke des Schlafzimmers. Imke brauchte nur noch die Toilettenartikel zusammenzuräumen, um abfahrbereit zu sein.

Sie hatte nun schon seit über einer Woche nichts mehr von ihrem abgedrehten Fan gehört. Das hatte eine wilde Hoffnung in ihr ausgelöst. Konnte es nicht sein, dass er genug hatte von seinem Katz-und-Maus-Spiel? Dass er keinen Gefallen mehr an ihr fand? Dass er sie von nun an in Ruhe ließ?

Ihr Gefühl sagte: Ja. Ihr Verstand war anderer Meinung.

Wahrscheinlich war ihm nur etwas dazwischengekommen. Etwas hatte ihn daran gehindert, sich neue Schikanen auszudenken. Er musste doch auch einen Alltag haben, einen Beruf, der ihn in Anspruch nahm. Es war schließlich unwahrscheinlich, dass er sich rund um die Uhr seiner perversen Leidenschaft widmen konnte, anderen Menschen das Leben schwer zu machen.

Anfangs hatte Imke es vermieden, ihn sich vorzustellen. Sie hatte nicht gewollt, dass er ein Gesicht bekam, erst recht nicht durch ihre eigene Phantasie. Das hätte ihn nur stark gemacht, und das durfte er nicht sein, wenn sie sich gegen ihn wehren wollte.

Doch allmählich ließen ihre Gedanken sich nicht mehr zügeln. Dieser Mann musste doch auch jemandes Sohn sein, jemandes Bruder, Schwager, Freund, Geliebter. Es musste Menschen geben, die ihn kannten, zu deren Alltag er gehörte.

Wie alt war er? Wie sah er aus? Wie hörte seine Stimme sich an, wenn er sie nicht verstellte?

Ihr Herzschlag beschleunigte sich, als ihr klar wurde, wie sehr das alles stimmte und zueinander passte – dass sie nichts, aber auch gar nichts von ihm wusste, und dass er genau das war, als was er sich bezeichnet hatte, ein Schattengänger.

Mit einem drückenden Gefühl von Hilflosigkeit beugte sie sich über ihren Terminkalender. Für heute standen noch zwei Dinge an. In einer halben Stunde würde sich der erste Bewerber um den Bürojob vorstellen. Danach war sie mit Bert Melzig verabredet.

Sie war heilfroh über jede Ablenkung.

Auf die Anzeige in der Zeitung hatten sich erstaunlich viele Interessenten gemeldet. Imke hatte kräftig gesiebt und schließlich fünf von ihnen auf ihre Liste gesetzt, drei junge Frauen und zwei junge Männer.

Sie fand den Zeitpunkt ideal, um jemanden einzustellen, der einmal die Woche kommen würde, um sie bei der Büroarbeit zu entlasten. Es wäre einer da, der sich während ihrer Abwesenheit um die Post kümmerte, sodass Imke den ohnehin schon überarbeiteten Tilo nicht darum bitten musste.

Eine halbe Stunde bis zu dem Vorstellungsgespräch, Zeit genug, um noch ein bisschen an der Planung ihres neuen Romans zu basteln. Sie zog sich die Unterlagen heran und war eine Minute später in ihre Überlegungen vertieft.

Als es klingelte, kostete es sie alle Mühe, in die Wirklichkeit zurückzukehren. Ein Blick auf die Uhr zeigte ihr, dass der Bewerber pünktlich war, auf die Minute genau. Das war eine Eigenschaft, die ihr gefiel. »Mal gucken, was du sonst so draufhast«, murmelte sie, als sie die Treppe hinunterging, um die Tür zu öffnen.

Der junge Mann, der vor ihr stand, lächelte sie mit einer reizenden Mischung aus Scheu und Selbstbewusstsein an. »Guten Tag«, sagte er höflich. »Ich bin Lukas Tadikken.«

*

Ich hatte mich über Stalking schlaugemacht. Mehrere Stunden hatte ich am Computer verbracht und mich durch die Flut von Informationen gekämpft. Das Ergebnis meiner Recherchen war ernüchternd. So wie ich das sah, gab es null Chancen, einen anonymen Stalker ausfindig zu machen.

Meine Mutter hatte zwar Anzeige gegen Unbekannt erstattet, und der Kommissar hatte sich der Sache angenommen, aber ich hatte den Eindruck, das war nicht mehr als das Pfeifen im Wald.

Ich hatte mich ein bisschen umgehört, doch unter den Leuten, die ich kannte, gab es keinen, der schon Erfahrungen mit einem Stalker gemacht hatte. Alle waren ziemlich ratlos, genau wie ich.

Vielleicht war das der Preis, den meine Mutter zahlen musste. Vielleicht bekam man einen so märchenhaften Erfolg nicht einfach geschenkt. Doch dieser fatalistische Gedanke widerte mich an, also ließ ich ihn gleich wieder fallen. Als gäbe es irgendwo den großen Zampano, der für alles, was geschah, eine Rechnung aufmachte und die säumigen Zahlungen eintrieb!

Merle und ich hatten uns den Kopf zerbrochen und eine Liste mit den Namen all derer aufgestellt, die uns im Zusammenhang mit meiner Mutter eingefallen waren, angefangen bei ihrem häuslichen Umfeld (praktisch sämtliche Dorfbewohner), über ihren engeren und weiteren Freundeskreis (womit ich schon lange nichts mehr zu tun hatte), bis hin zu ihren beruflichen Kontakten (für die wir eigentlich das *Who's Who* hätten wälzen müssen).

Trotz unserer Wissenslücken war es eine ellenlange Liste geworden, doch keinem, der darauf aufgeführt war, traute ich zu, ein Stalker zu sein.

»Und jetzt die Familie«, hatte Merle gesagt und auf einem frischen Blatt Papier eine zweite Liste angelegt.

»Die Familie?«

»Wenn wir logisch vorgehen wollen, dürfen wir niemanden ausschließen.«

Mein Vater. Großmutter. War Merle denn verrückt geworden?

Sie schrieb den Namen meiner Großmutter auf, darunter den meines Vaters. Verzog den Mund dabei, als täte ihr allein die Vorstellung weh.

Also gut. Wenn sie es so haben wollte.

»Angie«, diktierte ich.

Der zweiten Frau meines Vaters traute ich fast alles zu. Mein Halbbruder kam nicht infrage, der war noch ein Baby, aber es standen sämtliche Tanten und Onkel, Vettern und Cousinen zur Debatte, und die Familie von Angie sollte bei unseren Überlegungen ebenfalls berücksichtigt werden, fand ich. Wenn schon, denn schon.

Nur kannten wir Angies Familie überhaupt nicht.

»Macht nichts«, sagte Merle. »Es geht hier nicht um Vollständigkeit, es geht doch nur darum, erste Anhaltspunkte zu sammeln.«

Das hatte mir eingeleuchtet. Wir konnten das Problem nicht im großen Paket lösen. Wir mussten irgendwo anfangen und uns Schritt für Schritt vortasten.

»Schade, dass Luke nicht hier ist«, sagte ich. »Er hätte bestimmt noch ein paar gute Ideen.«

Ich hatte ihn schon eine ganze Weile nicht mehr gesehen. Er

hatte viel um die Ohren. Studium. Jobs. Immer noch war er ein Buch mit sieben Siegeln für mich. Ab und zu ließ er mich ein kurzes Kapitel lesen und klappte die Seiten dann schnell wieder zu.

»Die hätte er. Garantiert.«

Merle beugte sich tiefer über die Liste, doch ich sah trotzdem, dass sie verletzt war. Wir hatten uns immer aufeinander verlassen können und jeden Tiefschlag gemeinsam verkraftet. War in unserer Freundschaft kein Platz für einen wie Luke?

»Er ist anders als Claudio«, sagte ich leise. »Er ist anders als …« Ich brachte den Namen meiner ersten Liebe noch immer nicht über die Lippen. »Gib ihm doch bitte eine Chance.«

Merle nahm meine Hand und drückte sie. Ihr schienen die Worte zu fehlen, aber ich wusste auch so, was sie mir sagen wollte.

Ich nickte und versprach ihr damit, dass sich nichts und niemand würde zwischen uns drängen können. Nichts. Niemand. Nie.

11

Bert erwartete den Besuch Imke Thalheims mit leichter Beklemmung. Er hatte gewusst, wie scharf Isa beobachtete, aber er hätte nie gedacht, dass er so leicht zu durchschauen war. Ihr *Du magst diese Frau* hallte noch in ihm nach.

Wie weit war es mit ihm gekommen.

Imke Thalheim jetzt gegenüberzutreten, fiel ihm schwer. Am liebsten hätte er ihr abgesagt und sich irgendwo verkrochen, wo niemand ihn kannte, wo keiner Fragen stellte, wo er einfach in Ruhe gelassen würde.

Er hatte vor, gemeinsam mit Imke Thalheim herauszufinden, ob es Anzeichen in ihrem Alltag gab, die sie übersehen hatten, Hinweise auf den Stalker, die vielleicht erst auf den zweiten Blick erkennbar waren. Es gab keine verwertbaren Indizien, also musste er Imke dazu bringen, nachzudenken, wieder und wieder, so lange, bis sie auf etwas stoßen würde, mit dem sie arbeiten konnten.

Zerstreut saß er vor seinen Notizen und horchte auf jedes Geräusch. Das wiederholte Surren des Fahrstuhls, das entfernte Klingeln eines Telefons, ein Hupen unten auf der Straße. Er hatte ein Fenster geöffnet und atmete dankbar die kalte Luft ein, die von draußen hereinströmte. Sie ließ ihn frösteln, und das tat ihm gut, denn es lenkte ihn ab.

Und dann hörte er ihre Schritte auf dem Flur.

Er wappnete sich.

Minuten später saß sie ihm gegenüber, den dampfenden

Kaffeebecher in der Hand, und sah ihn erwartungsvoll an. Bert hatte absichtlich darauf verzichtet, ihr eine Tasse zu besorgen. Er wollte das Gespräch so sachlich wie möglich abwickeln und hatte den Automatenkaffee in dem üblichen braunen Pappbecher gezogen.

Man konnte ihn nur am oberen Rand anfassen, ohne sich die Finger zu verbrennen. Imke Thalheim tat das mit einer Anmut, die er bewunderte. Ihre Hände waren lang und schmal, die Finger schlank und gepflegt. Sie trug die Nägel relativ kurz geschnitten, was ihm gefiel. Ihn fror beim Anblick künstlicher, lackierter Krallen, wie es sie mittlerweile mit allen nur erdenklichen Mustern in jeder nur vorstellbaren Farbe gab.

»Ich möchte Sie bitten, noch einmal zu überlegen, ob Ihnen in letzter Zeit ungewöhnliche Dinge aufgefallen sind. Die winzigste Unregelmäßigkeit in Ihrem Alltag kann von Bedeutung sein.«

Sie schüttelte nachdenklich den Kopf. »Beim besten Willen nicht. Ab und zu ein Anruf, der nicht zustande kam, weil der andere aufgelegt hatte. Einige falsche Verbindungen. Die eine oder andere seltsame E-Mail. Das Übliche eben.«

Berts Augenbrauen gingen in die Höhe.

»So etwas nimmt man doch nicht ernst!« Sie stellte den Becher ab und verschränkte die Hände ineinander. Die Geste hatte etwas Beschwörendes. »Das passiert doch alle Tage. Wer denkt denn da gleich an … so etwas.«

Ihre Naivität rührte ihn. Er hatte das Bedürfnis, ihre Hände in seine zu nehmen, ihr in die Augen zu schauen und im Brustton der Überzeugung zu behaupten, alles werde wieder gut.

»Wie oft kamen diese Anrufe?«, fragte er stattdessen. »Und die Mails, haben Sie die gespeichert?«

»Ich wusste doch nicht, dass das wichtig sein könnte.«

Natürlich nicht. Man lebte normalerweise nicht auf Sparflamme und übervorsichtig, nur weil irgendwann irgendetwas passieren *könnte*.

»Schon gut«, sagte Bert.

Sie atmete tief aus. Als hätte sein Verständnis sie von jeder Schuld befreit. Es gelang ihr sogar zu lächeln. Die Fältchen, die dabei um ihre Augen entstanden, waren Bert schon vertraut.

Viel zu sehr.

Er räusperte sich. »Sind Ihnen Menschen aufgefallen, die Ihnen zu nahe gekommen sind? Flüchtige Berührungen im Gedränge, die möglicherweise nicht unabsichtlich entstanden sind? Hat jemand Sie angerempelt? Sich auffallend ausführlich entschuldigt? Sind Sie angestarrt worden …«

»Ich werde ständig angestarrt und angerempelt, und ständig versuchen Menschen, mir nahezukommen. Das liegt an meinem Beruf. Autoren zum Anfassen, das ist es, was heutzutage gewünscht wird. Schriftsteller leben nicht mehr im Elfenbeinturm.« Sie machte eine kleine Pause, bevor sie weitersprach. »Und wenn Sie mich fragen, dann haben sie dort auch nichts verloren.«

Sie starren dich nicht an, weil du bekannt bist, dachte Bert. Sie starren dich an und suchen deine Nähe, weil du schön bist und sie faszinierst.

»Das Bad in der Menge kann schützen«, sagte sie. »Und es kann einen zur Zielscheibe machen. Es ist eine Frage der Betrachtungsweise.«

»Nein.« Bert schüttelte den Kopf. »In der Menge ist man höchstens dann aufgehoben, wenn man sich als Unbekannter unter Unbekannten befindet, Teil davon ist.«

So kamen sie nicht weiter. Bert kritzelte Strichmännchen auf das Blatt Papier, das vor ihm lag.

PunktPunktKommaStrichfertigistdasMondgesicht.

Er erlebte das nicht oft, dass er neben sich stand und sich

selbst beobachtete. Im Augenblick war es so. Es war kein angenehmes Gefühl.

»Wann werden Sie abreisen?«, fragte er, nur um seine Stimme zu hören.

»Ich habe mich noch nicht festgelegt.« Imke Thalheim schlug die Beine übereinander. Der Stoff ihres knöchellangen schwarzen Rocks raschelte.

»Und wovon hängt das ab?«

Sie schaute zum Fenster und schien zu frösteln. Bert stand auf und machte es zu. Sein Blick fiel auf die Straße. Hier war immer was los. Rund um die Uhr. Da unten war das Leben. Warum konnte er diese Frau nicht an der Hand nehmen und mit ihr im Gewimmel verschwinden?

Weil wir verschiedenen Seiten angehören, dachte er. Nicht nur, dass sie reich ist und prominent, nicht nur, dass sie in einer anderen Welt verkehrt und eine Intellektuelle ist – sie ist auch Teil eines Falls.

Und ich bearbeite ihn.

Außerdem lebt sie in einer glücklichen Beziehung.

Was ist schon Glück, nörgelte die besserwisserische Stimme in seinem Innern. Woher weißt du überhaupt …

»Ich werde abreisen, sobald ich den Mut dazu aufbringe.«

Sobald sie den Mut dazu aufbrachte?

Ihre Finger spielten mit einem Fadenknötchen auf dem Ärmel ihres Jacketts. »Die Einsamkeit unterwegs ist schrecklich.«

»Und wenn Sie sich von jemandem begleiten lassen?«

Sie hob den Kopf, reckte trotzig das Kinn. »Ich kann schon selbst auf mich aufpassen, Herr Kommissar.«

Daran hatte Bert erhebliche Zweifel, doch das konnte er ihr schlecht sagen. Er lenkte vom Thema ab, indem er ihr für ihren Aufenthalt im Sauerland ein paar Sicherheitsinstruktionen gab. Imke Thalheim hörte sie sich geduldig an und nickte.

Bert sprach eindringlich auf sie ein. Er hoffte, sie würde seine Worte auch wirklich beherzigen.

*

Merle war damit beschäftigt, das Freigehege der Katzen zu reinigen. Der Winter war zurückgekehrt. Es war noch einmal richtig kalt geworden. Der Reif auf den Dächern hatte sich den ganzen Tag gehalten und es war so dunkel wie an einem Nachmittag im Dezember.

Die meisten Katzen hatten es sich im Katzenhaus gemütlich gemacht. Nur wenige Hartgesottene hielten sich im Freigehege auf. Das Fell gegen den scharfen Wind aufgeplustert und mit unter den Bauch gezogenen Vorderbeinen lagen sie auf ihren Lieblingsplätzen und beobachteten Merles Anstrengungen aus schmalen Augen.

Merle war froh darüber, dass sie sich körperlich abreagieren konnte. Die neue Praktikantin hatte gegen Mittag nach nur zwei Tagen den Job hingeworfen. Sie hatte in ihrem Bewerbungsschreiben zwar angegeben, Tiere zu lieben, doch den Umgang mit ihnen hatte sie sich wohl anders vorgestellt.

Nicht so schwierig und nicht so schmutzig.

Kot, Kotze und Urin beseitigten sich nicht von allein. Man konnte beim Saubermachen zwar Gummihandschuhe und Plastikschürze tragen, aber Nase und Magen begegneten den Gerüchen ungeschützt. Die Krallen ängstlicher oder aggressiver Tiere machten auch vor Markenjeans nicht halt und die Wege auf dem unebenen Gelände des Tierheims bedeuteten für schicke Schuhe den sicheren Tod.

»Blöde Zicke«, murmelte Merle verächtlich.

Ihre Hände waren blau gefroren, die Fingerspitzen taub, wie abgestorben. Handschuhe trug sie nur, wenn sich ein Virus unter den Tieren verbreitet hatte. Sonst war es ihr lieber, mit bloßen Händen zu arbeiten. Die Katzen und Hunde mit ihren feinen Nasen verabscheuten den Geruch des Gummis genau wie sie.

Wenigstens konnte sie jetzt ein bisschen nachdenken und musste nicht das Geschnatter des Mädchens über sich ergehen lassen, das sich für nichts anderes interessiert hatte als für sich selbst und ihre Klamotten.

Der Stalker beschäftigte Merle sehr. Sie wusste aus eigener Erfahrung am besten, wie man Leute ausspionierte. Als militante Tierschützerin bekam man die Informationen, die man für eine Aktion brauchte, nicht auf dem Silbertablett serviert. Man musste sie sich selbst beschaffen, oft genug auf krummen Wegen.

Im Zeitalter des Computers kein Problem mehr. Erst vor Kurzem hatte Merle von einer Untersuchung gelesen, die den Informationsgehalt von Wikipedia mit dem der Standardlexika verglichen hatte. Es hatte sie kaum gewundert, dass Wikipedia den Lexika an Aktualität und Zuverlässigkeit nicht nur ebenbürtig, sondern sogar überlegen war.

Der Stalker, der Imke Thalheim belästigte, hatte leichtes Spiel. Merle hatte ihren Namen in die Suchmaschine eingegeben und gut neunzig Millionen Einträge gefunden. Nach einer halben Stunde war sie das erste Mal Imke Thalheims kompletter Anschrift plus Telefonnummer begegnet, nach zwei weiteren Stunden hatte sie mehrere Interviews gelesen, in denen Jettes Mutter freizügig Auskunft über ihr Leben und ihre Gewohnheiten erteilt hatte.

Nahm man dazu noch Imke Thalheims Romane, erfuhr man eine ganze Menge über ihre Gedanken, ihre Sichtweise, ihren Charakter. Ein gefundenes Fressen für einen Stalker, zur sofortigen Verwendung für ihn aufbereitet.

Kopfschüttelnd leerte Merle die verbrauchte Streu der Katzenklos in die Abfalltonne. Jetzt war daran nichts mehr zu ändern. Imke Thalheim war von den Medien aufgenommen, geschluckt und verdaut worden. Sie war längst Teil der gigantischen Unterhaltungsmaschinerie. Ihr Gesicht kannte man von zahlreichen Fernsehauftritten. Ihre Bücher waren Renner. Imke Thalheim war Kult.

Wie sollte sich so jemand schützen? Und vor wem?

Jeder konnte der Stalker sein, das machte es so furchtbar. Ein Familienmitglied, die Putzfrau, ein falscher Freund, einer aus dem Verlag, einer von der Presse, ein Kollege, der Briefträger, der Schornsteinfeger. Sogar Tilo, streng genommen, doch Merle weigerte sich, diesen Gedanken weiterzuverfolgen.

Merle hatte ein äußerst gespanntes Verhältnis zur Polizei. Nur bei Hauptkommissar Bert Melzig machte sie mittlerweile eine Ausnahme. Wenn einer Imke Thalheim helfen konnte, dann er. »Aber wie?«, murmelte sie. »Selbst er braucht einen Anhaltspunkt.«

Die Katzen gaben ihr keine Antwort. Sie schlossen beim Klang ihrer Stimme bloß die Augen und mummelten sich tiefer in ihren Pelz.

Merle nahm sich vor, weiter im Internet zu forschen. Und wenn sie sich durch meterhohen Müll arbeiten musste – irgendwo versteckte sich die eine Information, die sie weiterbringen würde.

*

Tilo Baumgart gähnte. Er hatte einen langen Tag hinter sich. Die Patienten hatten sich die Klinke in die Hand gegeben. Nicht alle hatten einen Termin gehabt, aber Tilo gehörte nicht zu den Psychologen, die ihre Verantwortung an der Garderobe abgaben. Menschen, die eine Therapie machten, durchlebten Höhen und Tiefen, die sich nicht nach dem Terminkalender richteten. Ein Therapeut musste das wissen und berücksichtigen.

Er hatte ein kurzes Mittagessen einschieben können, zusammen mit einem Kollegen, den er sehr schätzte und mit dem er sich bei schwierigen Fragen gern austauschte. Sie hatten, wie jedes Mal, die Vorzüge einer Gemeinschaftspraxis diskutiert, waren jedoch, wie jedes Mal, mit ihren Überlegungen keinen nennenswerten Schritt vorangekommen.

Am Nachmittag war Ruth ausgefallen, die wieder mit einer ihrer Migränen zu kämpfen gehabt hatte. Bleich, zittrig und halsstarrig hatte sie die Stellung gehalten, bis es Tilo endlich gelungen war, sie davon zu überzeugen, dass sie ins Bett gehörte.

Von da an war der Tag komplett aus dem Ruder gelaufen.

Tilo hatte sich gewünscht, sich verdoppeln oder verdreifachen zu können. Er hatte versucht, Ruhe zu bewahren und eine Gelassenheit auszustrahlen, von der er Lichtjahre entfernt gewesen war. Die Routine war ihm dabei zu Hilfe gekommen. Sie sprang immer ein, wenn er im Chaos unterzugehen drohte.

Jetzt saß er da, die Füße auf dem Schreibtisch, die Hände im Nacken verschränkt, und genoss mit geschlossenen Augen die Stille, die nach dem letzten Termin in den Räumen eingekehrt war. Er fühlte sich alt.

Erschöpft und ausgelaugt, wie er war, freute er sich auf den Anblick der alten Mühle. Auf den Moment, in dem er den Zündschlüssel abziehen und die Scheune verlassen würde. Auf das Knirschen der Kieselsteinchen unter seinen Schritten. Auf Imke, die ihm aus ihrem Zimmer entgegenkommen würde, die Lesebrille noch auf der Nase, das Haar zerstrubbelt, weil sie die Angewohnheit hatte, beim Denken die Finger darin zu vergraben.

Sie würden sich unterhalten, einander immer wieder vor lauter Eifer unterbrechen und sich lachend dafür entschuldigen. Sie würden kochen und zu Abend essen und Wein trinken, der in den Gläsern funkelte.

Tilo würde endlich zu Hause sein.

Auf dem Weg zu seinem Wagen schob er den Gedanken an Imkes Abreise beiseite. Er wollte nicht darüber nachgrübeln, wie lange sie getrennt sein würden. Wochen? Monate? Unvorstellbar. Dabei war er jahrelang vor jeder Bindung davongelaufen.

Alter Narr, dachte er und zog den Mantelkragen hoch.

Der Wagen sprang nicht an. Er machte in letzter Zeit häufig Zicken. Tilo musste mal nach der Zündung sehen lassen. Vermutlich war sie nicht richtig eingestellt. Erst beim dritten Versuch begann der Motor zu tuckern, unregelmäßig und viel zu leise, als wollte er im nächsten Moment endgültig verstummen.

Während Tilo sich einen Weg durch den Berufsverkehr bahnte, geriet er doch ins Grübeln. Er war sich absolut sicher, dass es eine kluge Entscheidung von Imke war, sich dem Stalker zu entziehen, zweifelte jedoch daran, dass der Mann daraufhin von ihr ablassen würde. Wozu war so einer fähig, wenn man ihn reizte? Und war das Sauerland weit genug entfernt, um Imke zu schützen?

»Sonntagsfahrer!«

Der Mercedes vor ihm war abrupt zum Stehen gekommen und Tilo wäre ihm fast aufgefahren. Das kam davon, wenn man mit dem Kopf nicht bei der Sache war. Und mit dem Herzen, dachte Tilo. Für einen Psychologen hatte er die Sorgen, die er sich um Imke machte, geradezu lehrbuchmäßig verdrängt. Das funktionierte eine Zeit lang, dann suchten sie sich von ganz allein ein Ventil.

Der Rauch aus den Schornsteinen wurde vom eisigen Wind zerfetzt und auseinandergetrieben. Die Menschen hatten sich in ihren Jacken und Mänteln verkrochen. Einige hatten sich den Schal über die Nase geschoben. Es war eine Stimmung wie in der Vorweihnachtszeit.

Tilo griff nach seinem Handy.

»Ja, bitte?« Früher hatte Imke sich mit ihrem Namen gemeldet. Das tat sie nun nicht mehr. Eine neue Zeitrechnung hatte angefangen. Es gab das Leben vor dem Stalker und das Leben danach. Das war ungeheuerlich.

»Wenn du auf eine einsame Insel zögest«, fragte Tilo. »Wen würdest du mitnehmen?«

»Dich«, antwortete Imke prompt. »Dich, einen Koffer voller Bücher, meinen Laptop, eine Vorratspackung an Kugelschreibern und jede Menge Papier. Und deswegen rufst du an?«

»Ich wollte mich nur vergewissern, dass du auf mich wartest.«

»Das habe ich mein Leben lang getan.« Sie lachte leise, sodass er wusste, sie hatte es nicht ernst gemeint.

»Und ich wollte dir sagen, dass ich ein bisschen später komme. Mein Wagen ist wieder nicht angesprungen. Vielleicht schaue ich kurz bei der Werkstatt vorbei.«

»In Ordnung. Ruf mich an, wenn sie ihn dabehalten müssen, dann hol ich dich ab.«

Ein Rauschen störte die Verbindung und Tilo beendete das Gespräch. Auch die Freisprechanlage schien den Geist aufzugeben. Das hatte ihm gerade noch gefehlt.

Tilo beschloss, einen Umweg in Kauf zu nehmen, um sich das lästige Stop and Go zu ersparen. Kurz darauf hatte er die Stadt verlassen. Der Verkehr war nicht mehr so dicht. Auf den Gehsteigen sah man nur noch vereinzelt Menschen. Tilo überholte den Sonntagsfahrer, machte das Radio an und gab Gas.

*

Richie war schon dabei, die Werkstatt zu kehren, als noch ein Wagen auf den Hof fuhr. Manuel fluchte leise in sich hinein. Er hatte sich auf einen pünktlichen Feierabend gefreut. Es war nicht viel los gewesen an diesem Tag. Lars und Tonio hatten längst das Weite gesucht, ebenso wie Alfred, der Meister. Es war achtzehn Uhr dreißig und eigentlich hatten sie seit einer halben Stunde geschlossen.

Besaßen die Leute denn keinen Anstand mehr?

Manuel war bereits auf dem Weg nach draußen, um den Mann, der da aus seinem Auto stieg, mit einem Minimum an Freundlichkeit wieder wegzuschicken, als er ihn erkannte.

»Bin ich zu spät?«

Tilo Baumgart. Ihr Lebensgefährte.

»Was kann ich für Sie tun?«

»Er springt nicht an und läuft unregelmäßig. Ich hab Angst, dass er mir unterwegs stehen bleibt.«

»Ich seh ihn mir mal an.« Manuel streckte die Hand nach dem Zündschlüssel aus. Finster erwiderte er den erstaunten Blick, den Richie ihm zuwarf. »Du kannst Schluss machen für heute.«

Der Lehrling räumte Besen und Kehrschaufel fort, packte seine Sachen und verließ eilig den Hof, bevor Manuel es sich anders überlegen konnte.

Während Manuel sich mit dem Wagen beschäftigte, stand Tilo in der Tür und schaute ihm zu. Manuel fühlte eine Erregung, die ihm die Finger zittern ließ. Dieser Mann war Teil ihres Lebens, und nun stand er hier, in der Werkstatt. Er lebte mit Imke Thalheim, frühstückte mit ihr, lachte und stritt mit ihr, liebte sie.

Er durfte sie berühren. Jederzeit.

Vielleicht diskutierte sie Schreibkonzepte mit ihm. Las ihm aus ihren noch nicht vollendeten Manuskripten vor.

Wie er den Mann beneidete! Und wie er ihn hasste!

Er musterte ihn aus den Augenwinkeln. In Manuels Familie hätte man jemanden, der sich so anzog, einen feinen Pinkel genannt. Bügelfaltenhose, weiche italienische Lederschuhe, Sakko und ein schwarzer Wollmantel, den er offen trug.

Manuel machte sich nicht viel aus Klamotten, aber er erkannte gute Kleidung, wenn er sie vor sich sah. Er selbst bevorzugte Jeans und verzichtete nur ungern auf seine Turnschuhe. Bei der Arbeit trug er festes Schuhwerk, das war Vorschrift, aber in seiner Freizeit beugte er sich keinem Diktat, auch nicht dem der Mode.

Eingebildeter Fatzke, dachte er.

Tilo Baumgart. Praxis in einer sozialen Brennpunktgegend. Autor verschiedener psychologischer Sachbücher. Vorträge mit breit gefächertem Themenspektrum. Aktuell hochgelobt für seine Arbeit im Bereich multiple Persönlichkeitsstörung.

Manuel wusste alles über ihn, denn er hatte seine Hausaufgaben gemacht. Er hatte sogar einen der Vorträge besucht. Die Zuhörer waren beeindruckt gewesen, ebenso wie Manuel selbst. Anschließend hatte Tilo Baumgart sich den Fragen des Publikums gestellt. Es war Manuel aufgefallen, dass er nicht ausgewichen war. Weder bei persönlichen Fragen noch bei denen, die kritisch waren.

Jetzt schaute Tilo Baumgart sich in der Werkstatt um. Der Raum war vollgestopft mit Werkzeugen, Maschinen und allen möglichen Materialien, die ein Laie nicht einzuordnen wusste. Die meisten reagierten darauf wie Tilo Baumgart auch – mit einer seltsam distanzierten Scheu.

»Schon was gefunden?«, fragte er, als er Manuels Schweigen nicht länger aushielt.

Manuel richtete sich auf und drehte sich zu Tilo Baumgart um. »Bis jetzt noch nicht. Ich würde ihn mir morgen gern noch mal in Ruhe ansehen.«

»Das heißt …«

»Sie lassen ihn hier oder bringen ihn morgen wieder vorbei.«

»Hätten Sie einen Leihwagen für mich?«

»Tut mir leid. Das Büro ist nicht mehr besetzt, und ich weiß nicht, ob der Leihwagen, den wir noch hierhaben, eventuell für einen Kunden reserviert ist.«

»Macht nichts.« Tilo Baumgart zog ein Handy aus der Tasche. »Ich werde meine Frau bitten, mich abzuholen.«

Meine Frau.

Tilo Baumgart war nicht mit Imke Thalheim verheiratet, das hatte Manuel recherchiert. Er hatte kein Recht, sie so zu nennen.

Denn sie ist nicht deine Frau! Sie gehört mir, und es wäre besser für dich, wenn du das in deinen Schädel kriegen würdest!

Tilo Baumgart wandte sich zur Seite und senkte die Stimme. »Hallo, Ike.«

Ike …

Das Herz schlug Manuel bis zum Hals. Er sah den schweren Kreuzschlüssel auf der Werkbank liegen, doch er fasste ihn nicht an. Nicht jetzt. Noch nicht. Schwer atmend stieß er die Hände in die Taschen seines Overalls. Seine Zeit würde kommen. Alles, was er brauchte, war Geduld.

*

Imke stellte gerade die Schüssel mit dem Salat auf den Tisch, als das Telefon klingelte. Ein Blick auf das Display zeigte ihr, dass aus dem geplanten gemütlichen Abendessen nichts werden würde.

Tilo erklärte ihr, dass er nicht zu der Autowerkstatt gefahren war, die er üblicherweise aufsuchte. Er war dem Berufsverkehr ausgewichen und dabei zufällig in irgendeiner Werkstatt unterwegs gelandet. Imke notierte sich die Adresse, zog die dicke Jacke an, schnappte sich ihre Handtasche und ging zur Scheune hinüber.

Wie dunkel es war. Die Luft roch nach Winter und Rauch. Ein Vogel piepste einsam und verfroren irgendwo auf dem

Dach. Dabei war der Frühling doch schon greifbar nah gewesen.

Imke betrat die Scheune und hielt unwillkürlich den Atem an. Ihr Blick suchte blitzschnell die Stellen ab, die der Lichtkreis der Außenlampe aus dem Dunkel hervorhob.

Nichts Beunruhigendes.

Trotzdem beeilte Imke sich mit dem Einsteigen und verriegelte die Türen, bevor sie den Zündschlüssel im Schloss drehte. Erst als der Motor ansprang, stieß sie den Atem wieder aus.

Doch nicht einmal im Auto fühlte sie sich sicher. Sie war froh, als sie auf die Landstraße kam und anderen Fahrzeugen begegnete. Während des Fahrens programmierte sie das Navigationsgerät, ein Leichtsinn, der schon so manchen das Leben gekostet hatte, aber um nichts auf der Welt hätte sie jetzt am Straßenrand angehalten, um das zu erledigen.

Tilo war wirklich am Ende der Welt gestrandet. Kaum Häuser, schlechte Straßen, karge Beleuchtung. Nur die Werkstatt selbst war mit einer Außenlampe versehen, die grelles, weithin sichtbares Licht auf den Hof warf.

Auto Biegler, las Imke auf dem Schild über dem mächtigen Werkstatttor. Im ersten Stock befand sich hinter dunklen Fensterscheiben offenbar eine private Wohnung, denn das hell erleuchtete Büro war in einem kleinen Anbau untergebracht. In einem der beiden Fenster sah Imke die Silhouetten zweier Männer, die sich in einem Gespräch zu befinden schienen. Sie stellte den Wagen ab und stieg aus.

Vorsichtig umkreiste sie mehrere Pfützen, in denen das Wasser zu Eis erstarrt war. Das Licht der Außenlampe war heftig und brutal und blendete sie, obwohl sie nicht hinsah. Imke war hungrig und müde und ihr war lausig kalt.

Insgeheim erwartete sie, im nächsten Moment einem muskulösen, angriffslustigen Rottweiler gegenüberzustehen, und war auf der Hut. Dieses Grundstück, umgeben von einer hohen weißen Mauer, war der ideale Ort für einen Kettenhund, der gegen Abend losgelassen wurde, um auf dem Gelände für Ruhe zu sorgen.

Als sie an der Tür angelangt war, erkannte Imke Tilos Stimme. Erleichtert griff sie nach der Klinke und drückte sie herunter. Sie betrat eine kleine, quadratische Diele und hatte die Wahl zwischen zwei weiteren Türen – und das Gefühl, einen Traum ein zweites Mal zu träumen.

Wieder hörte sie Tilos Stimme. Ein schwacher Parfümduft hing in der Luft. Imke klopfte an die Tür, hinter der sie Tilo sprechen gehört hatte, und machte sie auf.

Das Büro war lieblos eingerichtet und erinnerte Imke an ihre erste Studentenbude. Der Raum war vollgepfropft mit abgewohnten, düsteren Möbelstücken. Der Teppichboden, der eine undefinierbare Farbe hatte, irgendeine Nuance zwischen Braun, Grün und Grau, war übersät mit Flecken verdächtigster Herkunft. Das ungepflegte, stumpfe Holz der beiden Schreibtische war verunziert von Dellen, Kratzern und schwarzen Brandlöchern.

Der Mann, der bei Tilo stand, passte nicht in diese Umgebung. Er trug zwar den typischen dunkelblauen Arbeitsanzug, starr vor Schmutz, und seine Hände, mit denen er sich auf einem der Schreibtische abstützte, waren ölverschmiert, aber er hatte etwas an sich, das diesem armseligen Durcheinander hier zu widersprechen schien.

Er war groß und schlank, mit breiten, kräftigen Schultern. Sein Gesicht war schmal und beherrscht. Ein Dreitagebart bedeckte Kinn und Wangen. Das dunkle, etwa schulterlange Haar hatte er im Nacken gebunden. Imke hätte ihn eher für einen Taekwondo-Meister gehalten als für einen Autoschlosser.

Tilo kam auf sie zu und legte ihr die Hand auf die Schulter. »Meine Frau«, stellte er sie vor. Er tat das manchmal, wenn ihm lange Erklärungen zu umständlich waren.

»Hallo«, sagte Imke.

»Hi.« Der Mann hatte sich aufgerichtet und begrüßte Imke mit einem knappen Neigen des Kopfs. Er erwiderte ihr Lächeln nicht. Seine Augen waren dunkel, fast schwarz, und schienen aus sich heraus zu glühen. Er erinnerte Imke an den jungen Omar Sharif in *Doktor Schiwago*.

Plötzlich lag eine drückende Stille im Raum. Auch Tilo schien sich ihrer bewusst zu sein. Er fuhr sich mit den Fingern durchs Haar und murmelte etwas Unverständliches.

Imke hatte das Gefühl, in dem schon einmal geträumten Traum festzustecken. Sie konnte sich nicht bewegen, nicht denken und erst recht nicht sprechen. Etwas lähmte sie, und sie wusste nicht, was.

»Also dann.« Tilo fasste sie beim Arm und führte sie hinaus. »Sie rufen mich dann an, in Ordnung?«, sagte er über die Schulter.

Der Mann antwortete nicht. Vielleicht hatte er zu Tilos Worten genickt oder zur Bestätigung die Hand gehoben. Imke drehte sich nicht nach ihm um. Wieder nahm sie den Hauch von Parfüm wahr, bevor die Kälte draußen über ihnen zusammenschlug.

»Ist der immer so wortkarg?«, fragte sie, als sie ins Auto stiegen.

Tilo nickte.

»Scheint ansteckend zu sein«, spottete Imke.

Tilo rieb sich das Gesicht. »Lass uns nach Hause fahren.«

Nach Hause. Meine Frau.

Kurz sah Imke noch einmal Omar Sharifs Augen vor sich, dann hatte sie sie wieder vergessen. »Ja«, sagte sie. »Nach Hause.«

12

Meine Mutter hatte gepackt, aber sie reiste nicht ab. Sie schien die Hoffnung zu haben, dass der Stalker sich ein anderes Opfer gesucht hätte. Gegen jede Vernunft und gegen jede Erfahrung. Ein einziger Blick in die betreffenden Foren genügte, um zu wissen, dass ein Besessener das Objekt seiner Begierde niemals freiwillig aufgab.

Sie vermied das Thema, wenn wir miteinander telefonierten, und ich akzeptierte das. Ich wusste selbst nur zu gut, dass es Zeiten gibt, in denen Reden nicht hilft.

»Kann doch sein«, überlegte Merle laut, »dass der Typ einfach die Lust an seinen Spielchen verloren hat.«

»Das sind keine Spielchen«, widersprach ich ihr. »Das ist tödlicher Ernst. Dieser Mann ist gestört, Merle, und er hat sich in seinem Wahn auf meine Mutter fixiert. Mich beunruhigt seine Zurückhaltung eher. Als würde er seine Kraft für einen neuen Angriff sammeln.«

»Vielleicht macht er Urlaub?«

Es war Samstag, und wir waren seit dem frühen Morgen damit beschäftigt, die Küchenwände zu streichen. Die Tapeten hatten wir überall im Haus abgekratzt, die Löcher im Verputz zugeschmiert. Auf neue Tapeten hatten wir verzichtet. Die ganze Umzugsaktion würde sowieso noch teuer genug werden. Außerdem sahen gestrichene nackte Wände ein bisschen so aus, als lebte man in einem alten italienischen Kloster.

»Urlaub würde ihn bestimmt nicht davon abhalten, meiner Mutter seine kranken Botschaften zukommen zu lassen.«

»Wahrscheinlich nicht.« Merle trug aufgekrempelte Jeans und einen alten, schlabberigen Pulli, genau wie ich. Sie war von Kopf bis Fuß mit Farbe besprenkelt. »Übrigens«, sagte sie. »Was ist eigentlich mit Luke? Wollte er uns nicht heute helfen?«

»Es ist ihm was dazwischengekommen.«

»Lass mich raten. Arbeit?«

Immerzu kam Luke etwas dazwischen. Meistens hatte es mit seinem Studium zu tun oder mit einem seiner Jobs. Von denen hatte er offenbar eine ganze Menge, aber er erzählte so gut wie gar nicht davon, und ich wollte ihn nicht aushorchen.

»Und Claudio?«, fragte ich, um von Luke abzulenken. Außerdem gefiel mir der geringschätzige Unterton in Merles Stimme nicht. »Der wollte doch auch mit anfassen.«

»Kann nicht. Überraschender Besuch aus Sizilien. Onkel und Tante auf Deutschlandtournee. Er macht Sightseeing mit ihnen. Wahrscheinlich muss jede Kirche in einem Radius von dreißig Kilometern daran glauben. Seine Familie ist gnadenlos fromm.«

»Geschieht ihm recht.«

»Außerdem ...« Merle tunkte den Farbroller in ihren Eimer und klatschte ihn dann wütend an die Wand »... außerdem ist das der mindestens achthundertvierundsiebzigste Versuch dieser gnadenlos frommen Familie, Claudio an seine Pflichten gegenüber seiner Verlobten zu erinnern.«

Wieder patschte sie den vollgesogenen Farbroller gegen die Wand. Ockerfarbene Spritzer verteilten sich explosionsartig in alle Richtungen, ockerfarbene Rinnsale liefen auf den Fußboden zu.

»Du sollst die Wand bloß streichen, Merle. Du sollst sie nicht ermorden.«

Die sizilianische Verlobte. Das hätte der Titel für einen Roman meiner Mutter sein können, aber er war traurige Wirklichkeit. Nach jedem Streit versprach Claudio Merle das Blaue vom Himmel, doch dann zeigte er wieder kein Rückgrat.

»Ich sollte Schluss machen.«

»Das schaffst du nicht.«

»Weiß ich selber.«

»Die Farbe muss für die gesamte Küche reichen«, sagte ich.

Merle betrachtete skeptisch den Eimer zu ihren Füßen. »Hätten wir nicht besser Sonnenblumengelb nehmen sollen?«

»Uns war nach Gutshof, erinnerst du dich?« Tatsächlich hatten wir uns dieses piekfeine Gutshofocker eigens im Baumarkt mischen lassen.

»Genau.« Merle grinste. So gefiel sie mir schon viel besser. »Nach altem Landadel und einem verwunschenen Rosengarten …«

»… mit lauter schottischen Sorten. Und alle Blüten sollten aussehen wie aus Porzellan.«

»Kriege ich ein Gewächshaus? Es muss nicht groß sein, Jette. Mir reicht ein klitzekleines.«

»Und dann wirst du deine Begabung fürs Gärtnern entdecken?«

»Wer weiß? Wir könnten den Hof doch auch wieder bewirtschaften. Hast du mal darüber nachgedacht?«

»Hühnermist und Schafdung. Danach hab ich mich immer schon verzehrt.«

Merle legte den Farbroller ab und streckte sich. »Ein bisschen heile Welt, wär das nicht schön?«

Meine Welt war in Scherben gefallen, als meine Eltern sich scheiden ließen und mein Vater mit Angie, seiner Sekretärin, einen Sohn bekam. Sie hatte sich nicht mehr kitten lassen, meine Welt, im Gegenteil. Sogar die Scherben waren noch einmal zu Bruch gegangen. Damals.

»Heile Welt? Das ist vorbei«, sagte ich leise.

Der sehnsüchtige Ausdruck verschwand von Merles Gesicht. »Scheiß drauf«, sagte sie. »Wozu brauchen wir eine heile Welt? Wir haben doch uns.«

Sie reichte mir eine ockerfarbene, glitschige Hand. Ich nahm sie und sah Tränen in Merles Augen.

»Guck nicht so!« Sie tupfte sich die Augenwinkel vorsichtig mit einem Zipfel ihres Pullis. »Ich hab nur was ins Auge gekriegt.«

Schweigend arbeiteten wir weiter. Heile Welt, summte es in meinem Kopf, heile, heile Welt. Ein Märchen, längst vergessen. Wahrscheinlich hatte ich einmal daran geglaubt, mit vier oder fünf. Inzwischen war ich erwachsen geworden.

*

Bert hatte sich vorgenommen, es am Wochenende ruhig angehen zu lassen und den Samstag mit überfälligen kleinen Arbeiten zu vertrödeln – ein bisschen in der Garage aufzuräumen, den lockeren Porzellanknauf an der mittleren Schublade des Esszimmerschranks wieder festzuschrauben, die durchgebrannte Glühbirne im Wäschekeller auszuwechseln und ganz grundsätzlich Zeit für die Familie zu haben.

Vielleicht konnte er Margot zu einem Kinobesuch am Abend überreden. Sie waren einmal leidenschaftliche Kinogänger gewesen, früher, am Anfang ihrer Ehe. Jeden neuen Film hatten sie sich angeschaut und ihn danach stundenlang in irgendeiner verräucherten Imbissstube diskutiert.

Bert sehnte sich auf einmal nach dieser Zeit zurück. Nach einem richtig guten Film, einem anschließenden Candle-Light-Dinner beim Italiener oder beim Griechen und einem langen Spaziergang durch die Nacht.

Er hatte Sehnsucht danach, etwas Verrücktes zu tun.

Wie damals, als sie in einer warmen Sommernacht unter der Fontäne eines neu installierten Springbrunnens getanzt hatten. Das war im Stadtpark gewesen, und es hatte nach geschnittenem Gras geduftet und nach den Rosenstöcken, die die weiten Rasenflächen begrenzten. Sie hatten einander umarmt, die nassen Kleider hatten an ihren Körpern geklebt, und Bert hatte gar nicht mehr aufhören können, Margot zu küssen. Später waren sie bibbernd und triefend und kichernd nach Hause gelaufen und die Leute waren ihnen aus dem Weg gegangen.

Weil Glück etwas Heiliges ist, dachte Bert. Weil es die Außenstehenden scheu macht und andächtig.

Wann hatte er das zuletzt empfunden, Glück?

Eine Szene aus *Cabaret* kam ihm in den Sinn, die Szene, in der Liza Minelli in einer Unterführung steht und aus Leibeskräften schreit, während oben ein Zug über sie hinwegdonnert.

Schreien. Aus purer Lebenslust. Wann hatte er zuletzt so etwas getan?

Lange her.

Als er die Garagentür öffnete, kehrten seine Gedanken zum Vortag zurück. Der Chef hatte ihn zu einem Gespräch zitiert und ihn hinter seinem einschüchternden Schreibtisch erwartet, das alte Psychospiel, er wurde seiner einfach nicht überdrüssig. Der Schreibtisch war so gut wie leer gewesen, kein Ordner, kein Notizbuch, nicht mal ein Blatt Papier oder ein Kugelschreiber hatten auf der polierten, spiegelnden Fläche gelegen.

Ohne höfliche Umwege war der Chef zum Thema gekommen. »Fortschritte in der Sache Thalheim, Melzig?«

Zur Sache kommen, das konnte Bert auch. »Nein. Keine Fingerabdrücke, keine Spuren, nichts.«

»Was ist mit den Anrufen und den E-Mails? Haben Sie die zurückverfolgen können?«

Bert hatte den Kopf geschüttelt. »Dieser Mann hat uns noch nicht den Gefallen getan, einen Fehler zu machen.«

»Woher wissen wir, dass wir es mit einem Mann zu tun haben? Schon klar – er hat mit Frau Thalheim telefoniert und nennt sich *der* Schattengänger – aber könnte es nicht sein, dass die Stimme verfremdet war und der Name uns irreführen soll?«

»Er scheint sie lediglich verstellt zu haben. Frau Thalheim ist sich hundertprozentig sicher, mit einem Mann telefoniert zu haben.«

»Und dann hat sie ihn ja auch gesehen, nicht wahr?«

»Nur schemenhaft. Es war Nacht.«

»Gibt es ein Täterprofil?«

»Wir arbeiten daran.«

Der Chef hatte Bert noch einmal eindringlich vor Augen gehalten, dass in dieser Angelegenheit alles Erdenkliche getan werden musste, dann hatte ein Anruf das Gespräch beendet.

Das Täterprofil ...

Bert stellte sich einen großen Karton zurecht, um darin die Abfälle zu sammeln. Er hatte sich dazu entschlossen, in der Garage reinen Tisch zu machen und sich von allem zu trennen, was er in den vergangenen Jahren nicht angerührt hatte, denn das war ein Indiz dafür, dass er es vermutlich auch in den folgenden Monaten nicht brauchen würde. Er warf Polierpaste, eingetrocknete Farbreste und zerfressene Autoschwämme weg, ließ einen kaputten Wecker, eine zerbrochene Taucherbrille und eine verrostete Luftpumpe in den Karton fallen.

Das Täterprofil. Isa hatte ihm eindringlich und herzlich ihre Unterstützung angeboten. Er würde darauf zurückkommen. Er war dankbar für jede Hilfe, die er bekommen konnte.

*

Obwohl er keinen Notdienst hatte, war Tilo in die Praxis gefahren, um sich dort mit einem jungen Mann zu treffen, der ihm seit einiger Zeit Sorgen bereitete. Imke wusste nichts Genaueres. Sie hatte längst akzeptiert, dass die Schweigepflicht Tilo heilig war. Er hatte ihr lediglich anvertraut, dass er sich seit Wochen bemühte, diesen Patienten von der Notwendigkeit einer stationären Therapie zu überzeugen. Bis dahin war er für ihn da, wie auch für jeden anderen Patienten, der ihn brauchte, und das bedeutete, dass er tatsächlich rund um die Uhr über sein Notfallhandy erreichbar blieb.

»Ich würde anschließend gern noch ein paar liegen gebliebene Arbeiten erledigen«, hatte Tilo gesagt. »Geht das in Ordnung?«

»Lass dir Zeit«, hatte Imke geantwortet. »Ich habe auch noch jede Menge zu tun.«

Sie hatte ihn zur Tür gebracht und ihm nachgeschaut, als er davongefahren war. Sein Wagen war wieder intakt. Irgendetwas mit dem Vergaser hatte nicht gestimmt.

Tilo hatte sich für die zwei Tage, in denen er auf seinen Mazda verzichten musste, einen Leihwagen genommen.

»Aber du kannst doch mein Auto ...«, hatte Imke ihm angeboten und erschrocken innegehalten. Für einen Moment hatte sie es vergessen: In der Situation, in der sie sich zurzeit befand, konnte es lebenswichtig sein, hier draußen in der Abgeschiedenheit über einen Wagen zu verfügen.

Immer wenn Tilo wegfuhr, ließ er eine Stille zurück, die das Haus bis in den letzten Winkel füllte. Eigentlich hatte Imke niemals mehr von einem Mann abhängig sein wollen. Es tat zu weh, ihn irgendwann wieder zu verlieren. Sie hatte nicht vorgehabt, sich jemals wieder zu verlieben.

Liebe machte schwach. Sie machte verletzlich und hinterließ Wunden, die niemals heilten. Hatte sie das nicht mühsam erfahren müssen?

Und dann war Tilo gekommen und hatte all ihre Gedanken und Vorsätze, ihr Selbstmitleid und ihren Größenwahn über den Haufen geworfen. Immer tiefer hatte er sich in ihr Leben geschlichen, in ihren Kopf und ihr Herz, und war schließlich geblieben.

Imke ging in die Küche und beseitigte das Chaos, das noch vom Frühstück dort herrschte. Sie horchte auf das Klappern des Geschirrs, lauschte ihren Schritten, hörte ein Flugzeug am Himmel und spürte, wie die Stille sich zurückzog.

Sie nahm sich vor, die Wochenendeinkäufe zu erledigen, bevor sie sich an den Schreibtisch setzte. Fing sie erst einmal mit dem Schreiben an, würde sie später keine Lust mehr haben, die Arbeit zu unterbrechen.

Draußen war es nass und kalt. Feiner Sprühregen benetzte ihr Gesicht. Die leeren Wasserflaschen klapperten in dem Kasten, den Imke mit beiden Händen trug. Der graue Himmel hing tief über dem trostlosen Land, als wollte er auch noch den Rest von Lebendigkeit ersticken.

Imke merkte, dass sie sämtliche Muskeln angespannt hatte. Im Haus gelang es ihr meistens, ihre Ängste zu verdrängen, doch sobald sie es verließ, fühlte sie sich wehrlos und angreifbar.

Der Schuppen war so weit weg. So groß. Und so dunkel.

Imke verspürte den fast unwiderstehlichen Impuls, das Leergut fallen zu lassen, umzukehren und ins Haus zu flüchten. Sie fasste den Kasten fester und hob entschlossen den Kopf.

Das wäre der Anfang vom Ende. Wenn sie ein einziges Mal der Furcht nachgab, war es um sie geschehen. Dann würde sie zu einem Häuflein Elend schrumpfen und nicht mehr lebenstüchtig sein.

Lebenstüchtig, dachte sie. Wer denkt sich nur solche Wörter aus?

Sie öffnete den Kofferraum und stellte den Kasten hinein.

Das Scheppern machte einen höllischen Lärm. So leise wie möglich drückte sie den Kofferraumdeckel wieder zu. Dann fiel ihr ein, dass es gar nicht nötig war, leise zu sein.

Wenn er hier ist, beobachtet er mich sowieso.

Die Haut in ihrem Nacken wurde kalt wie Eis. Imke hörte ein Rauschen in den Ohren. Mit dem Rest an Beherrschung öffnete sie die Tür auf der Fahrerseite. Erst dann verließ sie der Mut. Sie warf sich in den Wagen und aktivierte wimmernd die Zentralverriegelung.

Panikschalter hatte der Verkäufer den Schalter, den sie dazu drücken musste, im Verkaufsgespräch genannt, und Imke hatte den Begriff damals reichlich übertrieben gefunden und milde belächelt. Nun wusste sie, wie er zu seinem Namen gekommen war.

Sie gab Gas und schoss mit quietschenden Reifen ins Freie, dass die Spatzen, die sich in den Bäumen zusammengerottet hatten, in einer schwarzen Wolke aufstoben.

Erst auf der Straße bekam Imke sich wieder in den Griff. Es wurde Zeit, dass sie abreiste. So konnte es nicht weitergehen.

Sie erledigte die Einkäufe mechanisch. Ab und zu wurde sie gegrüßt und lächelte halbherzig zurück. Sie würde sich nicht unterkriegen lassen, nahm sie sich zum hundertsten Mal vor. Von niemandem. Erst recht nicht von einem, der nicht aus dem Schatten trat.

Du machst mir keine Angst, dachte sie.

Und hatte feuchte Hände dabei.

Sie biss die Zähne so fest zusammen, dass ihre Kiefer schmerzten.

Mineralwasser. Obst. Gemüse. Kaffee. Tee. Brot. Käse. Aufschnitt. Fisch. Ein paar Tiefkühlprodukte. Das Landleben zwang zur Vorratshaltung, wenn man nicht wegen jeder vergessenen Kleinigkeit kilometerweit fahren wollte.

Schließlich war alles eingekauft und Imke musste zurück.

In die Stille der alten Mühle, die sie so liebevoll restauriert hatte, an der sie so sehr hing und in der sie all die Jahre so glücklich gewesen war. In die Einsamkeit, die sie unbedingt gewollt hatte.

Angst um Jette zu haben, war ihr vertraut. Doch nun hatte sie zum ersten Mal Angst um sich selbst. Sie wusste nicht, wie sie damit umgehen sollte.

Sie parkte den Wagen zum Entladen vorm Haus. Beeilte sich. Schaute sich nicht um, ein hässliches, banges Gefühl im Nacken. Sie zwang sich zu ruhigen Bewegungen. Nicht rennen, dachte sie, bloß nicht rennen.

Er soll deine Angst nicht sehen.

Verdammt. Wie viel hatte sie denn eingekauft? Es wollte und wollte kein Ende nehmen. Eine Tasche, eine Tüte nach der andern hob sie aus dem Kofferraum und schleppte sie ins Haus. Der Moment, in dem sie den Wagen in die Scheune zurückfahren musste, baute sich immer drohender vor ihr auf.

Ihre Beine gaben nach. Sie konnte sich nicht mehr auf sie verlassen.

Imke hielt sich so gerade, wie es irgend ging. Sie zwang sich dazu, tief durchzuatmen. Den Blick richtete sie starr auf den Weg oder auf die Haustür.

Sieh dich nicht um!

Als sie die letzte Tasche aus dem Kofferraum heben wollte, fingen ihre Hände an zu flattern, und Imke wusste, sie konnte den Wagen nicht in die Scheune bringen, ohne durchzudrehen.

Nicht rennen!

Hunde griffen an, sobald man losrannte. Vielleicht war es bei diesem Mann genauso. Möglicherweise konnte sie ihn auf Abstand halten, indem sie Gelassenheit und Selbstbewusstsein ausstrahlte.

Aber wie? Wo doch alles in ihr auseinanderzubrechen drohte.

Imke schlug den Kofferraumdeckel zu und der Schlüsselbund glitt ihr aus den Fingern. Mit einem hellen Geräusch landete er im Kies. Imke schaffte es gerade noch, ihn aufzuheben, als die Panik sie überfiel. Sie fing an zu rennen.

Nachdem sie die Haustür hinter sich zugeschlagen hatte, begann sie zu keuchen. Sie spürte Schweiß auf dem Gesicht. Vielleicht waren es auch Tränen.

Das Telefon läutete. Imke reagierte nicht. Sie hatte sich in der Küche zwischen die Einkaufstüten auf den Boden gekauert. Immer wieder hallte der Ruf des Telefons von der Halle aus durchs Haus und verlor sich in der Stille, die sich erneut in sämtlichen Winkeln breitgemacht hatte.

Imke zog die Beine an, legte den Kopf auf die Knie und hielt sich die Ohren zu.

*

Tilo tat das, womit er sein halbes Leben verbrachte – er hörte zu. Auf Bitten des Patienten hatte er das Aufnahmegerät eingeschaltet. Jede einzelne Stunde sollte dokumentiert werden, das war Ron sehr wichtig. Es war, als verfasste er auf diese Weise so etwas wie sein Vermächtnis.

Dazu war er eigentlich viel zu jung. Ron war siebzehn, da war man in der Regel mit dem Leben beschäftigt.

»Die Welt soll wissen, was ich denke«, hatte Ron gesagt. Und sofort den Kopf wieder eingezogen, als habe er sich zu weit hervorgewagt.

Die Welt. Für diesen Jungen ein kalter, feindlicher Ort, an dem er nichts verloren hatte. Seine Gedanken? Nicht mal Rons Mutter interessierte sich dafür. Er konnte froh sein, wenn sie ihn zwischen ihren vielen Besäufnissen überhaupt noch erkannte.

Ron hatte die Angewohnheit, kreuz und quer zu denken. Es gelang ihm nicht, seine Eindrücke zu ordnen. Also konnte es ihm auch nicht gelingen, sie systematisch in Worte zu fassen. Es bereitete ihm ja schon Mühe, überhaupt Worte zu finden.

Tilo rückte sich gequält in seinem Sessel zurecht. Rons Gestammel tat ihm weh. Er musste sich zusammenreißen, um nicht die unbeholfenen Sätze des Jungen für ihn zu Ende zu bringen und ihm so die Anstrengung zu ersparen.

Ungefragt drängte sich wieder der Stalker in seine Gedanken. Er war nicht Vergangenheit, wie Imke sich das einzureden versuchte. Er holte bloß Luft. Um danach umso kräftiger zuzuschlagen.

Tilo betrachtete Rons blasses Gesicht mit dem blonden Flaum am Kinn. Verwundert stellte er fest, dass die Augen des Jungen im hellen Licht der Lampe von einem intensiven Grün waren, das zu der Farblosigkeit der übrigen Erscheinung in krassem Widerspruch stand. Wieso war ihm das nie aufgefallen?

Die schmalen, blutleeren Lippen bewegten sich, gaben schiefe, schimmernde Zähne frei. Die Hände mit den nikotingelben Fingern und den abgebissenen Nägeln ruhten auf den mageren Oberschenkeln. Den Jeans hätte eine Wäsche gutgetan.

Der Rauch unzähliger Zigaretten hatte sich in Rons Kleidern festgesetzt. Bei jeder Bewegung wölkte der üble Geruch auf, vermischt mit undefinierbaren Essensdüften.

»... ein schwieriges Leben«, sagte Ron.

Warum nicht einer meiner Patienten?, überlegte Tilo. Hatte er nicht schon eine ganze Reihe von Übertragungen erlebt? Patientinnen und Patienten, die sich auf ihn fixiert hatten? Während einer Therapie waren sämtliche nur vorstellbaren Emotionen im Spiel. Liebe auf die eine oder andere Weise gehörte fast immer dazu.

Und manchmal Hass.

Die Patienten durchlebten die unterschiedlichsten Phasen. Anfangs waren sie voller Hoffnung, aber auch voller Abwehr und Angst. Sie hatten Sehnsucht nach Nähe und gleichzeitig das Bedürfnis, sich zurückzuziehen. Mühsam lernten sie, Tilo zu vertrauen. Sich gehen zu lassen. Oft brauchten sie Jahre dazu.

Manchen gelang es nie.

Und dann, wenn alles überstanden, jedes Tal durchschritten, jeder Gipfel erklommen, jeder Absturz verkraftet und die eine oder andere Wunde verheilt war, dann kam der Augenblick, in dem sie lernen mussten, wieder loszulassen.

Die Therapie war beendet.

Es gab Patienten, die ihn trotzdem ständig anriefen. Ihn mit Briefen bombardierten. Die wie Zugvögel immer wieder zur Praxis zurückfanden.

Bloß um Guten Tag zu sagen, Herr Doktor.

In Wahrheit wollten sie sich vergewissern, dass Tilo weiterhin an seinem Schreibtisch saß, Tag für Tag, rechtschaffen, vertrauenswürdig und im Notfall zuverlässig erreichbar.

Warum nicht einer von ihnen? Einer, der Tilo vorwarf, ihn im Stich gelassen zu haben. Einer, der die Abnabelung von seinem Therapeuten nicht verkraftet hatte. Einer, der seine ganze nicht erwiderte Liebe auf Tilo projiziert hatte. Der eifersüchtige Ehemann oder Freund einer schwärmerischen Patientin.

Tilo nahm sich vor, darüber nachzudenken.

Aber wo sollte er anfangen? Wie weit zurückgehen in seinen Überlegungen? Wer wollte ihn bestrafen?

Er zuckte zusammen. Irgendetwas war anders.

Ron. Er hatte aufgehört zu reden.

Still saß er da und schaute Tilo abwartend an. In seinem Blick lag etwas Lauerndes, Hungriges. Etwas, das nur darauf wartete, enttäuscht zu werden.

»Schön, Ron«, sagte Tilo und erwiderte den Blick seines Patienten mit einem aufmunternden Lächeln, während er realisierte, dass er von den letzten Sätzen rein gar nichts mitbekommen hatte. Er schaltete das Aufnahmegerät aus und legte Stift und Papier auf dem Tisch ab.

Ron stand auf. »Sie haben heute selber Kummer«, sagte er, und sein Blick flackerte unsicher. »Ich wünschte, ich könnte Ihnen auch ein bisschen helfen, so wie Sie mir.«

Beschämt begleitete Tilo ihn zur Tür. Als Psychotherapeut hatte er gründlich versagt.

*

Endlich gelang es Imke, sich aufzurappeln. Sie beugte sich über die Spüle und ließ kaltes Wasser über ihre Handgelenke laufen. Dann kämmte sie sich mit den Fingern das kurze Haar. Sie rieb sich mit beiden Händen übers Gesicht und strich Hose und Pulli glatt.

»So«, sagte sie laut und fing an, die Einkäufe zu verstauen.

Ein Teil kam in den Kühlschrank, ein Teil in die Vorratskammer. Das Gefrorene war bereits angetaut. Imke räumte es schnell in den Tiefkühlschrank. Die Getränkekästen hatte sie im Wagen gelassen. Die würde sie später holen.

Sie verteilte die Äpfel und Apfelsinen auf der Obstschale und trug sie in den Wintergarten. Dann gab sie die Rosen in eine Vase und stellte sie neben die Obstschale auf den Tisch. Die Rosen hatten kleine goldgelbe Blüten mit krausem Rand. Sie erinnerten Imke an lange, verdöste Sommernachmittage voller Sonne, am Strand vielleicht, mit den Rufen badender Menschen hinter einem angenehmen Schleier von Müdigkeit.

Als alles an Ort und Stelle war, hatte Imke sich wieder einigermaßen gefangen. Es war eine Panikattacke gewesen, sagte sie sich, nicht mehr und nicht weniger, ein subjektiver, zeitlich begrenzter Angstzustand, wie Tilo das wahrscheinlich nennen würde. Niemand hatte im Gebüsch gelauert, niemand sie bedroht. Sie war von ihrer eigenen Furcht in die Flucht geschlagen worden.

Sie gab Edgar und Molly, die ihre Chance witterten und ihr maunzend um die Beine strichen, von dem frisch gekauften Katzenfutter, machte sich einen Kaffee und ging die Treppe hinauf, um ein bisschen zu schreiben. Sie stieß die Tür ihres Arbeitszimmers auf und erstarrte mitten in der Bewegung.

Der Holzfußboden war über und über mit roten Blütenblättern bedeckt.

Zwischen ihnen leuchteten kleine Notizzettel, die von ihrem Schreibtisch zu stammen schienen.

Imke ließ die Tasse fallen. Der Kaffee schwappte dem schweren Porzellan mit einer winzigen Verzögerung hinterher. Imke presste die Hand vor den Mund, um nicht zu schreien.

Die Sekunden, die verstrichen, kamen ihr wie Stunden vor.

Auf Zehenspitzen betrat sie schließlich das Zimmer. Sie zwang sich, den Blick zu senken.

Auf jedem Zettel stand nur ein einziges Wort.

Du.

Immer und immer wieder *Du.*

Beklommen ließ Imke den Blick durch das Zimmer wandern. Nichts sonst war verändert.

Sie spähte aus dem Fenster und konnte auch dort nichts Ungewöhnliches entdecken. Sie wollte sich umdrehen, aber sie schaffte es nicht, sich zu bewegen.

Du. Du. Du.

Ein Wort nur. Zwei Buchstaben. Inmitten hauchdünner Blütenblätter.

Und doch so viel geballte Gewalt.

Das Wort schrie ihr von jedem Zettel entgegen. Fast konnte sie die Stimme des Mannes hören, der es geschrieben hatte, dutzendfach, in seiner kunstvollen, beherrschten Schrift.

DU.

Es war, als würde dieser Mann sie auf diese Weise berühren. Sie anfassen mit seinen groben, schmierigen Händen.

Imke hatte das Bedürfnis zu duschen. Sich von seinen Übergriffen zu reinigen. Aber dazu müsste sie zuerst das Zimmer verlassen. Über den Flur gehen und ins Bad.

Eine ungeheure Anstrengung.

Und wenn er noch in der Nähe war?

Das Entsetzen kroch ihr unter die Haut.

Mit einem enormen Kraftaufwand hob Imke den rechten Fuß, dann den linken. Sie musste den Sessel erreichen, auf dem das Telefon lag. Rechter Fuß. Linker Fuß. Zentimeter für Zentimeter bewältigte sie den kurzen, schweren Weg. Sie streckte die Hand nach dem Telefon aus. Wählte Tilos Nummer.

Dann versagten ihr die Beine und sie fiel, fiel und fiel.

13

Allem Anschein nach stand sie unter Schock. Als Tilo sie gefunden hatte, zusammengekauert hinter der Tür ihres Arbeitszimmers, war sie nicht fähig gewesen, auf ihn zu reagieren. Sie hatte ihn flüchtig wahrgenommen und weiter ins Leere gestarrt.

Tilo hatte sie ins Bett gebracht, sie mit einer Wolldecke zugedeckt, ihr eine Wärmflasche an die Füße gelegt und das Rollo ein Stück heruntergezogen. In dem wohltuenden Dämmerlicht hatte er an Imkes Bett gesessen, ihre Hand gehalten und ihr beim Einschlafen zugeschaut.

Fragen wären zu diesem Zeitpunkt sinnlos gewesen. Imke hätte ohnehin nicht geantwortet. Auch am Telefon hatte sie kein Wort herausgebracht. Tilo hatte ihre Nummer auf dem Display erkannt und aus ihrem Schweigen sofort geschlossen, dass etwas nicht in Ordnung sein konnte.

Keine Fragen, keine Antworten. Aber Tilo wusste ja, was passiert war. Imkes Arbeitszimmer hatte eine deutliche Sprache gesprochen.

Seit einer Stunde saß Tilo nun an ihrem Bett und hing seinen Gedanken nach. Was, wenn es tatsächlich einer seiner Patienten war, der ihr das antat? Er hatte den ganzen Morgen darüber nachgegrübelt, doch man sah den Leuten nicht hinter die Stirn, und gerade Tilo wusste, wie geschickt psychisch Gestörte ihre Gedanken verbergen konnten, ihre Absichten und ihre Gefühle.

Was, wenn es einer von ihnen war?

Dann bedeutete Tilo eine Gefahr für Imke, und es wäre besser, sich von ihr fernzuhalten. Er hatte seine Wohnung ja nicht aufgegeben, also könnte er doch, zumindest für eine Weile …

Imke bewegte sich. Sie stöhnte leise, und Tilo fragte sich, ob es nicht wesentlich gefährlicher für sie wäre, allein in diesem großen Haus zu leben.

Sie musste abreisen. Alles war vorbereitet. Sobald sie sich besser fühlte, musste sie aufbrechen. Er würde hier die Stellung halten. Für eine gewisse Zeit könnten sie den Stalker womöglich täuschen. Wenn sie Glück hatten, würde er erst ein, zwei Tage später merken, dass Imke ihm entkommen war.

Tilo hielt es für äußerst unwahrscheinlich, dass er Imke rund um die Uhr beobachtete. Dazu wären Komplizen nötig oder jede Menge Technik.

Seufzend streckte er die Beine aus, die vom Sitzen steif geworden waren. Er hätte sich gern genauer angeschaut, was der Verrückte in Imkes Zimmer angestellt hatte, aber er wagte nicht, Imke allein zu lassen, nicht mal für ein paar Minuten. Vielleicht …

Vielleicht ist er immer noch in der Nähe.

Blitzschnell saß Tilo aufrecht. Sein Blick flog durch das Zimmer. Ihm wurde heiß und kalt. Wie sollte er das Haus durchsuchen, ohne Imke auszuliefern, die hier vollkommen wehrlos lag und schlief?

Der Kommissar. Tilo hatte seine Nummern gespeichert, sowohl die dienstliche als auch die mobile. Er nestelte sein Handy aus der Tasche.

»Herr Kommissar«, sagte er leise. »Wir haben ein Problem.«

*

Fünf Minuten später hastete Bert über den Parkplatz, warf sich in seinen Wagen und preschte los. Es war nicht nötig, sich so zu beeilen, denn es waren bereits zwei Streifenbeamte zur alten Mühle unterwegs, aber Tilo Baumgarts Anruf hatte Bert elektrisiert.

Er hatte geahnt, dass der Stalker lediglich so etwas wie eine kreative Pause eingelegt hatte, um seine weitere Strategie festzulegen. Oder es war Teil seiner Zermürbungstaktik gewesen, dem Opfer eine kurze Illusion von Sicherheit vorzugaukeln, um die nächsten Aktionen spektakulärer in Szene setzen zu können. Wer konnte das sagen?

Und nun war er in Imke Thalheims Haus eingedrungen.

Verdammt!

Isa hatte schon angedeutet, dass Intensität und Qualität der Aktivitäten sich mit der Zeit ändern würden.

»Wenn das Opfer die Gefühle des Stalkers nicht erwidert, dann verstärkt er seine Bemühungen.«

Bemühungen. Eine geniale Untertreibung.

»Zeigt das Opfer Angst, so hat das ebenfalls Auswirkungen. Der Stalker will mehr davon, er wird süchtig danach. Wenn er schon keine Liebe bekommen kann, dann wenigstens Furcht. Sein Opfer soll etwas empfinden, das *er selbst* ausgelöst hat, *er selbst,* Gott und Teufel in einer Person. Es entsteht eine verhängnisvolle Spirale von Gewalt.«

Fluchend überholte Bert ein paar Tagträumer und Wochenendausflügler. Es kam ihm vor, als wäre die halbe Stadt mit dem Auto unterwegs. Sogar auf den Nebenstraßen herrschte reger Verkehr. Auf der Flucht, dachte Bert, vor sich selbst und der Langeweile und der Erkenntnis, dass sie sich im falschen Leben eingerichtet haben.

Und du?, hörte er Margots Stimme. Läufst du etwa nicht davon?

Damit hatte sie ins Schwarze getroffen.

Bert war froh, als endlich die Mühle vor ihm auftauchte. Der Streifenwagen stand schon da, ebenso der Wagen der

Spurensicherung. Die Beamten waren im Haus. Einer von ihnen öffnete ihm.

»Und?«, fragte Bert.

»Ein Kellerfenster stand offen«, antwortete der Beamte. »Groß genug für einen normalgewichtigen Erwachsenen, um bequem einzusteigen.«

»Kann der Kerl das gewusst haben?«

»Sehr wahrscheinlich. Das Ganze sieht nicht nach einer spontanen Aktion aus. Das Fenster führt in den Raum, in dem die Öltanks untergebracht sind. Frau Thalheim lässt es normalerweise einen Spaltbreit offen stehen, damit sich keine schädlichen Dämpfe entwickeln.«

»Ungesichert?«

»Sie hat es mit einem Stück Schnur festgebunden, um zu verhindern, dass es bei einem Windstoß gegen die Wand schlägt.«

»Mit einem Stück Schnur ...«

Die Arglosigkeit der Leute war manchmal erschreckend. Es wollte Bert nicht in den Kopf, dass ausgerechnet eine Krimiautorin, die sich den ganzen Tag mit Verbrechen befasste, einem Eindringling sozusagen Tür und Tor öffnete.

»Spuren?«

»Die Schnur wurde durchgeschnitten.«

»Und sonst?«

»Dieser Typ hat nichts Verwertbares hinterlassen. Er ist erschienen und verschwunden wie ein Geist. Als wär er gar nicht hier gewesen.«

Bert folgte dem Beamten in den Keller, wo die Kollegen sie erwarteten. Die eine Hälfte der durchtrennten Schnur baumelte schlaff am Griff des weit geöffneten Fensters, die andere hing verdreht an einem krummen Nagel in der Innenseite des Rahmens.

Der Kollege von der Spurensicherung hatte seinen Job hier

unten erledigt und verstaute das Arbeitsmaterial wieder sorgfältig in seinem Koffer, um oben weiterzumachen.

»Fingerabdrücke?«, erkundigte Bert sich bei ihm.

»Null.«

»Fußspuren?«

»Nichts.«

Geschwätzig war er nicht gerade. Bert schaute sich um. Es war ungewöhnlich sauber und ordentlich. Wahrscheinlich wischte die Putzfrau sogar die Kellerräume regelmäßig.

»Wo ist Frau Thalheim?«, fragte er den Beamten, der ihn hereingelassen hatte.

»In ihrem Schlafzimmer. Herr Baumgart ist bei ihr. Er war nicht dazu zu bewegen, sie auch nur eine Minute allein zu lassen. Obwohl wir ausschließen können, dass der Täter sich noch im Haus befindet.«

»Gut.«

Bert dankte den Kollegen von der Streife und stieg langsam die Treppe hinauf.

Tilo Baumgart kam ihm vor der Schlafzimmertür entgegen und begrüßte ihn. Seine Miene war angespannt, und das wunderte Bert nicht. Es wunderte ihn höchstens, dass der Mann, der doch immerhin Psychologe war und sich im Innenleben psychisch Kranker auskennen musste, Imke Thalheim nicht längst von hier fortgebracht hatte.

Sie saß auf der Bettkante und sah mit einem blassen Lächeln zu ihm auf. »Waren Sie schon in meinem Arbeitszimmer?«

Bert schüttelte den Kopf. »Ich wollte mich erst vergewissern, dass mit Ihnen alles in Ordnung ist.«

»Geht schon wieder. Es war nur der erste Schreck.«

Die Tränen, die in ihren Augen schimmerten, straften ihre Worte Lügen. Es schnürte Bert die Kehle zu, sie so verzagt zu sehen.

»Eine grandiose Inszenierung«, sagte sie in dem vergeblichen Versuch, das alles, einschließlich ihrer eigenen Betroffenheit, herunterzuspielen. »Wagner könnte sich davon eine Scheibe abschneiden.«

Der Kollege von der Spurensicherung war in einem Winkel des Zimmers unauffällig bei der Arbeit. Bert schätzte ihn sehr, denn er ging behutsam und präzise vor und hinterließ niemals einen verwüsteten Tatort. Alles blieb mehr oder weniger so, wie der Täter es arrangiert hatte, was Bert die Arbeit enorm erleichterte.

Du. Du. Du. Von allen Seiten stürmte das Wort auf Bert ein. Eine aberwitzige Liebeserklärung.

Und eine Drohung, wie sie schlimmer nicht sein konnte.

Die samtigen roten Blütenblätter stammten von Baccararosen.

Der Blume der Liebenden.

Bert ließ das morbide Durcheinander, das auf den zweiten Blick eine penible Ordnung erkennen ließ, eine Weile auf sich wirken. Dann zog er die kleine Digitalkamera hervor, die er meistens mit sich trug, und machte einige Aufnahmen.

Schließlich verstaute er sie wieder in der Tasche seiner Jacke und wandte sich zu dem Kollegen um. »Darf ich?«

Der Kollege nickte. »Ich bin so gut wie durch.«

Aus den Tiefen seiner Tasche förderte Bert einige kleine Plastikbeutel zutage und bückte sich, um ein paar Zettel und Rosenblätter aufzusammeln.

Er spürte die Anwesenheit des Mannes noch immer. Seine Schwingungen hingen noch in der Luft. Zum ersten Mal hatte er eine vage Vorstellung von der Persönlichkeit dieses Menschen. Und von seiner Kraft.

*

Imke wollte sich vor ihrer Abreise nicht noch einmal mit Jette treffen. Je mehr Gewicht sie ihrem lange hinausgezögerten und nun doch recht abrupten Aufbruch verlieh, desto größere Sorgen würde das Mädchen sich machen. Ein kurzer Anruf nach Jettes Dienstschluss, hatte Imke überlegt, würde genügen.

Verwundert stellte sie fest, dass sie zum ersten Mal seit langer Zeit keine Angst um ihre Tochter hatte. Der Stalker ließ ihr keinen Raum dazu.

Paradoxerweise beruhigte sie das, denn sie war abergläubisch. Solange sie selbst das Ziel eines Psychopathen war, drohte Jette keine Gefahr, *konnte* ihr ganz einfach nichts zustoßen. Daran glaubte Imke fest. Es war doch wohl kaum denkbar, dass zwei Frauen aus derselben kleinen Familie gleichzeitig Opfer eines Gewaltverbrechens wurden.

Vor der Abreise musste sie noch einige Dinge erledigen. Sie tat das, nachdem die Polizisten und der Kommissar sich verabschiedet hatten, ruhig und konzentriert. Tilo war im Haus. Die Türen und Fenster (auch die im Keller) waren zu. Es konnte ihnen nichts passieren.

Sie hatte sich kurzfristig mit Lukas Tadikken verabredet, um ihm die ersten Aufgaben zu übertragen. Es war ungünstig, dass sie ihn nicht einarbeiten konnte, aber sie war ja über ihr Handy erreichbar, und außerdem wäre immer noch Tilo ansprechbar, der über viele ihrer Angelegenheiten Bescheid wusste.

Einzig Tilo hatte sie Anschrift und Telefonnummer der Pension anvertraut und auch das nur für den Notfall. Alle anderen Kontakte, das hatte sie dem Kommissar versprechen müssen, würden über ihr Handy ablaufen.

»Keine Ausnahme«, hatte der Kommissar ihr eindringlich ans Herz gelegt. »Und damit meine ich: KEINE EINZIGE. Haben Sie mich verstanden?«

Imke hatte nicht gewusst, dass er so energisch werden konnte. Lächelnd hatte sie die Hand aufs Herz gelegt und Verschwiegenheit gelobt. Doch sein Blick hatte das Lächeln von ihrem Gesicht gewischt. Er hatte nichts erklären müssen – sie hatte die Angst in seinen Augen entdeckt.

Ein zaghaftes Klopfen riss Imke aus ihren Gedanken. »Hallo, da bin ich.«

Sie fuhr herum. Lukas Tadikken stand auf der Türschwelle und lachte sie freundlich an.

»Haben Sie mich erschreckt!«

»Das tut mir leid.« Zerknirscht reichte er ihr die Hand. »Ihr Mann hat mich reingelassen. Er hatte aber gerade ein Telefongespräch und ...«

»Schon in Ordnung. Ich freue mich, dass Sie hier sind.«

Imke mochte es, wenn Menschen einen festen Händedruck hatten. Sie mochte es, wenn der Blick ihres Gegenübers neugierig war und Optimismus verriet. Und Lachfältchen um die Augenwinkel liebte sie geradezu. All das fand sie bei diesem jungen Mann, der sich jetzt voller Elan in ihrem Zimmer umschaute.

»Ja, dann wollen wir uns mal in die Arbeit stürzen«, sagte Imke.

Eine Stunde später hatte sie das Wichtigste mit ihm besprochen. Sie hatte ihm die Mappe mit den Unterlagen überreicht, die er in der folgenden Woche zur Steuerberaterin bringen sollte, den Stapel über Jahre angesammelter Buchbesprechungen, die eingeordnet werden mussten, und eine Reihe von Autogrammwünschen, die er beantworten sollte. Sie hatte ihn gebeten, die in mehreren Aktenordnern verwahrten Rezensionen zu systematisieren und damit anzufangen, die gesamten Bücher zu katalogisieren.

»Da werde ich zu tun haben«, sagte der junge Mann begeistert.

»Herr Tadikken ...«

»Nennen Sie mich bitte beim Vornamen!«

»Also gut ... Lukas, wenn Fragen auftauchen, wenden Sie

sich doch bitte an meinen ... Mann. Er wird Ihnen mit Rat und Tat zur Seite stehen.«

»Sie sind nicht erreichbar?«

»Vorerst nur übers Handy.« Sie reichte ihm ihre Visitenkarte und schrieb ihre Nummer darauf. Er betrachtete die Karte nachdenklich. »Und für wie lange?«

»Das kann ich jetzt noch nicht sagen.«

Er respektierte, dass sie zu weiteren Auskünften nicht bereit war, und verdiente sich damit ein paar Pluspunkte mehr. Ein netter junger Mann, dieser Lukas, dachte Imke. Sie war froh, sich für ihn entschieden zu haben.

Als Nächstes telefonierte sie mit Frau Bergerhausen und bot ihr an, für die Dauer ihrer Abwesenheit mit dem Putzen auszusetzen, wenn es ihr zu unheimlich sei, sich in dieser prekären Situation allein im Haus aufzuhalten.

Frau Bergerhausen lehnte das Angebot entrüstet ab. Sie mochte Tilo sehr gern und verwöhnte ihn während Imkes Lesereisen nach Strich und Faden. Mal brachte sie ihm selbst gebackenen Kuchen mit, dann stellte sie ihm einen Strauß Blumen auf den Tisch, und ab und zu fand er auch eine leckere Suppe auf dem Herd oder eine ordentliche Portion deftiger Hausmannskost.

Während des Gesprächs kam Imke der Gedanke, dass sie Lukas eigentlich ebenfalls hätte einweihen sollen. Sie schob ihn beiseite. Er würde seine Besuche mit Tilo absprechen und wäre nicht allein im Haus und deswegen nicht in Gefahr.

Und Tilo? Es war riskant, ausgerechnet jetzt einen Fremden einzustellen und ihm Einblick in ihren Alltag und ihre Arbeit zu gewähren. Imke war sich dessen bewusst. Sie hatte es dennoch getan.

Weil ich mich nicht kleinkriegen lasse, dachte sie.

Wie sie sich selbst belog. Hatte dieser Wahnsinnige es nicht sogar geschafft, sie aus ihrem eigenen Haus zu vertreiben?

Sie setzte sich zu Tilo in die Küche und trank einen Tee mit ihm. Genoss die kurze Zeit, die sie noch miteinander verbringen konnten. Sobald es dunkel war, würde sie sich auf den Weg machen.

Ihr Wagen parkte inzwischen wieder in der Scheune. Tilo hatte ihr Gepäck bereits verstaut, ein Stück nach dem andern verstohlen aus dem Haus gebracht, mit reichlich zeitlichem Abstand zwischen den einzelnen Gängen, damit nichts den Eindruck einer bevorstehenden Reise erwecken konnte.

Sie nahm seine Hand und drückte sie an ihre Wange. »Willst du wirklich allein im Haus bleiben?«, fragte sie.

»Pschsch.« Mit dem Zeigefinger strich er ihr zärtlich über die Schläfe. »Ich bin groß und stark. Ich kann auf mich aufpassen.«

Sie sah ihn immer noch vor sich, bleich und elend, nachdem sie ihn niedergeschlagen hatte. Und er wollte einem echten Angreifer gewachsen sein? Sie küsste seine Hand und wandte den Kopf ab, damit er die Tränen in ihren Augen nicht bemerkte.

Schatten wuchsen in der Küche. Sie machten kein Licht.

»Es ist ja nicht für immer«, sagte Imke leise. Dabei hatte sie keine Ahnung, wie es weitergehen sollte.

*

Ich war mit Luke verabredet, ein wahrhaftiges Wunder. Es kränkte mich, dass es ihm nichts auszumachen schien, wenn wir uns tagelang nicht sahen. Er behauptete, tierisch viel um die Ohren zu haben.

»Mehr als ich?«, hatte ich angriffslustig nachgefragt. Mein Job im *St. Marien* war bestimmt kein Zuckerschlecken. Statt einer Antwort hatte er einen Kuss in den Hörer geschmatzt und sich mit einem Witz aus der Affäre gezogen. So reagierte er immer. Sobald es ernst wurde, verbarrikadierte er sich hinter irgendwelchen Albernheiten.

Noch immer wusste ich so gut wie nichts über ihn.

»Ihr kennt euch doch auch erst ein paar Wochen«, hatte Merle mir entgegengehalten. »Kannst du ihm nicht ein bisschen Zeit lassen?«

Ich fand es sonderbar, dass sie plötzlich nach Entschuldigungen für sein Verhalten suchte. Seit wann ließ sie sich von Luke um den Finger wickeln?

»Wir sind uns einfach nähergekommen«, sagte sie. »Ich hab mich allmählich an den Gedanken gewöhnt, dass er zu dir gehört und deshalb eben auch zu mir. Wolltest du das nicht immer?«

Ja. Das hatte ich gewollt. Aber warum war *ich* Luke nicht nähergekommen?

Wieder fing der Zweifel an, in meinem Magen zu rumoren. Ich war froh, als Frau Stein mich bat, mit zwei alten Damen einen kleinen Gang durch den Park zu machen. Sie unterhielten sich, weil beide fast taub waren, in einer Lautstärke, die mir jeden weiteren Gedanken an Luke unmöglich machte.

Obwohl es unter den Bäumen schon dunkel wurde, wollten meine Schützlinge nach einer halben Stunde noch nicht ins Haus zurück, und wir drehten noch eine langsame Runde um den Teich. Danach beobachteten sie ein paar Vögel, die unter verrottetem Winterlaub nach Futter suchten. Und weil das hier streng genommen keine Arbeit war und wir uns außerhalb des Hauses befanden, ließ ich die Damen ein Stück vorgehen und machte mein Handy an, um nachzuschauen, ob Nachrichten da waren. Kaum war es an, als es klingelte.

»Mama? Kann ich dich zurückrufen? Ich bin noch im *St. Marien.*«

Privatgespräche waren im Heim und auf dem gesamten Gelände unerwünscht.

»Nicht nötig, Liebes. Ich wollte mich nur eben verabschieden.«

»Verabschieden?«

»Die Koffer sind ja schon seit einer Weile gepackt.« Meine Mutter lachte leise. »Und jetzt geht's los.«

»Er hat sich wieder gemeldet.«

Sie antwortete mir nicht.

»Mama!«

»Ja.« Sie sagte das leichthin, als wäre es nicht von Bedeutung. »Und mich daran erinnert, dass ich noch einen Berg von Recherchen für mein neues Buch vor mir habe.«

Wenn meine Mutter etwas so herunterspielte, dann musste es schlimm sein.

»Mama, du kannst doch nicht …«

»Es ist *mein* Problem, Schatz, nicht deins.«

Ich spürte, dass ich mich tatsächlich entlastet fühlte, und schämte mich deswegen in Grund und Boden.

»Du kannst mich jederzeit über mein Handy erreichen. Adresse und Telefonnummer der Pension kennt nur Tilo. Der Kommissar meint, es sei besser, wenn niemand sonst etwas darüber weiß.«

Sie hatte mir noch nicht mal verraten, in welchen Ort sie fuhr. *Ein kleines Kaff* hatte sie ihn genannt.

»Das klingt wie aus einem deiner Krimis.«

»Oh Gott, wirklich? Wenn man anfängt, sich selbst zu zitieren, wird es allmählich ernst mit dem Altwerden.«

Meine Mutter war so jung, innen und außen, dass sie es sich leisten konnte, mit dem Alter zu kokettieren, und sie wusste das.

»Und wenn irgendwas ist …«

»… wendest du dich an Tilo.«

»Ich hatte gemeint, wenn mit *dir* …«

»Nichts wird mir geschehen«, sagte sie, und es klang irgendwie feierlich. Ein bisschen wie ein Versprechen und ein bisschen wie ein Gebet.

14

Zuerst hatte Manuel es nicht glauben wollen. Das konnte sie nicht getan haben! Unmöglich! Sie konnte nicht einfach verschwunden sein!

Eine Lesereise, hatte er gedacht. Imke Thalheim war ja häufiger für ein paar Tage unterwegs. Er hatte sich keine Gedanken gemacht. Doch dann war eine Woche vergangen und wieder eine und Imke Thalheim war nicht zurückgekehrt.

Der Psychologe lebte weiterhin in der alten Mühle. Er fuhr in seine Praxis, erledigte abends auf dem Heimweg die Einkäufe, kochte sich etwas zu essen, arbeitete noch eine Weile, las, sah fern. Er versorgte die Katzen, gab den Zimmerpflanzen Wasser, ließ die Putzfrau ins Haus.

Als wäre das sein selbstverständliches Recht!

Manuel war mehrmals im Garten gewesen und hatte im Schutz der Dunkelheit seine Beobachtungen gemacht. Dieser Typ schien keine Angst zu kennen. Bewegte sich für jeden sichtbar in den hell erleuchteten Zimmern. Reckte sich, streckte sich, gähnte, fuhr sich mit den Fingern durchs Haar, dass es ihm vom Kopf abstand, holte sich Bier aus dem Kühlschrank, legte die Füße auf den Tisch.

Telefonierte. Stundenlang.

Es versetzte Manuel jedes Mal einen Stich. Wahrscheinlich sprach er mit ihr. Wusste, wo sie sich aufhielt. Ließ sich erzählen, was sie tagsüber erlebt hatte.

Manuel hasste es, wenn er ihn lachen sah.

Wahrscheinlich hatten sie es gemeinsam ausgeheckt. »Fahr weg«, hatte er Imke vorgeschlagen. »Bleib so lange, bis keine Gefahr mehr droht.« Und Imke hatte genickt, ein folgsames Weibchen, gut erzogen. Sie hatten ihre Vorbereitungen getroffen, und er, Manuel, hatte nichts bemerkt.

Seine Wut war maßlos. Er hatte wieder angefangen zu laufen, nur um sie loszuwerden. Keuchend stürmte er über die Felder und dann durch den Wald. Schweiß sammelte sich hinter seinen Ohren und rann ihm den Hals hinab. Er spürte, wie die Tropfen auf seiner Brust ihre Spuren zogen.

Der weiche Waldboden knackte unter seinen Füßen. Die kühle Luft strich ihm über die Wangen. Das Licht, das schräg durch die hohen Tannen fiel, hatte etwas Sakrales. Man konnte den Frühling schon riechen.

Noch nie war Manuel hier einem anderen Läufer begegnet. Der Wald war zu dicht, zu unaufgeräumt. Er eignete sich nicht mal zum Spazierengehen.

An dem großen Tümpel, immer dort, nie an einer anderen Stelle, blieb Manuel stehen. Er stützte die Hände auf die Knie und rang nach Luft. Richtete sich auf.

Und schrie.

Sein Schrei zerfetzte die Stille. Vögel flatterten hoch oben aus den Bäumen. Kleines Getier flüchtete raschelnd ins Unterholz.

Nur dieser eine Schrei war nötig. Dann verrauchte die Wut. Allmählich. Schritt für Schritt. Manuel war wieder fähig, klar zu denken. Und sich zu überlegen, wie er Imke finden konnte.

*

Merle saß in der Küche, vor sich den Rest ihres Müslis. Jette war schon ins *St. Marien* gefahren. Bis Merle zum Tierheim aufbrechen würde, hatte sie noch ein paar Minuten Zeit, um die neue Umgebung zu genießen.

Am Wochenende waren sie umgezogen. Die Tierschützer hatten den Kleintransporter zur Verfügung gestellt, den sie sonst für ihre Aktionen nutzten, und mindestens die halbe Gruppe hatte beim Möbelschleppen mitgeholfen. Tilo hatte das Ausräumen der alten Wohnung beaufsichtigt, Claudio hatte eine Weile Möbel getragen und sich dann um die Verpflegung gekümmert. Nur Luke war im letzten Moment etwas dazwischengekommen.

Jette und Merle waren für das Einräumen des Hauses zuständig gewesen. Sie hatten entschieden, welche Möbel wo aufgestellt, welche Kisten wo abgeladen werden sollten. Die Arbeit war zügig vorangegangen.

Ihre Stimmen hatten in den leeren, von der Sonne ausgeleuchteten Räumen gehallt. Zum ersten Mal seit dem langen, dunklen Winter hatte das Vogelgezwitscher draußen nach Frühling geklungen.

Im Hof wimmelte es von wilden Krokussen, Narzissen und Anemonen. Ein lebhafter grüner Hauch überzog die Bäume und Sträucher. Nur die Wiese, auf der rein gar nichts wuchs, lag noch im Winterschlaf.

Merle schloss die Augen und horchte auf die Stille. In Bröhl war es nie so ruhig gewesen. Immer hatte man Hintergrundgeräusche gehört, Schritte im Treppenhaus, Musik, das Rauschen in den Wasserleitungen und dann natürlich den Lärm von der Straße. Rasch machte Merle die Augen wieder auf. Sie war sich nicht sicher, ob sie diese Stille heute aushalten würde.

Manchmal brauchte sie es, dass die Dinge in Bewegung waren. Da konnte sie nicht ohne Menschen sein. Heute war so ein Tag. Es gab keinen bestimmten Grund dafür.

»Ich hab den Blues«, sang sie leise. »Den schönen, schauderhaften Blues.«

Als hätte sie ihm damit das Stichwort gegeben, kam Smoky

zu ihr getrottet, setzte sich hin und starrte ihr mit einem absolut unergründlichen Blick in die Augen.

»Den Blues«, improvisierte Merle und starrte zurück, »den fiesesten, miesesten Blues, Baby.«

Smoky schien von ihr fasziniert zu sein. Er blinzelte nicht einmal.

»Du kannst es auch Melancholie nennen«, sagte Merle. »Hättest du gedacht, dass ich melancholisch bin?«

Smoky legte den Kopf schief.

»Heißt das Ja oder Nein?«

Vielleicht kam es daher, dass nach ein paar strahlend blauen Tagen das Schmuddelwetter zurückgekehrt war. Im vollen Sonnenlicht sah der Hof zauberhaft aus. Sogar die Wiese besaß dann eine gewisse Schönheit. War der Himmel jedoch grau, schien sich alles mit fahler Trostlosigkeit vollzusaugen.

»Auch meine Seele«, erklärte Merle und strich Smoky über den alten grauen Katerkopf.

Smoky schloss die Augen und fing an zu schnurren. Es klang wie das ferne, scheppernde Rattern eines in die Jahre gekommenen Traktors.

»Du und ich«, sagte Merle leise.

Smokys Nase war feucht und kalt. Er fuhr ihr mit seiner kleinen, rauen Zunge über das Handgelenk. Und als wüsste er, dass er sich damit verhielt wie ein Hund, wandte er sich verlegen ab und trottete zum Sofa zurück.

Merle räumte das Geschirr in die Spülmaschine. Sie ging langsam durch das Haus, schaute sich in jedem Zimmer um, damit sie es endlich glauben konnte: Ihr Traum hatte sich erfüllt, sie lebten auf einem Bauernhof.

Minas Zimmer war noch leer. Sie würden in aller Ruhe nach ein paar gebrauchten Möbeln suchen, damit etwas da war, wenn Mina aus der Klinik zurückkam. In Mikes Zimmer standen seine wenigen Möbel und ein paar Kisten und Kartons. Auch Ilkas Zimmer war noch leer. Sie würde nach der Brasilienreise ihre eigenen Sachen herbeischaffen.

Jettes und Merles Zimmer waren so gut wie fertig, ebenso die Küche und das Bad. Es hingen jedoch noch nicht alle Bilder an den Wänden und eine Reihe von Zimmerpflanzen hatten noch nicht ihren endgültigen Platz gefunden.

Unbelebt, dachte Merle. Das Haus ist noch vollkommen unbelebt.

Hier war zu lange nicht mehr geredet und gelacht, geliebt und gestritten worden. Niemand hatte in den vergangenen Jahren in der Küche gestanden und gekocht, keiner hatte einen Lesemarathon in der Badewanne veranstaltet oder zu zweit die Dusche benutzt. Kälte war in die Winkel gekrochen, und es würde mehr als kräftiges Heizen brauchen, um sie wieder daraus zu vertreiben.

Aber das würde ihnen gelingen, daran hatte Merle keinen Zweifel. Sie zog ihre Jacke vom Garderobenhaken, wickelte sich ihren Lieblingsschal um den Hals und verließ das Haus.

Bis zur Bushaltestelle war es nicht weit. Man konnte den Weg locker in fünf Minuten schaffen. Nach den ersten Metern legte sich Merles bedrückte Stimmung. Es gab so viel zu sehen. Da störte nicht mal der Nieselregen, der in der Luft hing wie Nebel.

Birkenweiler. Ein neuer Ort.

Ein Anfang, dachte Merle und muckelte sich tiefer in ihre Jacke ein. Vielleicht hatten sie das gebraucht, eine komplette, radikale Veränderung. Vielleicht würde das Unglück sie jetzt verschonen.

*

Tilo hatte das Gefühl, verfolgt zu werden. Er spürte Blicke auf sich ruhen und immer wieder die Nähe eines Menschen, der sich nicht zeigte. Manchmal drehte er sich blitzschnell um, doch niemals ertappte er jemanden dabei, ihn zu beobachten.

Inzwischen hatte er es sich angewöhnt, die Menschen, denen er begegnete, ganz bewusst wahrzunehmen. Er schaute genau hin, um sich später womöglich erinnern zu können.

Er hatte seine Unbefangenheit verloren.

Keinen Schritt konnte er mehr tun, ohne nach rechts und links zu spähen, keinem Menschen mehr glauben, dass sein Lächeln echt und harmlos war. Er hatte schon so manchen Patienten behandelt, der an Verfolgungswahn gelitten hatte. Wer sagte denn, dass er nicht mittlerweile selbst ein Fall für einen Kollegen war?

Es war jedoch wahrscheinlicher, dass er tatsächlich beobachtet wurde. Imke war seit zwei Wochen nicht mehr hier. Der sogenannte Schattengänger hatte bestimmt schon Himmel und Hölle in Bewegung gesetzt, um sie aufzuspüren. Was lag da näher, als Imkes Lebensgefährten im Auge zu behalten?

Tilo hatte allmählich eine Vorstellung davon, wie ein Lockvogel sich fühlen musste. Ein paar Mal war er schon versucht gewesen, den Kommissar anzurufen. Er hatte es schließlich bleiben lassen und war froh darüber. Niemand konnte etwas für ihn tun. Er hätte sich bloß lächerlich gemacht.

Er war auf dem Heimweg. In der Rushhour fühlte er sich aufgehoben. Stoßstange an Stoßstange krochen die Wagen über die Autobahn. Tilo war von Menschen umgeben und deshalb geschützt.

Als er zum ersten Mal begriffen hatte, dass es Angst war, was ihm im Nacken saß, da hatte er sich geschämt. Imke wurde von einem Psychopathen bedroht, und statt ihr Stärke und Halt zu bieten, hatte er sie wegfahren lassen und selbst jede Stärke verloren. Abscheulich war das, feige und verachtenswert.

Tilo schaute nach rechts, direkt in die Augen einer jungen

Frau, die ihn aus einem silbernen Smart heraus forschend musterte. Scheinbar gefiel ihr, was sie sah, denn sie warf ihr blondes Haar zurück und lächelte ihn an. Tilo wich ihrem Blick aus. Sie hatte ja keine Ahnung. Wusste nicht, wie wenig er zum Beschützer taugte.

Ich Tarzan. Du Jane.

Glaubte er etwa insgeheim immer noch daran, dass Frauen das wollten? Hatte Imke nicht oft genug über muskelbepackte Arme gelästert und über Chauvinisten und Vaterfiguren gefrotzelt?

Imke mochte es, wie sie miteinander umgingen. Sie brauchte einen Mann, der ihre Bewegungsfreiheit nicht einschränkte und ihr nicht die Luft zum Atmen nahm. Jeder lebte sein eigenes Leben und an gewissen Punkten berührten sich diese Leben. Das war ihre Gemeinsamkeit.

Davon abgesehen konnte Tilo nicht einfach seine Praxis schließen, um für ein paar Wochen mit Imke unterzutauchen. Seine Patienten mussten sich auf ihn verlassen können. Er hatte Verantwortung für sie übernommen.

Er erinnerte sich an eine schreckliche Geschichte, die ein Kollege ihm erzählt hatte. Der war mit Freunden übers Wochenende ans Meer gefahren und hatte, um Ruhe zu finden, sein Handy ausgeschaltet. An diesem Wochenende hatte sich eine manisch depressive Frau, die bei ihm in Behandlung gewesen war, das Leben genommen.

»Sie hat regelmäßig damit gedroht«, hatte der Kollege sich zu rechtfertigen versucht. »Niemand konnte damit rechnen, dass sie diesmal Ernst machen würde.«

Damit muss man immer rechnen, hatte Tilo damals gedacht. Er hatte seine Lehre daraus gezogen.

Und wenn Imke nun etwas zustieß?

Aber deswegen hatte er ihr ja zugeredet, wegzufahren. Damit sie in Sicherheit wäre.

Endlich kam Bewegung in die Autoschlange. Der Stau löste sich auf. Tilo freute sich darauf, nach Hause zu kommen, sich mit einem Glas Wein in den Wintergarten zu setzen und ein langes Telefongespräch mit Imke zu führen. Zufrieden beschleunigte er das Tempo.

*

Imke hatte den ganzen Nachmittag damit zugebracht, durch die Gegend zu spazieren. Sie hatte ein Gespür für die Landschaft bekommen wollen und einen Eindruck von den Menschen, die hier lebten.

Hügeliges, sanft gewelltes Land. Sattes Grün, zerteilt vom Grau kurviger Straßen. Obstwiesen, Scheunen und schiefe Zäune. Ab und zu ein Bach mit zu viel Wasser. Die ersten zögernden Blüten im Moos der Wälder. Tannen bis zum Himmel, Schatten und Licht.

Die in Schiefer gehüllten Häuser um strenge Kirchen geschart. Auf den Fensterbänken fleischige Pflanzen ohne Blüten. Schornsteine. Rauch. Dampfende Misthaufen vor den Gehöften. Katzen auf sauber gefegten Treppenstufen. Kläffende Hunde im Hintergrund der Höfe. Dann und wann ein misstrauischer Blick. Kaum mal ein Wort.

Imke hatte sich um Jahrzehnte zurückversetzt geglaubt.

Sie hatte sich für eine Pension entschieden, die neben Zimmern auch Appartements vermietete. Ihres war in einem Anbau untergebracht. Es verfügte über einen Wohn- und einen Schlafraum und eine winzige Küche. Das war komfortabler als ein einzelnes Zimmer und ermöglichte es Imke, sich selbst zu verköstigen. Es gab ihr ein bisschen das Gefühl, zu Hause zu sein.

Heute hatte sie Lust auf ein herzhaftes Abendessen gehabt, und so saß sie in der mit Topfpflanzen und Nippes überladenen Gaststube eines einfachen Lokals, umgeben von vielfältigem Gemurmel, vor sich ein deftiges Wildgulasch mit Rotkohl und Klößen.

Das Essen war ausgezeichnet. Imke hatte sich dazu einen Wein bestellt, und das nur, weil es ein Wein war, den Tilo gern mochte. Auf diese etwas verdrehte Weise war sie ihm nah. Sie vermisste ihn sehr.

Am Stammtisch wurde Skat gespielt. Die Männer hatten schon kräftig getrunken, ihre Stimmen waren laut geworden, ihre Scherze wiederholten sich. Einer von ihnen starrte unentwegt zu Imke herüber. Noch eine weitere halbe Stunde und er würde ihr in eindeutiger Absicht zuzwinkern.

An den übrigen Tischen saßen bunt gemischte Gäste, die hier ihr Geburtstagsessen verspeisten, ihr Geschäftstreffen abhielten oder einfach einen netten Abend verbringen wollten.

Imke ließ den Tag noch einmal durch ihre Gedanken ziehen und machte sich Notizen. Es fiel ihr nicht schwer, sich an einem Ort wie diesem zu konzentrieren. Sie war so oft unterwegs, dass sie aus reinem Selbsterhaltungstrieb gelernt hatte, überall arbeiten zu können.

Als sie wieder von ihrem Notizbuch aufschaute, hatte sich die Konstellation im Raum verändert. Die Skatbrüder waren noch da. Andere Gäste waren gegangen, neue hatten ihre Plätze eingenommen. Es kam Imke völlig unwirklich vor, hier zu sein, fern von zu Hause, abgeschnitten von ihrem normalen Leben.

Der Skatspieler, der sie beobachtet hatte, zwinkerte ihr tatsächlich zu.

Imke zwinkerte zurück, sah ihn schmunzelnd erröten, bat um die Rechnung und trank ihren Wein aus. Sie konnte nicht schnell genug in ihr Appartement kommen, um Tilo und Jette anzurufen.

*

Bert war an einem toten Punkt angelangt. Das Material, das in Imke Thalheims Haus gesichert worden war, brachte sie nicht weiter. Der Täter hatte keinerlei Spuren hinterlassen.

Intelligenter Hund, dachte Bert und ärgerte sich im selben Augenblick darüber. Seit wann führte er sich auf wie einer dieser selbst ernannten Gutmenschen, die Gesetzesbrecher für Wesen einer niederen Klasse hielten?

Gesetzesbrecher, dachte er. Das wird ja immer schlimmer.

Er hatte sich in seinen Emotionen verfangen, was die Arbeit erheblich erschwerte. Es gelang ihm nicht, den nötigen Abstand zu wahren. Er sah, was dieser Mann Imke Thalheim antat, und empfand einen Zorn, der ihn fast zerriss.

Wenn sie nur auf irgendetwas gestoßen wären, auf einen einzigen Fingerabdruck, die Aussage eines Zeugen, irgendwas. Doch der Mann machte dem Namen, den er sich selbst gegeben hatte, alle Ehre. Er blieb im Schatten, unsichtbar.

»Jeder macht mal einen Fehler, auch du, mein Freund.«

Ein vorwurfsvoller Blick Margots zeigte Bert, dass er wieder laut gedacht hatte. Im Fernsehen lief eine Quizshow. Margot war süchtig nach solchen Sendungen, während sie Bert zu Tode langweilten. Er nahm sich seine Notizen vor. Überflog noch einmal alles, was er zu diesem Fall notiert hatte.

Jeder Mensch hinterließ Spuren, jeder. Auch ein Schattengänger bewegte sich ab und zu im Licht.

15

Regina Bergerhausen war auf dem Weg zur Arbeit. Sie benutzte das Fahrrad bei Wind und Wetter. Selbst Eis und Schnee konnten sie nicht dazu bewegen, mit dem Auto zu fahren. Ihr Mann nannte sie eigensinnig. Im Grunde hatte er recht damit, aber sie fand, dass es ihm nicht zustand, ihr Verhalten zu kritisieren.

Ihre Ehe war im Laufe der beinah vierzig Jahre zu einer freudlosen Lebensgemeinschaft verkümmert, die hauptsächlich durch eine endlose Abfolge von Streit und Schweigen bestimmt wurde. Regina Bergerhausen konnte sich nicht erinnern, wann sie ihren Mann zum letzten Mal herzhaft hatte lachen sehen.

Sie selbst lachte oft und gern, aber nur mit anderen Menschen. Sie hatte eigentlich ein anderes Leben verdient.

Die Putzstellen waren ein kleiner Zipfel von der Freiheit, die sie sich erträumte. Während sie in fremden Häusern sauber machte, konnte sie sich einbilden, dort zu Hause zu sein. Für ein paar Stunden gehörte das alles ihr, die eleganten Teppiche, die gepflegten Möbel, die feinen Kleider in den Schränken, die Bilder an den Wänden. Für ein paar kostbare Augenblicke wusste sie, wie es sich anfühlte, glücklich zu sein.

Zu Imke Thalheim ging sie besonders gern. Da hatte sie freie Hand. Niemand redete ihr drein. Sie konnte schalten und walten, wie sie wollte. Besonders dann, wenn Frau Thalheim auf Lesereise war, und das war sie oft.

Es machte Regina Bergerhausen stolz, dass eine berühmte Schriftstellerin so große Stücke auf sie hielt, dass sie ihr das Haus und den Garten sogar in ihrer Abwesenheit anvertraute. Und ihren Lebensgefährten, denn vor ihrer Abreise neulich hatte sie Regina Bergerhausen gebeten, doch bitte ein Auge auf Herrn Baumgart zu haben.

Regina Bergerhausen lächelte. Bestimmt war Frau Thalheim die Doppeldeutigkeit dieser Äußerung nicht aufgefallen. Sie war schrecklich nervös gewesen bei diesem Gespräch vor zwei Wochen, hatte sich ständig von irgendetwas ablenken lassen und war bei jedem Läuten des Telefons zusammengezuckt.

Dieser Verrückte, dieser ... Stalker hatte sie vertrieben. Er musste irgendwas mit ihrem Arbeitszimmer angestellt haben. Frau Thalheim hatte sich nicht weiter darüber ausgelassen. Sie hatte nur gesagt, er hätte es *verwüstet*. Dabei hatte Regina Bergerhausen dem Zimmer nichts ansehen können. Alles hatte an seinem Platz gestanden, nichts war kaputt gewesen.

Sie hatte nach diesem Vorfall das ganze Haus von oben bis unten geschrubbt. Frau Thalheim sollte sich nicht in ihren eigenen vier Wänden ekeln. Wer wusste denn, was dieser Mensch mit seinen Drecksfingern alles angefasst hatte?

Er war durch das Kellerfenster eingestiegen, das immer offen gestanden hatte. Regina Bergerhausen hatte Frau Thalheim in der Vergangenheit mehrmals darauf hingewiesen, dass eine solche Nachlässigkeit gefährlich sei. Aber Frau Thalheim hatte bloß gelacht und ihr besänftigend die Hand auf die Schulter gelegt.

Sie war so ... arglos. So freundlich. Obwohl sie diese Bücher über Morde und alle möglichen Gräueltaten schrieb, vermutete sie hinter niemandem etwas Schlechtes.

Solche Menschen waren die geborenen Opfer. Das hatte Regina Bergerhausen erst neulich bei einem Geburtstagskaffee noch zu ihren Freundinnen gesagt. *Solchen Menschen passieren die schlimmsten Sachen. Weil sie kein Misstrauen kennen.* Die Freundinnen hatte das genauso gesehen, und für einen Moment war es gewesen, als wäre ein kalter Lufthauch durch das Zimmer gestrichen.

Daran musste Regina Bergerhausen jetzt wieder denken, als sie zur alten Mühle unterwegs war, im strömenden Regen, den der Wind, der von den Feldern kam, kalt gegen ihre Beine klatschte. In diesem Jahr hielt der Winter sich hartnäckig, und hier draußen, in der ungeschützten Natur, dauerte es sowieso länger, bis die ersten Frühlingsboten sich behaupten konnten.

Hinten im Fahrradkorb ruckelte ihre Einkaufstasche. Regina Bergerhausen hatte eine große Portion Schneidebohnen mit Stampfkartoffeln und Mettwurst dabei. Die würde sie Herrn Baumgart in den Kühlschrank stellen, damit er das Essen nicht vergaß. Sie nahm die Versprechen ernst, die sie gab, und es machte ihr Freude, sich um diesen netten Mann zu kümmern.

Wegen der Mahlzeit, die sie heute Morgen noch zubereitet hatte, war sie später dran als sonst, aber was machte das schon? Ohnehin würde sie wie immer allein im Haus sein. Das war ihr am liebsten. Da konnten die Gedanken wandern. Es war wohltuend. Sie tankte jede Menge Kraft dabei.

Als sie das Rad vor der Scheune abstellte, merkte sie, dass ihre Hosenbeine vor Nässe tropften. Gut, dass sie immer etwas zum Wechseln bei sich hatte. Sie hob die Tasche aus dem Fahrradkorb, kramte die Schlüssel hervor und ging, leise vor sich hin summend, zum Haus.

Der Regen prasselte auf ihre Kapuze, ihre Füße versanken im nassen Kies. Trotzdem war sie glücklich. *Regina* hieß Königin. Manchmal, ganz selten, fühlte sie sich auch so.

*

Manuel duckte sich blitzschnell.

Die Putzfrau!

Er wusste, dass sie in Imke Thalheims Abwesenheit kam und ging, wann es ihr passte, aber *niemals* nach zehn. Meistens fing sie mit ihrer Arbeit an, sobald Tilo Baumgart aus dem Haus gegangen war. Wieso, zum Teufel, hielt sie sich heute nicht daran?

Er lief die Treppe hinauf und schlüpfte in Imke Thalheims Arbeitszimmer. Von der Tür aus hatte er die Treppe im Blick und war vor unangenehmen Überraschungen sicher. Er horchte auf die Geräusche und versuchte, sich zu beruhigen.

Sie war eine plumpe, laute Person und ihre Schuhe waren nass. Schniefend platschte sie mit diesen nassen Schuhen in die Küche und stellte ihre Tasche ab. Dann verrückte sie einen Stuhl und ließ sich ächzend darauf nieder.

Sie entweihte dieses Haus.

Er hörte ein Rascheln. Ein Stöhnen. Was tat sie da? Zog sie sich um?

Natürlich, bei diesem Wetter. Sie war mit dem Fahrrad gekommen. Ihre Sachen mussten völlig durchweicht sein. So konnte sie nicht putzen.

Wieder wurde ein Stuhl verrückt. Manuel hörte Geschirr klimpern und dann das Mahlen der Espressomaschine, die er schon beim ersten Besuch in diesem Haus bemerkt hatte.

Sie machte sich einen Kaffee!

Kaum ist die Katze aus dem Haus, dachte Manuel, da tanzen die Mäuse auf dem Tisch. Er war verärgert. Die Handlungen der Menschen waren so vorhersehbar. Er hätte darauf gewettet, dass diese Frau ihre Grenzen bei der ersten Gelegenheit überschreiten würde. Es hätte ihn nicht gewundert, wenn sie sich als Nächstes mit einer Zigarre aufs Sofa gefläzt hätte, um mit ihrer Tochter in Australien zu telefonieren.

Jetzt fing sie auch noch an zu singen!

Ein Lied, das Manuel nicht kannte. Sie sang es in einer fremden, weichen, traurigen Sprache. Es gefiel Manuel ganz und gar nicht, dass sie dieses Haus so unverfroren in Besitz nahm.

Sie gehörte nicht hierher.

Er hatte sich in Ruhe umschauen wollen. Irgendwo in einem dieser Zimmer musste es einen Hinweis auf Imke Thalheims Aufenthaltsort geben. In einer der Schubladen, einem der Aktenordner oder im Computer. Er hätte alle Zeit der Welt gehabt.

Und nun das.

Während die Putzfrau unten ihren Kaffee trank, überlegte Manuel, was er tun sollte. Er hoffte, dass sie heute nicht auf die Idee kam, in den Keller zu gehen. Auf den ersten Blick würde sie die Spuren nicht entdecken, denn Manuel hatte das Fenster mit einem Holzkeil wieder festgestellt, nachdem er es aufgebrochen hatte, um einzusteigen. Auf den zweiten Blick jedoch würde sie erkennen, dass der Kunststoffrahmen stark verzogen war.

Und wenn schon. Sie konnte ihm nicht gefährlich werden. Sie würde die Polizei alarmieren, aber Manuel wäre längst auf und davon, bevor der erste Streifenwagen hier einträfe.

Eine Schranktür klappte zu. Wahrscheinlich machte sie sich jetzt auch noch über irgendwelche Kekse her. Betatschte alles mit ihren groben Händen, zerstörte die Stille im Haus.

Kam ihm in die Quere und scherte sich einen Dreck darum.

Wut stieg in ihm auf wie ein Fieber. Als er die Hände zu Fäusten ballte, spürte er, wie sich seine Nägel in das Fleisch der Handflächen bohrten.

*

Sie fühlte sich wie neugeboren. Ihr Körper schien an Gewicht verloren zu haben. Leichtfüßig bewegte sie sich in den lichten

Räumen, fast schwebte sie. Ein solches Haus zu besitzen, wäre das Schönste auf Erden. Erst recht, es allein zu bewohnen.

Regina Bergerhausen war Mutter zweier Töchter, die beide nicht mehr nach Hause kamen. Sie hatte den Kontakt zu ihnen vollständig verloren, wusste nicht einmal, wo sie lebten. Möglicherweise war sie schon Großmutter, ohne es zu ahnen. Sie schob diesen Gedanken rasch beiseite. Die wenigen kostbaren Stunden hier wollte sie sich durch nichts verderben lassen.

Sie holte die Post aus dem Briefkasten und legte sie auf den Tisch im Wintergarten. Wenn das obere Stockwerk an der Reihe war, würde sie sie mit nach oben nehmen und zu der übrigen Post auf Frau Thalheims Schreibtisch legen.

Sie saugte gründlich, bevor sie anfing zu wischen. Sie machte alles genauso wie bei sich zu Hause. Vor allem deswegen war sie gut. Sie lieferte keine Arbeit ab, mit der sie nicht selbst zufrieden war.

Ein Blick aus einem der Fenster des Wintergartens zeigte ihr, dass der Regen allmählich nachließ. Doch der Himmel war womöglich noch dunkler geworden. Vielleicht würde es gleich erst richtig losgehen, vielleicht bereitete sich ein Unwetter vor.

Sie wollte sich gerade wieder über den Putzeimer beugen, als sie den Bussard entdeckte. Er saß nass und stoisch auf einem Zaunpfahl und schaute zum Haus herüber. Regina Bergerhausen hatte ihn noch nie so nah gesehen und hielt unwillkürlich den Atem an. Frau Thalheim hatte eine ganz besondere Beziehung zu diesem Tier. An manchen Tagen schien sie förmlich nach ihm Ausschau zu halten und sich erst zu entspannen, wenn sie ihn irgendwo ausgemacht hatte.

Eine Gänsehaut lief Regina Bergerhausen über die kräftigen Arme. Sie schüttelte den Kopf und arbeitete weiter.

*

Nach dem Mittagessen hatte Frau Stein mir freigegeben. Ich hatte in den letzten Wochen so oft länger gearbeitet, dass sie der Meinung war, ich hätte mir einen freien Nachmittag redlich verdient. Mir kam das sehr gelegen, denn es gab ein paar Dinge, die ich unbedingt erledigen wollte.

Im Haus meiner Mutter standen noch einige Kartons mit Büchern, die mir gehörten. Ich hatte sie in unserer alten Wohnung nicht unterbringen können, aber jetzt war genug Platz vorhanden, und so hatte ich beschlossen, nach dem Dienst einen Abstecher zur Mühle zu machen und die erste Ladung mitzunehmen.

Ich besaß noch immer meine Schlüssel und hatte mit Tilo abgesprochen, dass ich irgendwann zwischendurch vorbeikommen würde, um meine Sachen zu holen. Weil ich mich spontan dazu entschlossen hatte, es heute zu tun, hatte ich Tilo nicht eigens vorher Bescheid gesagt. Ich wollte ihm eine Nachricht auf dem Küchentisch hinterlassen und am Abend kurz mit ihm telefonieren.

Auf der Fahrt hatte mein Renault wieder seine Mucken. Er beschleunigte nicht richtig, ruckelte und zuckelte und wurde an Steigungen so langsam, dass er beinah stehen blieb.

»Komm, mein Alter«, schmeichelte ich. »Lass mich nicht hängen.«

Der Auspuff röhrte, der Motor dröhnte, das Radio knisterte und rauschte. Keine Frage, mein Wagen lag endgültig in den letzten Zügen. Ich würde nicht darum herumkommen, mich nach einem Nachfolger umzuschauen.

Auch wenn ich schon länger darauf vorbereitet war, traten mir die Tränen in die Augen. Dieses Auto war mehr als ein Fahrzeug. Es hatte mich nie im Stich gelassen, mich überall hingefahren und war immer für mich da gewesen. Ich kam mir schäbig vor bei dem Gedanken, es einem brutalen Schlächter von Schrotthändler auszuliefern.

Ich drehte die Musik lauter, obwohl mein Trommelfell kurz vor der Explosion stand, und sang mit, um mich abzulenken. Nicht nur mein todgeweihter Wagen war der Grund dafür – es fiel mir noch immer schwer, zwischen den Erdbeerfeldern hindurchzufahren, die rechts und links die Straße säumten. Monatelang hatten die Erinnerungen mich damals verfolgt. Ich hatte geglaubt, mich niemals wieder verlieben zu können.

Doch dann war mir Luke begegnet.

Die Angst, ihn wieder zu verlieren, die bodenlose Panik bei der Vorstellung, von ihm verletzt zu werden, quälten mich nicht mehr so sehr, und in manchen Momenten träumte ich davon, mich irgendwann wieder fallen lassen zu können.

Ich richtete den Blick fest auf die Straße. Umso deutlicher nahm ich die weiten, ebenen Flächen wahr, die schon bepflanzt waren und auf denen die ersten Saisonarbeiter sich bewegten.

Er konnte nicht unter ihnen sein. Es war unmöglich.

Sie trugen Regenjacken.

Hatte es im Sommer meiner ersten großen Liebe jemals Regen gegeben? Er war ungewöhnlich heiß gewesen. Lang, heiß und gefährlich.

Ich hatte ihn überlebt.

Im Nieselregen sah die Mühle streng und einschüchternd aus. Ich hatte einmal gelesen, dass es in alten Pfarrhäusern und Mühlen am häufigsten spuken sollte. Vielleicht hatte ich deswegen im Haus meiner Mutter oft das Gefühl, als schaute mir jemand über die Schulter. Und vielleicht richteten sich deshalb auch jetzt die Härchen an meinen Armen auf.

Nach der letzten Wegbiegung entdeckte ich Frau Bergerhausens Fahrrad vor der Scheune und fühlte die Erleichterung in einer raschen Welle durch meinen Körper laufen. Wie gut, dass sie da war. Ich parkte meinen Wagen nah beim Eingang, um nicht zu nass zu werden, und lief zur Tür.

Um Frau Bergerhausen, die nicht auf mein Erscheinen gefasst war, nicht zu erschrecken, klingelte ich, bevor ich den Schlüssel ins Schloss steckte und die Halle betrat.

»Hallo! Frau Bergerhausen! Ich bin's, Jette!«

Sie antwortete nicht. Wahrscheinlich war sie oben in einem der Zimmer und hatte die Ohren auf Durchzug gestellt.

Ich ging in die Küche. Ihre Einkaufstasche stand auf der Arbeitsplatte, daneben eine ihrer Plastikboxen, wahrscheinlich bis zum Rand gefüllt mit Suppe, Eintopf oder einem typisch Bergerhausener Fleischgericht. Sie liebte es, Tilo zu umsorgen, wenn meine Mutter unterwegs war.

Die Tür vom Putzschrank war einen Spaltbreit offen. Die beiden grünen Lämpchen an der Espressomaschine leuchteten. Es duftete nach frischem Kaffee. Die Tasse auf dem Tisch wirkte, als wäre sie erst vor ein paar Minuten ausgetrunken worden.

Im Gästebad waren die Fußmatten aufgerollt. Ein Putztuch und ein Schwamm lagen im Waschbecken. Neben der Dusche stand ein Eimer mit Wischwasser, in dem ein Aufnehmer schwamm. Der Schrubber lehnte an der Wand.

Auf dem Weg zum Wintergarten wurde mir plötzlich mulmig.

»Frau Bergerhausen?«

Sie hätte doch meinen Wagen hören müssen. Der Auspuff machte wirklich einen Höllenlärm.

»Hallo? Frau Bergerhausen?«

Etwas warnte mich davor, weiter nach ihr zu rufen. Es riet mir, still zu sein.

Sie war auch nicht im Wintergarten.

Auf Zehenspitzen ging ich umher und spähte in jeden Raum. Dann stieg ich so geräuschlos wie möglich die Treppe hoch.

Auch oben fand ich sie nicht. Offenbar war sie noch nicht so weit gekommen, sonst hätte sie den Staubsauger nicht am

Fuß der Treppe abgestellt, was sie immer dann tat, wenn sie unten mit dem Saugen fertig war und ihn später mit nach oben nehmen wollte.

Ob sie im Keller war? Oder in der Scheune?

Auch von den Katzen keine Spur. Das war ungewöhnlich. Meistens kamen sie angeflitzt, sobald sie mich sahen. Vielleicht hatte Frau Bergerhausen sie rausgelassen. Aber das war eher unwahrscheinlich, weil es ihr nie gelang, sie anschließend wieder ins Haus zu locken.

Eigenartig.

Die Tür zur Kellertreppe befand sich im hintersten Winkel der Eingangshalle. Ein Bauernschrank verdeckte die Sicht darauf. Das war meiner Mutter wichtig gewesen. Sie mag Keller nicht und betritt sogar ihren eigenen nur, wenn es gar nicht anders geht.

Im Augenblick konnte ich das gut nachvollziehen. Gegen meinen Instinkt ankämpfend, der mich zurückhalten wollte, durchquerte ich auf Zehenspitzen die Halle. Die Tür war angelehnt. Ich holte mehrmals tief Luft, um gegen die Angst anzuatmen, die sich kalt auf meine Schultern gelegt hatte. Dann zog ich vorsichtig die Tür auf und drückte auf den Lichtschalter.

Frau Bergerhausen lag am Fuß der Treppe. Sie lag in einer so unnatürlichen Haltung da, dass ich sofort wusste, sie war ernstlich verletzt. Ich stieg die Stufen hinunter. Mein Herz schlug so laut, dass es das Geräusch meiner Schritte übertönte.

Jetzt erst erblickte ich Edgar und Molly, die ich beinah nicht erkannt hätte, so fremd wirkten sie. Abrupt blieb ich auf der letzten Stufe stehen.

Die Katzen hatten sich neben Frau Bergerhausen ausgestreckt. Beide hatten eine Haltung eingenommen, die ich noch nie an ihnen gesehen hatte. Sie lagen vollkommen aufrecht und vollkommen reglos, den Kopf hoch erhoben.

Sie waren wie in Trance. Die Augen halb geschlossen, horchten sie auf etwas, das nur ihre Ohren erreichte.

Augenblicklich wusste ich, dass sie Totenwache hielten.

Ich drehte mich um und stürzte die Treppe hinauf.

*

Bert saß im Wartezimmer seines Freundes, Tennispartners und Arztes Nathan. Er hatte in letzter Zeit wiederholt Schmerzen in der Brust verspürt und sich jetzt endlich entschlossen, dem auf den Grund zu gehen. Er war ziemlich nervös, was ihn überraschte. Man sah seiner eigenen Endlichkeit nicht gern ins Gesicht. Hatte er geglaubt, das gelte nur für andere?

Die übrigen Wartenden blätterten in den ausgelegten Zeitschriften, doch Bert konnte sich nicht dazu aufraffen. Er fühlte sich schlapp und ausgelaugt. Am liebsten wäre er nach Hause gefahren, um sich ins Bett zu legen und einmal einen ganzen Tag durchzuschlafen.

Überhaupt hätte er gern einmal wieder richtig geschlafen. Stattdessen lag er nachts wach und starrte ins Dunkel, bis ihm die Augen brannten. Sämtliche Probleme kamen aus den Ecken hervorgekrochen, um sich auf ihn zu legen und ihm die Luft abzuschnüren.

Die Sprechstundenhilfe rief ihn ins Behandlungszimmer, obwohl er eigentlich noch gar nicht an der Reihe gewesen wäre. So deutlich bevorzugt zu werden, war Bert peinlich, aber er wehrte sich auch nicht dagegen.

»Wie schön, dich zu sehen«, sagte Nathan und kam ihm mit ausgestreckter Hand entgegen.

Sie umarmten sich auf Männerart, kurz und ungelenk, dann kehrte Nathan hinter seinen Schreibtisch zurück, und Bert nahm auf dem Besucherstuhl Platz.

»Ich hatte dich früher erwartet«, sagte Nathan.

Er redete Bert schon lange ins Gewissen, sich endlich einmal gründlich durchchecken zu lassen. Es gefiel ihm nicht, dass Bert kaum noch Tennis spielte, dass er Familie und Freunde vernachlässigte und den Großteil seines Lebens mit Arbeit verbrachte. Natürlich hatte er auch längst bemerkt, dass Berts Ehe auf äußerst wackligen Füßen stand.

Bert hasste es, wenn Nathan den Mediziner hervorkehrte. Er hatte schon oft überlegt, ob ein fremder Arzt für ihn nicht besser wäre. Der würde ihn nicht immer an seinen Schwachstellen packen und ihm nicht ständig dieses zähe, klebrige Schuldbewusstsein einflößen.

»Keine Zeit«, antwortete er. »Du weißt ja.«

»Und?«

Kurz und bündig. So gingen sie immer miteinander um, wenn sie die Gefühle außen vor lassen wollten. In diesem Raum war das Kräfteverhältnis zwischen ihnen nicht ausgewogen, anders als auf dem Tennisplatz.

Bert hatte sich die Worte zurechtgelegt, doch nun fielen sie ihm nicht ein. Das hier war eine Situation, die er nicht beherrschen konnte. Er blickte Nathan stumm in die Augen und fühlte sich ausgeliefert.

»Beschwerden?«, versuchte Nathan, ihm auf die Sprünge zu helfen.

Bert wollte gerade nicken, als er das Handy in seiner Taschen vibrieren fühlte. Mit einem entschuldigenden Schulterzucken nahm er das Gespräch an.

Nathan war der Vorwurf in Person. Während Bert leise telefonierte, klopfte er ungeduldig mit dem Ende seines Designerkugelschreibers auf die Krankenpapiere seines Patienten.

»Entschuldige bitte! Ich muss weg.« Bert stand hastig auf und stopfte das Handy in die Tasche zurück. »Ein andermal.«

Und damit war er schon aus der Tür, durchquerte im Laufschritt das Wartezimmer und sprang die Treppe hinunter, immer zwei Stufen auf einmal nehmend. Er warf sich in seinen Wagen und brauste los.

Es war überraschend wenig Verkehr auf den Straßen und Bert kam zügig voran. Sein Blutdruck schien die Höchstmarke erreicht zu haben, er fühlte seinen viel zu schnellen Pulsschlag im Hals.

Wie gut, dass Imke Thalheim in Sicherheit war.

16

Fünf Minuten nach Jettes Anruf war Tilo schon auf dem Weg zur Mühle. Ruth hatte es übernommen, die Nachmittagstermine abzusagen. Tilo war nur in absoluten Notfällen dazu bereit, Termine zu verschieben, und das nur mit Bauchschmerzen, doch die Furcht, die ihm jetzt in den Knochen saß, hatte jeden Gedanken an seine Patienten verscheucht. Er fuhr viel zu schnell und es war ihm egal. Die Vorstellung, dass Jette sich allein mit der toten Frau Bergerhausen im Haus befand, ließ ihn jegliche Vorsicht vergessen.

Fluchend kroch er zwei Straßenzüge lang hinter der Müllabfuhr her, überholte danach in waghalsigen Manövern sämtliche Fahrzeuge, die ihm den Weg versperrten, und verwandelte sich auf der Schnellstraße endgültig in einen Verkehrsrowdy, den er niemals in sich vermutet hätte.

Nicht schon wieder, dachte er, während die anderen Verkehrsteilnehmer hinter ihm her hupten, ihm den Mittelfinger zeigten, sich an die Stirn tippten oder ihn mit anderen unfeinen Gesten bedachten, nicht schon wieder ein Verbrechen, in das wir verwickelt werden.

Ihm wurde klar, dass er keine Sekunde lang an einen Unfall glaubte, wie Jette es offenbar tat. Frau Bergerhausen arbeitete schon so lange für Imke, ohne sich auch nur einen einzigen blauen Fleck geholt zu haben, da war es reichlich unwahrscheinlich, dass sie urplötzlich ausrutschte und dermaßen hollywoodreif die Treppe hinunterfiel.

Als er die Auffahrt zur Mühle erreicht hatte, registrierte er erleichtert, dass Jette nicht mehr allein war. Ein ganzer Wagenpark erwartete ihn im regnerischen Dunkel des Nachmittags. Die Rettungssanitäter, der Notarzt, die Streifenbeamten und auch der Kommissar waren bereits angekommen und alle schienen im Haus zu sein.

Tilo machte den Motor aus und rannte zur weit offen stehenden Tür. Er spürte einen bitteren Geschmack im Mund, aber er konnte ihn nicht hinunterschlucken. Er bekam einfach nicht genug Spucke zusammen. Er eilte durch die Halle, ignorierte die Männerstimmen, die aus dem Keller nach oben drangen, und hielt Ausschau nach Jette.

Sie stand im Wintergarten und sah in den Garten hinaus. Ihr Rücken war schmal und sehr gerade. Ihre Gestalt wirkte wie ein Scherenschnitt gegen das Licht, das von draußen hereinfiel, auch wenn es spärlich war.

Wie tapfer sie sich hält, dachte Tilo mitfühlend und rief sie leise beim Namen.

Jette drehte sich nach ihm um und er erschrak. Alle Farbe war aus ihrem Gesicht gewichen. Ihre Augen schienen größer geworden zu sein. Ihre Lippen waren grau.

»Tilo.«

Bei seinem Anblick verlor sie die Fassung. Ihr Mund verzog sich. Ihre Lippen bebten. Sie ließ die Arme hängen und versteckte ihre Erschütterung und ihren Schmerz nicht länger.

Tilo nahm sie in die Arme und hielt sie fest. Draußen erhob sich der Bussard, den er insgeheim nur *Imkes Zaubervogel* nannte, in die feuchte, kalte Luft. Sein durchdringender Schrei gellte in der Stille.

*

Rettungsdienst und Notarzt hatten ihre Arbeit getan und waren zum nächsten Einsatz aufgebrochen. Zuvor hatten sie

Jette ein Beruhigungsmittel angeboten, doch sie hatte abgelehnt. Tilo Baumgart war an ihrer Seite und kümmerte sich um sie. Er musste wie der Teufel hierhergefahren sein.

Bert war wieder in den Keller zurückgekehrt. Jeden Moment mussten die Kollegen von der Spurensicherung eintreffen.

Er ging neben der Toten in die Hocke und betrachtete ihr Gesicht. Ihre Augen waren geschlossen. Der Mund war leicht geöffnet. Die Gesichter ermordeter Menschen strahlten in der Regel keine Ruhe aus und erst recht keinen Frieden. Bei diesem Gesicht war es anders. Es machte den Eindruck, als sei die Frau im Schlaf gestorben.

Doch das war sie nicht. Das war sie ganz und gar nicht.

Jette hatte ihr die Augen zugedrückt. Sie hatte es instinktiv getan.

»Tut mir leid«, hatte sie gestammelt. »Ich hab nicht daran gedacht, dass ich nichts anfassen durfte. Ich … ihr Blick war so …«

»Schon gut.«

Bert hatte ihr keinen Vorwurf gemacht. Er konnte sie nur zu gut verstehen. Der Blick toter Menschen war schwer auszuhalten. Er selbst hatte Jahre gebraucht, um sich daran zu gewöhnen, falls man sich je daran gewöhnen konnte. Noch heute fiel es ihm manchmal schwer hinzusehen.

Langsam richtete er sich wieder auf. Er hörte Geräusche im Haus. Die Kollegen von der Spurensicherung waren angekommen.

Er gab sich einen Ruck und ging ihnen entgegen.

*

Manuel hatte Mühe, sich auf seine Arbeit zu konzentrieren. Er schaffte es kaum, die Hände ruhig zu halten. Alles in ihm war in Aufruhr. Noch nie war er so sehr Spielball seiner Gefühle gewesen und sich selbst so … ausgeliefert.

Er hatte die Frau nicht umbringen wollen. Es war nicht sein Plan gewesen. Er hätte ihr kein Haar gekrümmt – wenn sie nur ein bisschen kooperativ gewesen wäre. Noch während er das dachte, wusste er, dass er sich da etwas vormachte. Die Situation hatte ihm keine Wahl gelassen.

Eigentlich hatte einzig und allein Imke Thalheim den Tod ihrer Putzfrau zu verantworten. Sie war es, die ihn so weit gebracht hatte. Frustriert zog er das Klemmbrett heran, um ein paar Daten einzutragen. Er drückte den Kugelschreiber so fest auf, dass die Spitze das Papier durchstieß.

Der Boss war für eine knappe Woche unterwegs in irgendwelchen *Geschäften*. Der Meister begleitete ihn. Für die Dauer ihrer Abwesenheit war es Manuel, der in der Werkstatt das Sagen hatte.

Normalerweise war ihm das eher lästig. Der erste Platz in der Rangordnung bedeutete ihm nichts. Er fand keinen Gefallen daran, andere springen zu lassen. Diesmal jedoch war ihm die Rollenverteilung gelegen gekommen. Er brauchte niemandem Rechenschaft abzulegen und konnte frei über seine Zeit verfügen.

Als ein Freund vom Boss seinen Mercedes für einen dieser Werktage zur Inspektion angemeldet hatte, hatte Manuel entschieden, dass der Augenblick für den Einstieg in Imke Thalheims Mühle gekommen war.

Der Mercedes zeigte Auffälligkeiten, die beim Computercheck nicht erfasst werden konnten, und da Alex darauf bestand, dass seine Freunde bevorzugt behandelt wurden, widmete Manuel dem Fahrzeug seine gesamte Aufmerksamkeit. Am späten Vormittag meldete er sich für eine längere Probefahrt ab, um den Unregelmäßigkeiten auf die Spur zu kommen, die er in Wirklichkeit längst behoben hatte.

Alle waren mit Arbeit zugeschüttet. Lars und Tonio pendelten überfordert und gereizt zwischen Werkstatt und Büro hin und her, denn Ellen hatte sich einen Magen-Darm-Virus eingefangen, der gerade in der Gegend grassierte, und Richie war mal wieder unentschuldigt ferngeblieben. Keiner nahm von Manuel groß Notiz.

Er hatte etwa zwei Stunden eingeplant. Zwei Stunden würde er glaubhaft rechtfertigen können und niemand würde sich darüber den Kopf zerbrechen. Es war gang und gäbe, Probefahrten mit Stippvisiten zum Imbiss zu verbinden, mit einem Trip zur Bank oder einem kleinen Umweg über zu Hause. Niemand kontrollierte, wie lange wer wohin unterwegs war.

Die Planung hatte gestimmt. Manuel hätte zügig die Mühle durchsucht und wäre wenig später wieder in der Werkstatt erschienen. Keiner hätte etwas Verdächtiges bemerkt. Alles wäre glattgegangen.

Wenn nicht plötzlich die vermaledeite Putzfrau aufgetaucht wäre.

Manuel hatte alles so minutiös bedacht. Er hatte den Mercedes im Wald abgestellt und das letzte Stück zu Fuß zurückgelegt, wie er das bei seinen Besuchen dort draußen immer getan hatte. Der kleine Wald gehörte zu Imke Thalheims Grundbesitz. Noch nie war Manuel hier einer Menschenseele begegnet. Es gab keine Straße, nicht einmal einen richtigen Weg, und ein Schild mit der Aufschrift *Landschaftsschutzgebiet* hielt Wanderer und andere Störenfriede davon ab, hier einzudringen.

Jede Kleinigkeit hatte er in seine Überlegungen einbezogen. Er wusste, dass er wahrscheinlich allein im Haus sein würde. Er hatte Handschuhe bei sich und Werkzeug, um sich Einlass zu verschaffen. Er hatte sich lange zuvor das passende Fenster ausgesucht. Nur daran, dass die Putzfrau gegen ihre Gewohnheit und wahrscheinlich zum allerersten Mal in ihrem Leben *nach zehn Uhr* an ihrem verdammten Arbeitsplatz aufkreuzen könnte, hatte er keinen Gedanken verschwendet.

Eine Weile hatte er im Arbeitszimmer ausgeharrt und den

unverschämten Geräuschen gelauscht, die sie unten veranstaltete. Noch hätte er leicht durch die Balkontür des Schlafzimmers verschwinden können. Doch dann war die Wut in ihm explodiert.

Wie konnte diese alte Schachtel es wagen, sich in diesen Räumen so aufzuspielen? Als wäre die Mühle mit allem, was dazugehörte, ihr Besitz. Als hätte sie einen Anspruch darauf. Dabei war jeder einzelne Gegenstand in diesem Haus heilig. Weil jeder Gegenstand Teil von Imke Thalheim war.

Die Wut, die er spürte, war anders als der Zorn, den er wegen Imke Thalheims Flucht empfand. Die Wut war rot, heiß, heftig und grob.

Der Zorn auf Imke Thalheim reichte tiefer. Er war kalt und beherrscht.

Imke war seine Frau. Sie hatte ihn enttäuscht.

Und dafür würde er sie bestrafen.

Doch dazu musste er zuerst herausfinden, wo sie sich versteckte. Zögernd hatte er begonnen, Papiere vom Schreibtisch aufzuheben und durchzusehen, in Büchern zu blättern, Ordner aufzuschlagen. Die da unten, hatte er sich gesagt, machte Lärm für zwei, die würde nichts bemerken. Er hatte Schranktüren geöffnet, Schubladen herausgezogen und Büchertaschen durchwühlt.

Nichts.

Imke Thalheim musste Hals über Kopf aufgebrochen sein. Sie hatte sich nicht einmal Zeit gelassen, um ein bisschen Ordnung zu schaffen. Das also war ihre Reaktion auf seine Liebeserklärung gewesen. Auf die Rosenblätter und sein tausendfaches *Du*.

Hatte sie überhaupt eine Vorstellung von dem Ausmaß seiner Liebe zu ihr? War sie sich der Tatsache bewusst, dass es keine zweite Frau auf dem gesamten Erdball gab, die so vergöttert wurde?

Er war bereit, ihr die Welt zu Füßen zu legen. Und alles, was er dafür erwartete, war, dass sie seine Liebe erwiderte.

Aber sie war geflohen. Vor ihm …

Wie hatte sie ihm das antun können? Er spürte die Wut jetzt überall. Und den Zorn. Ihm blieb die Luft weg. Seine Haut brannte, als hätte sie Feuer gefangen. Mit einer einzigen Bewegung seines Arms fegte er Manuskripte, Briefe, Notizen vom Schreibtisch. Es machte erstaunlich wenig Lärm, aber selbst wenn, es wäre ihm gleichgültig gewesen. Er würde sich nicht wie ein Dieb davonstehlen – er würde aufrecht die Treppe hinuntergehen.

Manuel hörte auf zu denken. Sein Kopf wurde klar und kühl. Er stieg die Treppe hinunter, Stufe um Stufe, und fühlte sich sonderbar. Er musste an eine dieser lebensgroßen Puppen denken, die manchmal ohne Kleidung, nackt und kahl in den Schaufenstern stehen. Für einen Moment war nichts Menschliches mehr in ihm. Er war so leer, dass ihm vor Kälte die Zähne klapperten.

Die Frau blickte auf und erstarrte. Er ging unbeirrt auf sie zu. Der Boden war nass und rutschig, doch seine Schritte waren sicher und fest.

»Was tun Sie hier?«, wagte sie, ihn zu fragen.

Er mochte ihre Stimme nicht. Sie klang brüchig und matt, als wäre vor langer Zeit etwas in ihr erloschen. Er antwortete nicht.

Sie lehnte den Schrubber gegen die Wand und strich sich mit feuchten Fingern das Haar aus der Stirn. Er sah, dass sie schwitzte. Sie lief nicht weg.

»Wo ist sie?«, fragte er.

»Frau Thalheim hat mir nicht verraten …«

»Wo?«

In diesem Augenblick schien etwas in ihr vorzugehen. Mit einer Behändigkeit, die er ihr nicht zugetraut hätte, schlüpfte sie an ihm vorbei und rannte auf die Haustür zu. Manuel erwischte sie im letzten Moment. Er packte sie am Arm und riss sie zurück.

Erst da hatte sie angefangen zu schreien.

Er hielt sie fest und seine Gedanken rasten. Sie hatte ihn gesehen, kannte sein Gesicht. Sein schöner Plan war gründlich aus dem Ruder gelaufen. Die Ausweglosigkeit überwältigte ihn.

»Wo?«

Er schüttelte sie, zwang sie, ihn anzusehen. Ein scharfer, säuerlicher Schweißgeruch stieg ihm in die Nase, vollgesogen mit Angst.

Sie wand sich in seinen Armen. Versuchte, ihn zu beißen. Er schlug ihr ins Gesicht. Sie taumelte zur Seite und wäre fast gestürzt. Mit ihren dicken roten Fingern hielt sie sich die Wange und starrte ihn an.

Ihn nicht aus den Augen lassend, wich sie vor ihm zurück, und Manuel folgte ihr. Quer durch die große Halle, für deren Schönheit diese schwitzende, klobige Frau eine einzige Beleidigung war.

»Wo?«

»Ich weiß es nicht.« Ihre Stimme war kaum mehr als ein Wispern. Sie saß in der Falle und sie wusste es. Sie war jetzt nur noch wenige Meter von der Kellertür entfernt, die aus irgendeinem Grund weit offen stand.

Ihre Verzweiflung erregte ihn. Adrenalin schoss durch seinen Körper. Er hatte sie in die Enge getrieben und würde es zu Ende bringen. Niemals wieder würde diese grässliche, gewöhnliche Person irgendetwas in diesem Haus berühren. Und niemals würde sie Gelegenheit bekommen, ihn zu verraten. Dafür würde er sorgen.

Schritt für Schritt bewegte er sich weiter auf sie zu. Schritt für Schritt wich sie weiter vor ihm zurück.

Sie gab keinen Laut von sich, als sie fiel. Es war wie bei dem Vogel, den Manuel als Junge mit einem Luftgewehr abgeschossen hatte. Auch der war einfach vom Himmel gefallen, lautlos und schnell.

Vom Kopf der Treppe aus hatte Manuel zu ihrem verdreht daliegenden Körper hinuntergesehen. Er hatte nichts gefühlt. Ein Schweißtropfen war an seiner Wirbelsäule hinabgerollt. Leise und sacht.

*

Als der Anruf von Tilo kam, saß Imke gerade in einem kleinen Café und las einen Artikel über den Bau einer geplanten Umgehungsstraße. Tatsächlich hatte dieser Ort eine Verkehrsentlastung dringend nötig. Ein Lastwagen nach dem andern polterte an dem schmutzigen Fenster vorbei. Wäre die Dreifachverglasung nicht gewesen, hätte man sein eigenes Wort nicht verstehen können.

Imke liebte es, unterwegs in Cafés einzukehren, sich ein belegtes Brötchen und ein Kännchen Kaffee zu bestellen und sich in die Lektüre einer Zeitung zu vertiefen oder sich in den ausgelegten Zeitschriften der Regenbogenpresse über die neuesten Eklats und Skandälchen in den europäischen Königshäusern zu informieren.

Sie bedauerte es sehr, dass urige Cafés mit Plüschsesseln, schönem, altertümlichem Porzellan, duftenden Torten, Sahneschnitten und Baisers und in knisternden Tüten abgepackten Pralinen fast ausgestorben waren. Auch Serviererinnen mit gestärkten kleinen Schürzen gab es kaum noch.

Umso erfreuter war Imke, wenn es ihr doch einmal gelang, ein solches Kleinod wie dieses hier aufzustöbern. Wolkenstores, Teppichflausch, Kronleuchter und Goldtapete beschworen eine längst vergangene Zeit herauf.

»Hallo, Süßer«, meldete Imke sich leise.

Sie hörte seiner Stimme sofort an, dass er eine schlechte Nachricht überbringen musste, und ihr Magen krampfte sich zusammen, während sie zuhörte.

»Nein!«

Die Damen am Nebentisch drehten sich zu ihr um.

»Nein«, wiederholte Imke flüsternd. »Bitte, Tilo! Nein!«

Als hätte er die Macht, Geschehenes ungeschehen zu machen.

Langsam und unerbittlich bahnten sich die Worte den Weg in Imkes Kopf. Frau Bergerhausen. Allein im Haus. Treppe. Sturz. Druckstellen an den Oberarmen. Aufgehebeltes Kellerfenster.

Sie hätte das verhindern müssen.

»Sei nicht so streng mit dir«, sagte Tilo. »Das konnte doch niemand ahnen.«

»Wirklich nicht? Ich habe doch gesehen, wozu dieser Wahnsinnige fähig ist.«

»Woher willst du wissen, dass *er* es gewesen ist, Ike?«

Tilo wehrte sich mit Händen und Füßen gegen das Offensichtliche. Er gab sich alle Mühe, Imke von jeder Schuld zu befreien. Doch so einfach war das nicht.

»Du weißt es auch«, sagte sie. »Du sträubst dich bloß dagegen.«

Sein Schweigen gab ihr recht.

»Wann hast du sie gefunden?«, fragte sie.

»Ich ... äh ...«

Augenblicklich war ihr klar, dass ein weiterer Schrecken auf sie wartete.

»Jette ... wollte ihre restlichen Sachen abholen und ... und sie kam ohne Ankündigung vorbei, sonst hätte ich doch ...«

»Ich mache mich sofort auf den Weg.« Imke klemmte sich das Handy zwischen Schulter und Ohr und kramte in ihrer Handtasche nach dem Portemonnaie.

»Auf gar keinen Fall!« Die Schärfe in seiner Stimme ließ Imke innehalten. »Du bleibst, wo du bist, hörst du?«

»Tilo! Frau Bergerhausen ist *tot!*«

»Ja. Und daran können wir leider nichts mehr ändern. Aber du lebst und bist in Sicherheit. Auch Jette ist nichts passiert. Versprich mir, dass du dich nicht zu einer Kurzschlusshandlung hinreißen lässt!«

»Sie ist meinetwegen gestorben.« Imkes Lippen bebten und verwackelten die Worte. »Er hat sie umgebracht, weil sie ihm nicht verraten konnte, wo ich bin.«

»Das wissen wir nicht, Schatz.«

Imke wusste es. Sie wusste es so sicher, wie man etwas nur wissen konnte. »Ich kenne seine Handschrift, Tilo. Ich habe mich mit ihm beschäftigt. Ich weiß, was ich sage.«

Vor zwei Tagen hatte sie das Buchprojekt, an dem sie arbeitete, beiseitegelegt und mit einem neuen begonnen. Seitdem war der Schattengänger ihr nicht mehr aus dem Kopf gegangen.

»Du *schreibst* über ihn!«

Hatte sie wirklich geglaubt, ihm das verschweigen zu können?

»Und wenn?«

Indem sie den Schattengänger zum Thema machte, nahm sie den Kampf gegen ihn auf. Tilo würde das nicht begreifen. Niemand würde das tun. Imke schob trotzig die Unterlippe vor.

Sie brachten das Gespräch zu Ende, ohne einander zu verstehen. Als Imke das Handy wieder weggesteckt hatte, schwang Tilos ungläubiges Erstaunen noch in der Luft. Imke fühlte sich schuldig und ärgerte sich darüber. Sie hob die Hand, um die Serviererin auf sich aufmerksam zu machen, und bestellte noch einen Kaffee.

Sie sah Frau Bergerhausen vor sich. Ihre gedrungene Gestalt, die breiten, kräftigen Hände, das krause graue Haar. Die vollen Wangen mit dem blauroten Geflecht winziger geplatzter Äderchen. Sie hörte sie mit ungeübter Stimme ganze Arien schmettern und erinnerte sich schuldbewusst daran, wie sehr ihr das beim Schreiben oft auf die Nerven gegangen war.

Frau Bergerhausen war eine einfache, geradlinige Frau gewesen. Ihre Putzstellen hatten es ihr erlaubt, sich ein wenig von ihrem Mann zu emanzipieren, über den sie so gut wie nie gesprochen hatte. Sie schien in den Stunden, die sie in der Mühle verbracht hatte, vollkommen glücklich gewesen zu sein.

Und jetzt würde man sie beerdigen.

Die Beerdigung! Imke konnte doch nicht der Beisetzung eines Menschen fernbleiben, der ihretwegen sein Leben verloren hatte.

»Warum?«, murmelte sie. »Warum hat sie sterben müssen?«

Hatte sie den Schattengänger gestört? Hatte sie sein Gesicht gesehen? Ihn erkannt? Hatte er eine Zeugin beseitigen wollen? Oder hatte er sie umgebracht, weil sie ihm Imkes Aufenthaltsort nicht verraten konnte?

Und Jette? Würde sie die Nächste auf seiner Liste sein?

Unwahrscheinlich. Er konnte sich jetzt ausmalen, dass niemand etwas wusste.

Imke trank ihre Tasse aus, zahlte und verließ das Café. Sie wickelte sich den Schal fest um den Hals und lief auf die Felder hinaus. Der Wind pfiff ihr um die Ohren. Schwere weiße Wolken jagten über den Himmel. Doch immer wieder kam die Sonne hervor und sie hatte schon eine erstaunliche Kraft.

Imke sog die Eindrücke hungrig auf. Dachte nach. Und lief und lief.

17

Bert hatte schon so manche Beerdigung auf dem Land erlebt, aber er hatte sich noch immer nicht an die Bräuche gewöhnt. Männer und Frauen legten den Weg von der Kirche zur Trauerhalle getrennt voneinander zurück, angeführt vom Pfarrer in seinem Messgewand, der durch ein Megafon Fürbitten verlas. Seine blecherne, leiernde Stimme gab den Takt vor. Die Antworten waren ein vielfältiges schleppendes Murmeln.

Wir bitten dich, erhöre uns.

Die dünnen Frauenstimmen waren in der Überzahl. Die der Männer waren kaum lauter als ihr Schlurfen und nur bruchstückhaft zu verstehen.

... bitten dich ... höre uns.

Die Länge des Trauerzugs war respektabel. In den Dörfern kannte jeder jeden, und es gehörte sich, mitzugehen.

... bitten dich ...

Der Sarg war anständig aufgebahrt, nicht mehr und nicht weniger. Keine üppigen Gestecke, keine elegant aufgemachten Kränze und Schleifen, sondern handfeste, schlichte Gebinde. Die Bergerhausens waren nicht wohlhabend gewesen. Das hatte ihr Leben bestimmt und das bestimmte auch ihren Tod.

... erhöre uns.

Männer und Frauen, nun nicht länger getrennt, standen mit verschränkten Händen in der Trauerhalle und hörten dem Pfarrer zu, der über den Tod und das Jenseits dozierte, lustlos und unkonzentriert. Immer wieder musste er neu ansetzen, weil es ihm nicht gelang, einen Gedankengang bis zu Ende zu verfolgen.

Ein erbärmliches Schauspiel. Bert, der an der offenen Tür stand, verspürte das Bedürfnis, sich vor Scham und Verlegenheit in Luft aufzulösen.

Auf einer mit einem schwarzen Tuch dezent verhüllten Karre wurde der Sarg von einem kräftigen jungen Mitarbeiter der Friedhofsverwaltung langsam zum Grab gezogen. Bert vermisste die Sargträger mit ihren weißen Handschuhen. Sie hätten dem Ganzen ein wenig Würde verliehen. Vielleicht wäre das fehlende Engagement des Pfarrers dann gar nicht mehr so sehr ins Gewicht gefallen.

Bert hatte zwei Kollegen gebeten, Fotos zu machen. Der eine hatte sich mit seiner Kamera diskret hinter einer Thujagruppe aufgebaut, der andere verbarg sich hinter einer halbhohen Kirschlorbeerhecke. Obwohl Bert nicht glaubte, dass der Mörder sich unter die Trauergemeinde gemischt hatte, um der Vollendung seines Werks beizuwohnen. Regina Bergerhausen war ein Zufallsopfer gewesen. Sie hatte den Mörder ungewollt gestört, da war Bert sich sicher.

Er war außerdem der festen Überzeugung, dass es sich bei dem Täter und Imke Thalheims Stalker um ein und dieselbe Person handelte. Und da setzten seine Überlegungen an: Konnte es nicht sein, dass der Täter hier war, um sich zu vergewissern, ob der Tod ihrer Putzfrau Imke Thalheim nach Hause gelockt hatte?

»Beweise oder Spekulation?«, hatte der Chef gefragt. Zu Recht, denn auf das dünne Eis von Vermutungen durfte ein Ermittler sich nicht wagen, ohne befürchten zu müssen, bei der ersten Schwachstelle einzubrechen.

Bert hatte keine Beweise in der Hand. Noch nicht. Es waren keine anderen Fingerabdrücke sichergestellt worden als diejenigen der Personen, mit denen in der alten Mühle zu rechnen gewesen war.

»Ein Profi also«, hatte der Chef haarscharf gefolgert und die Stirn in speckige Falten gelegt.

Bert fand, dass der Begriff »Profi« einen Stalker nicht treffend beschrieb. Anders als ein Profi, wurde ein Stalker hauptsächlich von Emotionen getrieben. Sein Ziel war einzig und allein die Erfüllung seiner Bedürfnisse. Doch diese Gedanken behielt er für sich.

Vater unser ...

Bert beobachtete die Trauergäste. Und fragte sich, was in der alten Mühle geschehen war.

Der Stalker war durch eines der Kellerfenster eingedrungen. Regina Bergerhausen, die außerplanmäßig zum Putzen erschienen war, hatte ihn im Haus überrascht. Bert skizzierte in Gedanken die möglichen Varianten.

Die erste: Sie hatte panisch reagiert, und er hatte die Kontrolle verloren, als es ihm nicht gelang, sie zu beruhigen.

Die zweite: Sie hatte sein Gesicht gesehen, und er hatte sie ausgeschaltet, damit sie ihn später nicht identifizieren konnte.

Die dritte: Er hatte sie zwingen wollen, Imke Thalheims Aufenthaltsort preiszugeben, und war außer sich geraten, als sie sich widersetzte.

Die vierte: Er hatte sie umgebracht, um Imke Thalheim dadurch zur Rückkehr zu zwingen.

Bert tendierte zur dritten Möglichkeit, konnte das jedoch nicht begründen. Die vierte Variante schloss er aus, denn der Täter hatte mit der Anwesenheit der Putzfrau nicht rechnen können.

Er war überrascht worden. Daran hielt Bert fest. Aber wobei? Auch hier gab es mehrere Möglichkeiten.

Erstens: Er hatte lediglich Imke Thalheims Nähe gesucht,

indem er ihre Räume in Besitz nahm und sich in ihnen bewegte.

Zweitens: Er war eingestiegen, um eine weitere seiner spektakulären Botschaften zu hinterlassen.

Drittens: Er hatte herausfinden wollen, wo Imke Thalheim sich aufhielt.

Auch hier tendierte Bert zur dritten Variante. Wenn der Täter Hinweise auf Imke Thalheims Aufenthaltsort finden wollte und dabei überrascht worden war, konnte er versucht haben, die Informationen aus der Putzfrau herauszupressen.

... Erde zu Erde ...

Die Trauergäste hielten die Köpfe gesenkt. Sie nahmen Abschied von einem Menschen aus ihrer Mitte. Bert fühlte sich unbehaglich in seiner Beobachterrolle. Seine Distanz erschien ihm herzlos und kalt.

... Asche zu Asche ...

Aber es war seine Aufgabe, den Mörder zu finden. Er war es dem Opfer schuldig. Und Imke Thalheim, die er mehr denn je vor diesem Mann beschützen musste.

... Staub zu Staub ...

Der Täter musste hoffen, Imke Thalheim mit seiner Tat nach Hause zurückgelockt zu haben. Wie würde er jetzt, da sie der Trauerfeier ferngeblieben war, auf die Enttäuschung reagieren?

Bert dachte an das Telefongespräch mit Imke Thalheim zurück. Nur mit größter Mühe hatte er sie davon abhalten können, den heimlichen Wunsch ihres Verfolgers zu erfüllen.

»Das ist es doch, was er will«, hatte er ihr erklärt. »Dass Sie zurückkommen. Zu der Beerdigung. *Zu ihm.* Denn so wird er das sehen.«

Sie hatte gar nicht zugehört, so sehr war sie damit beschäftigt gewesen, sich selbst zu zerfleischen. »Hätte ich mich nicht feige verkrochen, wäre Frau Bergerhausen noch am Leben.«

»Feige? Meinen Sie das ernst? Zum Untertauchen gehört sehr viel mehr Mut, als man glaubt.«

»Wenn Frau Bergerhausen gewusst hätte, wo ich bin …«

»… wäre sie mit großer Wahrscheinlichkeit dennoch getötet worden.«

Die meisten Menschen, die in einen Mordfall verwickelt wurden, reagierten mit Schuldgefühlen. Sie schleppten sie oft Jahr um Jahr mit sich herum. Manche verloren sie nie. Es war jetzt wichtig, die richtigen Worte zu finden.

»Hören Sie auf, sich zu quälen«, sagte Bert behutsam. »Niemand weiß, was genau passiert ist. Wir wissen ja noch nicht einmal, ob es sich bei dem Täter überhaupt um Ihren Stalker handelt.«

»*Mein* Stalker!« Sie spuckte ihm das Wort förmlich vor die Füße. »Ich garantiere Ihnen, dass es *mein* Stalker war, der das getan hat.«

Er hatte sich für die falschen Worte entschieden. Und doch gelang es ihm schließlich, Imke Thalheim das Versprechen abzunehmen, sich nicht von der Stelle zu rühren und nichts zu tun, was den Stalker auf ihre Spur bringen könnte.

Jeder trat jetzt einzeln ans Grab. Die Männer warfen Erde auf den Sarg, die Frauen eine der weißen Rosen, die in einem Korb bereitgestellt waren. Ein paar Meter weiter stand still ein Vogel in der Luft. Es ging ein leichter Wind und der Vogel hielt sich mit wenigen, kaum merklichen Flügelschlägen oben. An einem solchen Tag wirkte alles wie ein Zeichen.

Bert zwang sich, seine Aufmerksamkeit wieder auf das Geschehen zu richten. Sah Jette, Merle und Tilo Baumgart ein wenig verloren abseits stehen. Beobachtete, wie der Strom der Trauergäste am Grab vorbeizog.

… Mein herzliches …

… Sie war eine so wunderbare ….

… Beileid …

Nichts Ungewöhnliches unterbrach die Routine. Niemand machte sich verdächtig. Keiner, der nicht hierher zu gehören schien, drückte sich zwischen den Gräbern herum. Der Friedhof leerte sich. Der Vogel flog in einem weiten Bogen davon.

Die Kollegen waren, nach einer letzten Kontrollrunde über das Gelände, schon vorausgegangen. Bert warf einen letzten Blick in das offene Grab und folgte ihnen dann zum Wagen. Seine Schritte knirschten auf den feinen Steinchen im Sand, und Bert dachte, wie gut das Geräusch doch passte – es erinnerte ihn daran, dass er auf dem Weg war. Wieder einmal.

*

Ich war anstelle meiner Mutter zu Frau Bergerhausens Beerdigung gegangen. Es hatte mich eine ungeheure Überwindung gekostet, und ich war froh, dass Merle bei mir war.

»Das stehen wir zusammen durch«, hatte sie gesagt. »Wie alles andere auch.«

Schon auf dem Weg zum Friedhof hefteten sich die Erinnerungen an unsere Fersen. Es war ein anderer Friedhof, es war eine andere Trauerfeier, und es hatten sich andere Menschen versammelt. Trotzdem war es, als würden wir unsere Freundin ein zweites Mal auf ihrem letzten Weg begleiten.

Schweigend gingen Merle und ich nebeneinander her. Wir hielten uns bei den Händen. Die Blicke der Leute waren uns egal. Ich wusste, dass auch Merle nur einen Namen dachte und fühlte.

Caro.

Tilo kam uns entgegen. Er sah so fremd aus in seinem schwarzen Anzug und so blass. Als hätte er tagelang zu wenig geschlafen und zu viel gearbeitet. Er schien erleichtert, uns zu sehen. Seit damals waren Friedhöfe für jeden von uns Orte, die wir nach Möglichkeit mieden.

Früher war ich gern zwischen Grabsteinen herumspaziert,

hatte die Inschriften gelesen und das Alter der Verstorbenen ausgerechnet. Ich hatte mich mit einem Buch auf eine schattige Bank gesetzt und die ruhige Abgeschiedenheit gespürt, in die kein Laut von außen zu dringen schien. Das war vorbei.

Herr Bergerhausen stand neben der hohen Kirchentür, umgeben von einer kleinen Gruppe schwarz gekleideter Menschen, seiner Familie offenbar. Die beiden jungen Frauen an seiner Seite waren wohl seine Töchter. Ich hatte sie noch nie gesehen.

Ich ging zu ihm und gab ihm die Hand. Ich hatte keinen Trost für ihn, bloß ein unbehagliches Lächeln, in dem Tränen steckten.

Er erwiderte meinen Blick. Auch er sagte nichts. Anscheinend hatten sich hier draußen im kühlen, nassen Wind all seine Worte verbraucht. Seine Töchter stellte er mir nicht vor. Sie wirkten irgendwie fehl am Platz. Als hätten sie sich verkleidet und fühlten sich in den Sachen nicht wohl.

Während der Messe wurde mein Blick immer wieder von Herrn Bergerhausen angezogen, der in der ersten Reihe saß. Wenn seine Frau nicht für meine Mutter geputzt hätte, wäre sie noch am Leben. Dieser Gedanke wollte mir nicht aus dem Kopf. Wie viele andere dachten dasselbe?

Den Weg zur Trauerhalle legte ich wie in Trance zurück. Alles war so unwirklich, fast wie geträumt. Erst als ich den Sarg sehen konnte und der Geruch der toten Blumen und brennenden Kerzen mir in die Nase stieg, spürte ich mich wieder.

Ich entdeckte den Kommissar und verlor ihn wieder aus dem Blick. War er hier, um nach dem Mörder Ausschau zu halten? Verstohlen musterte ich die Gesichter. Und rückte näher an Merle heran. Sie quittierte es mit einem leichten Druck ihrer Hand.

Und dann standen wir vor dem Grab und schauten auf den Sarg hinunter, auf dem sich dunkle Erde mit weißen Rosen mischte, und ich dachte daran zurück, wie ich die tote Frau Bergerhausen am Fuß der Kellertreppe gefunden hatte. An den Blick ihrer Augen und daran, wie ich sie ihr geschlossen hatte.

Mir wurde schlecht.

Ein zweites Mal reichte ich Herrn Bergerhausen die Hand und dann den beiden jungen Frauen, die ich für seine Töchter hielt. Ihre Augen waren trocken. Ich wandte mich ab und zog Merle hinter mir her. Eine winzige Träne zumindest hätte ich mir für Frau Bergerhausen gewünscht.

*

Schwarz gekleidete Menschen hatten Manuel schon immer ein Unbehagen verursacht, das er sich nicht so recht erklären konnte. Genau wie große schwarze Vögel. Vor Raben und Krähen, die wie Totengräber über die Felder staksten, hatte er regelrecht Angst.

Seine Schwestern, die davon wussten, hatten ihm früher oft Gruselgeschichten erzählt, die in einsamen Wäldern spielten und in den finsteren Gassen vergessener Orte. Fledermäuse hingen in Schuppen und Scheunen von der Decke herab, und Vampire in wehenden schwarzen Umhängen schwebten durch frostige Vollmondnächte, auf der ewigen Suche nach dem Blut kleiner Menschenjungen.

Manchmal hatten Manuels Schwestern sich einen Spaß daraus gemacht, ihm lange schwarze Vogelfedern ins Bett zu legen. Am Abend hatte er arglos die Bettdecke zurückgeschlagen und schreckensstarr seinem Albtraum ins Gesicht geblickt. Das Lachen der Mädchen war durch das Haus gehüpft, und er hatte gewusst, dass sie niemals aufhören würden, ihm solche Dinge anzutun.

Es hatte ihn in der Frühe deshalb alle Überwindung gekostet, den Friedhof zu betreten und sich eine Stelle zu suchen, von der aus er ungesehen das Geschehen beobachten konnte. Der halb verfallene, von Efeu überwucherte Schuppen in einem der angrenzenden Gärten hatte sich förmlich angeboten. Das Haus, zu dem er gehörte, schien nicht bewohnt zu sein. Die Rollläden waren heruntergelassen. Der Garten wirkte verwahrlost.

Manchmal, hatte Manuel gedacht, fiel einem das Glück direkt vor die Füße.

Das Fernglas hatte er als Junge irgendwann auf einem Flohmarkt von einem unbewachten Stand gestohlen. Er hatte es gehütet wie einen Schatz, sich immer neue Verstecke dafür ausgedacht. Niemand hatte es jemals gefunden, nicht einmal der Onkel, der seine dreckigen Finger in alles gesteckt hatte, was ihn nichts anging.

Der Onkel, diese Mumie. Dieses Scheusal mit dem hinfälligen Körper und den starken, bösen Gedanken, die vergeblich dagegen rebellierten, in diesem Gefängnis aus brüchigen Knochen und ledriger, schlaffer Haut eingesperrt zu sein.

Manuel hatte die unfreiwilligen Erinnerungen abgeschüttelt und sich auf seine Beobachtungen konzentriert. Zuerst hatte die Megafonstimme des Pfarrers seine Ohren erreicht, dann der kraftlose Chor der übrigen Stimmen. Kurz darauf war der dunkle Zug der Trauergäste aufgetaucht. Allen voran der Sarg.

Kurz war das Gesicht der noch lebenden Putzfrau vor Manuels Augen aufgeblitzt, doch er hatte sich rasch wieder in der Gewalt gehabt.

Ehemann. Familie. Freunde. Das ganze verdammte Dorf.

Natürlich hatte Manuel von Anfang an die Polizisten bemerkt, auch wenn sie keine Uniformen trugen. Zwei waren es. Sie hatten sich geschützte Plätze gesucht, um Aufnahmen zu machen. Manuel grinste in sich hinein. Glaubten sie wirklich, er wäre so blöd, sich unter die Trauergäste zu mischen?

Sie würden noch kapieren, wer hier die Fäden in der Hand hielt.

Manuel spürte ein Gefühl in sich aufsteigen, das er nicht kannte.

Allmacht.

So musste Gott sich gefühlt haben, als er die Welt erschuf (und so würde der Teufel sich fühlen, wenn er sie wieder zerstörte).

Das Fernglas holte die Gesichter nach Belieben heran. Blass und angegriffen die meisten, die Züge wie eingefroren. Es war schon eine komische Sache mit der Trauer. Manuel hatte oft getrauert. Um die Kaninchen, die der Onkel geschlachtet hatte, nachdem sie fett genug geworden waren. Um die Freunde, die nach dem ersten Besuch bei Manuel zu Hause nie wiedergekommen waren, ohne ihm zu verraten, warum. Und vor allem um die Liebe seiner Eltern, die doch irgendwann einmal existiert haben musste.

Die hier trauerten um eine Frau, die Manuel nicht gekannt hatte. Und doch war er ihr für einen Moment näher gewesen als irgendwem sonst.

Er beneidete die Leute um ihr Gefühl. Er hätte alles dafür gegeben, einen Schmerz zu spüren. Es verunsicherte ihn, dass er so ungerührt war und so beherrscht.

Nein, korrigierte er sich. Er war konzentriert. Es war nicht einfach, diese Situation zu kontrollieren.

Ah, und da war ja auch Imke Thalheims heimlicher Verehrer. Dass es sich bei ihm um Hauptkommissar Bert Melzig handelte, hatte Manuel inzwischen recherchiert. Er wusste auch, dass dieser Mann den Tod der Putzfrau untersuchte.

Die Zeitungen hatten es Mord genannt. Wie harmlos manche Worte klangen.

Der Kommissar machte keine Bilder. Er fotografierte mit den Augen. Ein paar Mal hatte er sich bereits in Manuels

Richtung gewandt, doch er hatte ihn nicht entdeckt. Niemand würde ihn entdecken, nicht hinter dieser spinnwebverhangenen Glasscheibe und unter all dem Efeugestrüpp.

Während Manuel aufmerksam die Gesichter studierte, wurde ihm klar, dass er sich den ganzen Aufwand hätte sparen können. *Sie war nicht hier.* Verzweifelt irrte sein Blick über die Menge. Er war sich doch so sicher gewesen.

Er hatte Mühe, es zu begreifen. Wieso war sie nicht zur Beerdigung ihrer Putzfrau erschienen? Es gehörte sich nicht, einem Menschen, den man so gut gekannt hatte, das letzte Geleit zu verweigern.

Und endlich spürte er etwas. Eine Enttäuschung, die dermaßen heftig von ihm Besitz ergriff, dass ihm die Knie weich wurden. Die fremden Gesichter verschwammen vor seinen Augen. Er blinzelte.

Imke Thalheim hatte sich ihm entzogen und er konnte nichts dagegen tun. Er hatte sie verloren. Was, wenn sie niemals wieder zurückkäme? Wenn sie die Mühle verkaufte und …

Manuels Blick fiel auf Tilo Baumgart und dann auf zwei Mädchen, die sich an den Händen hielten. Das eine Mädchen kannte er.

In Gedanken sah er die Putzfrau noch einmal stürzen. Sah sich selbst, wie er sich umdrehte und zum Fenster ging. Er hatte hinausgeschaut, um zu überprüfen, ob die Luft rein war. Und da hatte er das Mädchen gesehen. Es war aus einem alten Renault ausgestiegen und direkt auf ihn zugekommen. In letzter Sekunde hatte er sich verbergen können.

Ihren Namen kannte er aus den Zeitungen. *Jette.* Imke Thalheims Tochter.

Manuel atmete zitternd ein. Es gab immer einen Weg, und hier lag er, direkt vor seinen Augen.

*

Der weiche Waldboden federte unter Imkes Schritten. Das vom vielen Regen der vergangenen Wochen noch feuchte Holz duftete nach Harz. Hoch oben ließen die Baumkronen ab und zu ein Stück Himmel durchblitzen, blau, weiß. Kein Windhauch regte sich.

Der Gesang der Vögel war wie ein Requiem.

Imke hatte ihre Wanderung so geplant, dass sie genau um diese Zeit im Wald sein würde, an ihrer liebsten Stelle, um Abschied zu nehmen von Frau Bergerhausen. Und da war schon die Lichtung mit den Moospolstern und dem kleinen Urwald aus Farnbüscheln.

Der hier weithin sichtbare Himmel war, wie Imke ihn mochte, rau und zerklüftet, lebendig und wild. Kein anderer Himmel hätte zu diesem Anlass gepasst.

Imke nahm auf einem Baumstamm Platz, der vor Jahren umgestürzt sein musste, denn er war von Flechten und Moos überwuchert, und aus seiner bröckligen Rinde waren kräftige Triebe gesprossen und zu neuen Bäumchen herangewachsen.

Der Tod ist auch ein Anfang, dachte Imke und presste die Hände auf ihren Magen. Sie hatte zum Frühstück nichts heruntergebracht, nicht einmal einen Bissen Toast. Ihr Magen reagierte gereizt, schüttete Säure aus und zog sich in Krämpfen zusammen.

Wie lange schon hatte sie sich vorgenommen, Frau Bergerhausen zu einem gemütlichen Kaffeetrinken einzuladen. Wie oft hatten sie davon gesprochen. Nie jedoch war Zeit dafür gewesen. Irgendein Termin hatte Imke immer gehetzt und nun war es zu spät.

Die Sonne schob sich hinter einer Wolke hervor und wärmte ihr das Gesicht. Imke legte den Kopf in den Nacken und schloss die Augen. Ihre Lider zitterten vor Nervosität.

Ich habe sie umgebracht.

Sie wusste nicht, wie sie mit diesem Wissen leben sollte.

Sie hatte keine Ahnung, ob sie je darüber hinwegkommen würde.

Selbst wenn Frau Bergerhausen sich hätte retten wollen – sie hätte es nicht gekonnt, weil Imke sie nicht eingeweiht hatte. Was für ein schrecklicher Gedanke.

Ich bin eine Gefahr für jeden, der mich kennt.

Langsam machte Imke die Augen auf. Sie war hierhergekommen, um Abschied zu nehmen, und genau das würde sie jetzt tun. Während zu Hause das gesamte Dorf Frau Bergerhausen auf ihrem letzten Weg begleitete, saß Imke still in der Kapelle aus Licht und Schatten und sprach zum ersten Mal seit langer Zeit wieder ein Gebet.

18

Tilo war auf dem Weg zu seiner Wohnung. Wenigstens ab und zu musste er dort nach dem Rechten sehen. In den Wintermonaten hatte es in dieser Gegend eine Serie von Einbrüchen gegeben, verübt von organisierten Banden, die durch das Land streiften, willkürlich von der Autobahn abfuhren und sich den nächstliegenden Ort vornahmen.

Mit brutaler Gewalt verschafften sie sich Einlass, hebelten Türen und Fenster auf, zerschlugen Fensterscheiben, vergifteten Hunde, die ihnen im Weg waren, und griffen auch schon mal zur Waffe.

Die Einbrüche fanden meistens zwischen sechzehn und zwanzig Uhr statt, im Schutz der Dämmerung oder der Dunkelheit. Die Diebe waren hauptsächlich an Geld und Schmuck interessiert, an Kameras und Laptops, und sie gingen mit einer außerordentlichen Kaltblütigkeit vor. Tilo hatte sogar von Einbrüchen gehört, die stattgefunden hatten, während die Bewohner zu Hause gewesen waren.

Er bog in die Theresienstraße ein und versuchte, die vorgeschriebene Höchstgeschwindigkeit von dreißig Stundenkilometern nicht zu überschreiten. Dabei schwenkte sein Blick achtsam von einer Straßenseite zur andern.

In den vergangenen Tagen hatte er sich nicht nur draußen beobachtet gefühlt, sondern auch in seiner Praxis. Er hatte sich dabei ertappt, wie er Wände und Decken abgesucht hatte, um irgendwo das winzige Auge einer Kamera zu entdecken.

Auch Ruth schien sich unbehaglich zu fühlen. Sie verhielt sich anders als sonst, war am Telefon fast schon zugeknöpft, plauderte nur noch mit den Patienten, die sie seit Jahren kannte, ließ ihren Schreibtisch nie unbeaufsichtigt und verbrachte die Mittagspausen meistens in der abgeschlossenen Praxis.

Beide schwiegen sich über ihre Befürchtungen aus. Beiden war dabei unwohl zumute. Sie hatten zugelassen, dass ein Tabu sich zwischen sie drängte.

Als Tilo endlich vor seiner Wohnungstür angelangt war und sie unbeschädigt fand, hätte er sich beruhigen sollen, doch sein Herz fing an zu hämmern. Mit angehaltenem Atem steckte er den Schlüssel ins Schloss.

Nichts war verändert. Wohnzimmer. Arbeitszimmer. Schlafzimmer. Küche. Bad. Alles in Ordnung, jedes Möbelstück an seinem Platz. Tilo entspannte sich. Er warf die Schlüssel auf den Couchtisch, legte das Handy ab und öffnete die Terrassentür. Gemächlich trat er ins Freie hinaus, schob die Hände in die Hosentaschen und füllte seine Lungen mit der klaren, frischen Luft, die schon nach Frühling schmeckte.

Eine blasse Aprilsonne schien, der erste Käfer des Jahres krabbelte auf Tilo zu, eine bunte Katze verschwand unter einem Strauch mit hellgrünen jungen Blättern. Alles war, wie es sein sollte. Vielleicht konnte Tilo es tatsächlich bald wagen, ins Sauerland zu fahren, um Imke zu besuchen.

Als er sich umdrehte, um wieder hineinzugehen, sprang es ihm in die Augen. Jemand hatte mit grellroter Farbe etwas an die Hauswand geschmiert. Einen einzigen Satz nur.

Sie gehört MIR!

Tilo stolperte ins Wohnzimmer, griff nach dem Handy und rief den Kommissar an.

*

Manuels Laune hatte ihren Tiefpunkt erreicht. Er ging seinen Kollegen aus dem Weg und versuchte auch, sich vor den Kundengesprächen zu drücken. Vorsichtshalber. Richie traute sich kaum noch an ihm vorbei, so oft war er in den vergangenen Tagen von ihm angeschnauzt worden.

Lars und Tonio nahmen es gelassen. Sie kannten sich aus mit Manuels wechselhaften Stimmungen und hatten sich im Laufe der Jahre ein dickes Fell zugelegt, das locker die eine oder andere Explosion vertrug.

Der Meister tauchte kaum noch hier auf. Er hatte irgendein Ding mit dem Boss laufen und war ständig mit ihm unterwegs.

Das konnte nicht gut gehen. Auf Dauer würde der Betrieb das nicht verkraften. Aber Manuel war es egal. Er würde immer einen Job finden, wenn er einen haben wollte. Wahrscheinlich würde er sich ohnehin bald auf die Suche machen müssen, denn lange würde der Boss sein eigenbrötlerisches Verhalten nicht mehr tolerieren.

Manuel hatte nur noch einen Gedanken: Imke Thalheim, und wie er sie finden könnte. Alles sonst hatte an Bedeutung verloren. Eine Wand hatte sich zwischen ihm und den andern aufgerichtet, unsichtbar, aber undurchdringlich.

Sei freundlich, dachte er. Rede mit ihnen. Und wenn es nur über Fußball ist oder übers Wetter. Gib ihnen, was sie brauchen, ein bisschen Aufmerksamkeit und Anerkennung, ein Schulterklopfen. Er zwang sich dazu, Richie hin und wieder zu loben. Über Tonios Witze zu lachen. Er brachte Lars, der auf Bioprodukte abfuhr, Honig von einem Imker mit, an dessen Hof er beim Joggen vorbeikam.

Unauffälligkeit, das war das Zauberwort.

Die Arbeit fiel ihm schwer, das tägliche Angebundensein. Wie sollte er Imke Thalheim finden, wenn er von früh bis spät in der Werkstatt hockte? Durch den Tod der Putzfrau war er außerdem in eine heikle Lage geraten. Er hatte so vieles zu bedenken, so vieles zu verbergen. Von einem Moment zum andern war seine Welt aus den Fugen geraten, und das nur, weil Imke Thalheim sich seinen Wünschen widersetzte.

Wütend schlug er mit der Faust gegen die Tür des BMW, an dem er gerade arbeitete. Eine deutliche Delle blieb zurück. Auch das noch.

In der Mittagspause lief er ein Stück auf die Felder hinaus, angeblich um Kopfschmerzen loszuwerden. In Wirklichkeit musste er Dampf ablassen. Er hatte das Bedürfnis zu schreien, doch das wagte er nicht. Als er weit genug von der Werkstatt und den letzten Häusern entfernt war, hob er einen dicken Stock vom Wegrand auf und drosch damit auf den schiefen Stamm eines Vogelbeerbaums ein, bis der Stock mit einem Krachen zersplitterte.

*

Bert hatte sich zum Mittagessen mit Isa in der Kantine verabredet. Lieber wäre er mit ihr zu Marcello gegangen, doch dafür reichte die Zeit nicht aus.

»Keine Fingerabdrücke also«, sagte sie und stocherte nachdenklich in ihrem Salat.

Isa war nicht auf die übliche Weise schön, dafür stimmten zu viele Kleinigkeiten nicht – ihre Schneidezähne standen schief (was Bert sehr an ihr gefiel), ihre Nase war eine Spur zu breit und ihr Kinn zu markant geraten. Ihre Schönheit war keine von der oberflächlichen Sorte. Isa strahlte von innen heraus. Ein Blick in ihre Augen, und man vergaß sie nie mehr.

»Nicht mal einen halben.« Bert säbelte an einer mächtigen Kohlroulade herum, die ihm nicht schmeckte, und verfluchte sich dafür, nicht etwas anderes gewählt zu haben. »Der Kerl scheint mit allen Wassern gewaschen zu sein.«

»Vor allem seine Fingerkuppen.« Isa lachte.

Ihre Fröhlichkeit tat Bert gut. Seine eigene kam ihm immer mehr abhanden. »Aber er hat wieder auf sich aufmerksam gemacht. Er hat Tilo Baumgart eine Botschaft hinterlassen.«

Isa hörte auf zu kauen und sah Bert abwartend an.

»Ein einziger, knallroter, theatralischer Satz. *Sie gehört mir.* Nur das. Mit fettem Ausrufezeichen und das letzte Wort in Großbuchstaben.«

Isa schluckte den Bissen herunter und spülte mit Wasser nach. Dann saß sie eine Weile still da und spielte mit der Gabel in ihrer Hand. Eine ziemlich lange Weile.

»Hallo?« Bert wedelte mit der Hand vor ihrem Gesicht herum. »Bist du noch da?«

Sie hielt seine Hand fest und drückte sie. »Er meint, was er sagt, Bert. Nehmt das unbedingt ernst. Es ist eine Vorankündigung.«

»Wovon?«

»Das fragst du noch?«

Bert schüttelte den Kopf. Nein. Er brauchte nicht zu fragen. Es war vollkommen klar. Vielleicht schmeckte ihm deswegen das Essen nicht. In den Augen des Schattengängers waren die bisherigen Spiele bloßes Geplänkel gewesen. Jetzt würde er Ernst machen und dazu war ihm jedes Mittel recht.

*

Das Mittagsgeschirr war abgeräumt und ich wischte die Tische ab, um alles für die nächste Mahlzeit vorzubereiten. Die Heimbewohner hingen an ihren Gewohnheiten, aber die meisten von ihnen waren nicht mehr in der Lage, sie in einen zeitlichen Rahmen einzuordnen. Einige kamen alle zehn Minuten, um zu fragen, ob es schon Kaffee und Kuchen gebe.

»Jetzt noch nicht«, antwortete ich jedes Mal. »Es dauert noch ein bisschen.« Ich sah auf meine Armbanduhr und sagte ihnen genau, wie lange sie noch warten mussten.

Ich hatte viel gelernt, seit ich im *St. Marien* arbeitete. So zum Beispiel, dass man höllisch aufpassen muss, nicht mechanisch zu reagieren. Demenzkranke fragen hundertmal am Tag dasselbe, und immer sollte man ihnen antworten, als wäre es das erste Mal. Sie haben bei aller Unordnung in ihren Gedanken ein äußerst feines Gespür dafür, ob man ihre Fragen ernst nimmt oder sie mit Floskeln abspeist.

»Behandle sie so, wie du selbst behandelt werden möchtest, wenn du später mal verwirrt und ängstlich in deinem Bett sitzt und nicht mehr weißt, wo du bist«, hatte Frau Stein mir ganz zu Anfang eingeschärft.

Allein die Vorstellung, eine Fremde im eigenen Körper zu sein, machte mich fertig, und ich gab mir alle Mühe, im Umgang mit den Heimbewohnern so wenig Fehler wie möglich zu machen.

Für den Abend war ich mit Luke verabredet, aber ich konnte mich nicht darauf freuen. Wir kannten uns jetzt schon fast zwei Monate, doch er war mir weniger vertraut als die meisten Bewohner des *St. Marien.*

Luke gab nichts von sich preis.

Nach und nach hatte ich mein Leben vor ihm ausgebreitet, ihm sogar von meiner ersten Liebe erzählt. Ich hatte ihn in meinen Kopf schauen lassen und in mein Herz, zitternd, mit Tränen in der Kehle. Er hatte mich festgehalten und meinen Rücken gestreichelt und ich hatte mich für einen winzigen, kostbaren Moment geborgen gefühlt.

»Und du?«, hatte ich ihn gefragt, bereit für *seine* Geheimnisse, bereit, jetzt *ihn* in die Arme zu nehmen, ihn zu halten und vor jedem Schmerz zu beschützen, so gut ich es konnte.

Er war mir ausgewichen. Wie immer.

»Vielleicht bildest du dir das auch bloß ein«, hatte Merle neulich gesagt. »Du …« Ihr Zögern zeigte mir, dass sie noch immer auf eine Weise behutsam mit mir umging, wie man es mit Menschen tat, deren Nerven man nicht trauen konnte. »... du legst jedes Wort von ihm auf die Goldwaage, weil ... seit ... Wenn ich das bei Claudio machen würde – glaub mir, ich hätte ihn in den ersten Wochen verlassen.«

Merle schaffte es sonst immer, mir mulmige Gefühle auszureden, doch diesmal gelang es ihr nicht. Irgendetwas stimmte nicht. Mit Luke, mit mir oder mit uns beiden.

Jemand tippte mir auf die Schulter. Ich drehte mich um und sah das freundliche Gesicht des Professors.

»Ich würde Ihnen gern einen Brief diktieren«, sagte er, legte die Hände auf den Rücken und begann, nachdenklich auf und ab zu wandern. *»Sehr geehrte Damen und Herren, es ist mir eine Freude, Ihnen mitteilen zu dürfen, dass mein neues Buch,* Wassily Kandinsky und das Geistige in der Kunst, *soeben erschienen ist.«* Der Professor blieb stehen und drehte sich zu mir um. »Haben Sie das?«

Ich überlegte blitzschnell, was ich ihm antworten sollte, da setzte er sich wieder in Bewegung. Diesmal ging er nicht hin und her, sondern den langen Weg bis zur Tür, durch die er dann verschwand.

Es war schon oft vorgekommen, dass er mich für seine Sekretärin gehalten hatte. Er hatte mir auch schon häufiger Briefe diktiert und sie danach vergessen. Ich bewahrte sie alle auf, für den Fall, dass er sich doch daran erinnern sollte.

Ich hatte mich gerade wieder an meine Arbeit gemacht, als der Professor zurückkam. »Übrigens«, sagte er. »Es sind anscheinend wieder Spitzel unterwegs. Tarnen Sie sich, wenn Sie das Haus verlassen.«

Ich musterte ihn aufmerksam. In welches seiner Leben war er eingetaucht? Sein Blick war wach und klug. Ich las Besorgnis darin und großväterliche Zärtlichkeit.

»Spitzel?«

Er hob die Hände.

»Und wen beobachten sie?«

»Es ist nur einer«, antwortete er. »Und er beobachtet das Haus.«

*

Sie hatte keine Ähnlichkeit mit ihrer Mutter. Sie war ein völlig anderer Typ.

Jette. Der Name passte zu ihr. Er ließ Bilder einer weiten, flachen Landschaft in Manuels Kopf entstehen. Bilder von Ebbe und Flut. Vom Wattenmeer und von sumpfigen Wiesen.

Es war nicht schwer gewesen, die Informationen zusammenzutragen. Gelobt sei das Internet. Die Kleine hatte schon allerhand mitgemacht. Es hatte ihn erregt zu lesen, dass sie unwissentlich in den Mörder ihrer Freundin verliebt gewesen war. Was für eine Geschichte!

Einen Mangel an Zivilcourage konnte man dem Mädchen wirklich nicht vorwerfen. Sie hatte dem Mörder öffentlich den Kampf angesagt.

Chapeau, dachte Manuel. Vor dir ziehe ich wirklich den Hut.

Es hatte ihn interessiert, wie sie jetzt lebte. Er war in das schon fast kitschig verträumte Birkenweiler gefahren und hatte einen Blick auf den alten Bauernhof geworfen, in den sie gerade mit ihrer Freundin eingezogen war. Allerdings hatte er nur ein paar Katzen ausmachen können. Logisch, denn beide waren arbeiten, Jette in diesem Heim für abgedrehte Alte und ihre rothaarige Freundin im Bröhler Tierheim.

Sonderbar, diese Mädchen. Sollten sie sich nicht eigentlich um junge Männer und coole Klamotten kümmern, shoppen gehen und abends in einer Disco rumhängen? Wer machte denn heutzutage noch ein soziales Jahr, und das sogar freiwillig?

Es gab drei weitere WG-Bewohner, doch die lebten zurzeit nicht hier. Manuel würde später herausfinden, aus welchem Grund. Er hatte alle Zeit der Welt.

Als Nächstes war er zum *St. Marien* gefahren und hatte das Haus auf sich wirken lassen. Alte Leute gingen auf den Wegen des kleinen Parks umher, der zu dem Heim gehörte, manche auf einen Stock gestützt, manche auf einen Rollator, viele auf den Arm einer Begleitperson. Die wenigsten schienen noch aus eigener Kraft einen Spaziergang bewältigen zu können.

Scheußlich, dachte Manuel. Hinfälligkeit war ihm zuwider. Seiner Meinung nach sollte man es mit den Alten machen wie die Eskimos früher – sie zum Sterben in den Schnee oder sonst wohin schicken und fertig.

Er hatte Mühe, sich das Mädchen hier vorzustellen, tagein, tagaus. Für die Tochter einer berühmten Mutter gab es doch wirklich andere Möglichkeiten. Aber offensichtlich war sie eigenwillig, sonst wäre sie nicht schon als Schülerin in eine Wohngemeinschaft gezogen.

Manuel kannte diesen Typ Frau, dem nichts wichtiger war, als auf eigenen Beinen zu stehen und niemandem etwas schuldig zu sein. Er schüttelte den Kopf. Wie konnte jemand Abstand zu Imke Thalheim suchen? Er hätte seinen rechten Arm dafür gegeben, ihr nah sein zu dürfen.

Kaum war ihm der Gedanke durch den Kopf geschossen, da fühlte er wieder diese ohnmächtige Wut in sich aufsteigen. *Wo ist deine Mutter?* Er hatte das Bedürfnis, aus dem Wagen zu steigen, ins Heim zu stürmen und das Geheimnis aus dem Mädchen herauszuprügeln. Bevor er den verrückten Impuls in die Tat umsetzen konnte, startete er rasch den Motor und fuhr weiter, diesmal Richtung Tierheim. Gründlichkeit und Geduld waren seine Stärke. Nur so konnte man seine Ziele erreichen.

Er würde Imke Thalheim auftreiben. Es war nur eine Frage der Zeit. Sie konnte sich schließlich nicht ewig vor ihm verstecken. Und dann würde er klarstellen, wer hier das Sagen hatte.

*

Mehrmals schon hatte Imke die Unterkunft gewechselt und diesmal vorsichtshalber auch den Ort. Das hatte sie mit dem Kommissar vereinbart. Sie lernte rasch, wie man seine Spuren verwischt.

Immer wenn sie das Haus verließ, schaute sie sich zuerst gründlich um. Sie hatte sich angewöhnt, auf alles zu achten und jedes Detail zu registrieren, das ihr sonderbar vorkam. Ein Mann, der bei Regenwetter eine Sonnenbrille trug. Ein Postbeamter, der ein wenig zu lange in seiner gelben Fahrradtasche wühlte. Ein Kellner, der zu langsam oder zu freundlich den Kaffee servierte.

All das nahm sie wahr. Vor all dem fürchtete sie sich.

Wie eine Schlange hatte sie ihre Häute abgestreift. Sie hatte ein neues Handy, eine neue Nummer, ein neues Autokennzeichen. Ihre Homepage hatte sie aus dem Netz genommen. Sie hatte sich selbst eines großen Teils ihrer Identität beraubt, obwohl sich alles in ihr dagegen sträubte.

»Bitte!« Imke hatte die Stimme des Kommissars noch im Ohr. Sie hatte festgestellt, dass sie ihm bedingungslos vertraute. Er war der Einzige, der sie bisher hier aufgesucht hatte, und heute würde sie ihn wieder treffen.

Die neue Umgebung war eine willkommene Abwechslung. Es machte Imke Freude, sie zu erkunden, auch wenn sie der einsamen Spaziergänge allmählich überdrüssig war.

Mit dem neuen Buch kam sie besser voran, als sie gedacht hatte. Die Figuren nahmen in ihrem Kopf Gestalt an und entwickelten ganz allmählich ein Eigenleben auf den Seiten ihrer Geschichte.

Sie schrieb über *ihn.* Zoomte ihn in der Stille ihres Pensionszimmers heran und versuchte, ihm in die Augen zu sehen. Doch er blieb immer als dunkler Schatten am Fenster stehen, eine mittelalterliche Kapuzengestalt, die sie frösteln ließ.

Die derbe Landschaft drückte Imke aufs Gemüt. Nach dem

langen Winter hatten die Bauern die Kühe wieder auf die Weiden getrieben, und die Tiere hatten sich über das Gras hergemacht und über den reich verstreuten Löwenzahn, dessen Gelb die Wiesen zum Leuchten brachte. Die Kälte ließ sich nur schwer aus den Tälern vertreiben.

Auf ihren Spaziergängen führte Imke lange Gespräche mit Frau Bergerhausen. Sie wünschte sich, sie hätte sich Zeit für sie genommen, als sie noch lebte.

Abschiede. Wieder und wieder.

Manchmal kamen ihr unterwegs die Tränen, doch sie brachten Imke keine Erleichterung. Ihre Augen brannten, ihre Lider schwollen an, ihre Nase war verstopft und in ihrem Kopf dröhnte es.

Ein Mensch war ihretwegen gestorben. Imke verabscheute den Mann, der dafür verantwortlich war, aus tiefster Seele.

*

Während der Fahrt hielt Bert sein Augenmerk auf jedes Fahrzeug gerichtet, das ihm in irgendeiner Weise auffiel, sei es, weil es zu lange hinter ihm blieb, sei es, weil der Fahrer sein Gesicht hinter einer Sonnenbrille versteckte. Er glaubte zwar nicht, dass der Schattengänger ausgerechnet ihn verfolgte, um Imke Thalheim aufzuspüren, aber man wusste ja nie, was im Kopf eines solchen Menschen vor sich ging.

Als Polizeibeamter war er an das gewöhnt, was er seinen doppelten Blick nannte. Er nahm nicht nur die Oberfläche der Dinge wahr, sondern besaß nach langen Jahren der Ermittlungsarbeit auch die Fähigkeit darunterzublicken. In jedem der Wagen konnte der Stalker sitzen, der inzwischen mit an Sicherheit grenzender Wahrscheinlichkeit auch ein Mörder war und eine tödliche Bedrohung nicht nur für Imke Thalheim.

Die Fahrt war ermüdend, obwohl Bert lange auf der Autobahn bleiben konnte. Immer wieder wurde er von Lastwagen ausgebremst, die mit ihren endlosen Überholmanövern die linke Spur blockierten. Er fluchte und gähnte abwechselnd. Nur die Aussicht auf das Abendessen mit Imke Thalheim hielt ihn aufrecht.

»Ich fühle mich wie in einem Zeugenschutzprogramm«, hatte sie ihm verraten. »Es ist entsetzlich, sich niemandem anvertrauen zu dürfen und keinen Kontakt zu den Menschen zu haben, die man liebt. Wie lange wird das noch dauern?«

Bert wusste es nicht und das hatte er ihr auch ehrlich gesagt.

»Wenigstens reden Sie nicht darum herum.«

Bert war nie ein Freund vieler Worte gewesen. Margot warf ihm seinen Hang zur Schweigsamkeit oft vor. Sie ertrug es nicht, längere Zeit mit jemandem in einem Raum zu sein, ohne zu reden.

So viele überflüssige Worte.

Irgendwann, dachte Bert, werde ich vollends verstummen. Ich werde mich in meinem Schweigen einrichten und niemanden einlassen, den ich nicht will.

Die letzte Strecke führte quer über hügeliges Land. Die Ortschaften wirkten streng und wenig einladend, aber das bildete er sich wahrscheinlich bloß ein. Leichter Regen fiel. Schwarzweiß gefleckte Kühe grasten auf den Weiden. Fahrende Blumenhändler boten am Straßenrand ihre Ware zum Kauf.

Bert hielt an. Er entschied sich für einen kleinen Frühlingsstrauß und legte ihn vor dem Beifahrersitz auf den Boden. Er holte tief Luft, spürte die Aufregung, Imke Thalheim wiederzusehen.

Einmal nur, dachte er. Einmal nur so tun, als gäbe es niemand anderen auf der Welt. Nur sie und mich. Aber natürlich wusste er, dass das nicht möglich war.

19

Es gab zwei Restaurants in diesem Ort, ein griechisches und eines mit gutbürgerlicher Küche. Imke hatte sich für das griechische entschieden. Man saß dort in kleinen Nischen und konnte sich unterhalten, ohne ungewollt jedes Detail der Gespräche an den Nachbartischen mitzubekommen.

Während sie auf den Kommissar wartete, hing sie ihren Gedanken nach. Außer ihr war noch kein anderer Gast im Lokal. Es war unangenehm kühl, als wäre die Heizung eben erst aufgedreht worden. Imke befühlte den Heizkörper neben ihrem Tisch.

Er war lauwarm.

Solche unbedeutenden Widrigkeiten konnten sie jedoch nicht deprimieren. Sie freute sich darauf, endlich wieder Gesellschaft zu haben und mit jemandem reden zu können. Sie hatte so lange darauf verzichten müssen.

Nach dem zweiten Glas Tee sah sie den Wagen des Kommissars auf den Parkplatz fahren. Ihr Herz schlug schneller. Für eine Sekunde verspürte sie den Impuls zu flüchten. Sie wusste, was diese Symptome bedeuteten.

Das Blut schoss ihr ins Gesicht. Ihre Wangen brannten. Was, um Himmels willen, tat sie hier? Sie war nicht mehr sechzehn. Und es gab einen Mann an ihrer Seite.

Tilo, ich liebeliebeliebe dich!

Sie wischte sich die feuchten Hände an ihrem Rock ab. Zerknautschte den Stoff, um sich an etwas festzuhalten. Dann zog sie ihr Handy aus der Tasche und wählte Tilos Nummer. Er meldete sich nicht.

Warum bist du nie da, wenn ich dich brauche?

»Ich wollte dir nur sagen, dass ich dich ... vermisse«, sprach sie auf die Mailbox, ein wenig atemlos und konfus. Es war nicht ganz der Satz, den sie hatte sagen wollen, doch jetzt war es zu spät.

Imke starrte zur Tür, legte das Handy auf den Tisch und schlug die Beine übereinander. Sie wusste nicht, wohin mit ihren Händen, und verschränkte die Arme vor der Brust. Ihr Verhalten war lächerlich. Sie war zu lange allein gewesen. Wahrscheinlich hätte sie sich auf jeden Besucher gestürzt, der ihr ein Fitzelchen Normalität versprochen hätte.

Sie wünschte sich woandershin.

Der Kommissar betrat den Raum und sah sich suchend um. Sein Blick streifte sie und glitt über sie hinweg. Als er sich an den Kellner wenden wollte, hob Imke die Hand und winkte ihm.

Verwundert schaute er zu ihr herüber. Wandte sich ab. Fuhr zu ihr herum.

Natürlich. Er wusste nicht, dass sie sich zwei Perücken zugelegt hatte. Eine davon trug sie gerade. Die Haare reichten ihr bis zu den Schultern, ein sattes, warmes Kastanienbraun, das im Licht rötlich schimmerte. Imke lächelte, als er auf sie zukam.

»Fast hätte ich Sie nicht erkannt.«

Sein Blick streichelte ihr Gesicht. Sie wich ihm aus. Erst jetzt nahm sie den bezaubernden Frühlingsstrauß wahr, den er ihr hinhielt.

»Wie schön«, sagte sie und vergrub die Nase in den Blumen. Und schon kam der Kellner mit einer passenden Vase hinter dem Tresen hervor.

Wenig später saßen sie einander gegenüber und der Kommissar nippte an einem dampfenden, duftenden Kaffee. »Irgendwelche sonderbaren Vorkommnisse?«, fragte er.

Sie schüttelte den Kopf. »Abgesehen davon, dass ich mich so gut wie nie unbeobachtet fühle – nein.«

»Bleiben Sie vorsichtig. Das kann nicht schaden.«

Nein, dachte Imke. Vorsicht ist immer gut. Auch dir gegenüber. »Und bei Ihnen?«, fragte sie. »Gibt es etwas Neues?«

»Wir befragen sämtliche Dorfbewohner, gehen verschiedenen Spuren nach, aber keine davon ist zurzeit konkret.«

»Das Dorf ist doch viel zu weit von der Mühle entfernt. Wer soll denn da etwas bemerkt haben?«

»Einem Bauern auf dem Feld oder einer Frau, die vom Einkaufen kommt, würden ein fremdes Auto oder ein unbekanntes Gesicht doch sofort auffallen.«

»Und wenn der ... Täter sich der Mühle vom Wald her genähert hat?«

»Das ist sogar wahrscheinlich. Wir haben einen Teil einer Reifenspur sichergestellt und vier unterschiedliche, leider ebenfalls unvollständige Fußabdrücke. Ein Wunder, dass überhaupt etwas da war, es hat ja am Tag des Mordes wie aus Kübeln geschüttet. Umso mehr hoffe ich auf jemanden, der eine Beobachtung gemacht hat.«

»Und was passiert weiter?«

»Wir nehmen uns jetzt nacheinander die Fahrzeuge der Dorfbewohner vor und überprüfen die Profile der Reifen.«

»Sie glauben doch nicht ernsthaft, dass einer aus dem Dorf ...«

Der Kommissar schüttelte den Kopf. Er sah müde aus. »Reine Routine. Sie kennen das doch.«

»Und wenn sich herausstellt, dass das Reifenprofil dem Wagen eines Dorfbewohners zugeordnet werden kann?«

»Dann werden wir uns seine Schuhe vornehmen.«

»Und wenn es ein fremdes Profil ist?«

»Das würde die Wahrscheinlichkeit erhöhen, dass wir eine Spur des Täters gefunden haben.«

»Er hat nichts zurückgelassen, was Sie zu ihm führen kann«, sagte Imke. Sie war sich dessen absolut sicher. »Wenn er einen Wagen benutzt hat, dann bestimmt nicht seinen eigenen. Und Schuhe? Die kann man nach Belieben wechseln, vor und nach einer Tat. Er ist nicht dumm.«

»Da stimme ich Ihnen zu.«

»Was haben Sie noch?«

Der Kommissar hob die Tasse an die Lippen und trank. Als er sie wieder absetzte, erzeugte das einen hellen, verstörenden Klang. Seine Lippen glänzten. »Sollte nicht eigentlich ich derjenige sein, der die Fragen stellt?«

Sein Lächeln traf sie unvorbereitet. Sie sah ihm in die Augen. In diesem Augenblick stand, wie aus dem Boden gewachsen, der Kellner an ihrem Tisch. Imke, die ihn völlig vergessen hatte, erschrak.

»Haben Sie gewählt?«

Schuldbewusst beugte sie sich über die Speisekarte. Jeder Satz schien heute Abend eine doppelte Bedeutung zu haben.

*

Nach dem Dienst fuhr ich noch einmal zur Mühle, um meine restlichen Bücher abzuholen. Diesmal hatte ich mich mit Tilo verabredet. Es war im Augenblick unvorstellbar für mich, das Haus allein zu betreten.

Tilo kam gerade aus der Scheune, als ich vorfuhr. Er strahlte übers ganze Gesicht, als er mich sah. Mit weit ausgebreiteten Armen kam er auf mich zu. »Jette!«

Ich umarmte ihn und nuschelte ihm meine Begrüßung ins Ohr.

Er hielt mich ein Stück von sich ab. »Hast du Lust auf ein erstklassiges selbst gekochtes Abendessen?«

»Geht leider nicht, Tilo, ich bin verabredet.«

»Verabredet?« Seine Augenbrauen schoben sich in die Höhe und bildeten zwei höchst merkwürdige spitze Winkel.

»Ich habe dir von ihm erzählt.«

»Aber äußerst, äußerst flüchtig.«

»Klingt das irgendwie besorgt?«

»Ich weiß nicht – tut es das?«

Ich knuffte ihn in die Seite und er lachte und legte mir den Arm um die Schultern. »Wir freuen uns sehr für dich, deine Mutter und ich.«

Obwohl seine Beine um einiges länger waren als meine, gingen wir im Gleichschritt. Auf dem Kies klang das wie eine ganze Armee.

»Bist du glücklich?«

Was sollte ich darauf antworten? Ein durchdringender Ruf ließ mich zusammenfahren. Ein riesiger Bussard stieß auf uns nieder und schoss haarscharf an uns vorbei.

Auch Tilo war erschrocken. Mit hochgezogenen Schultern sah er dem Vogel nach, der jetzt auf dem Dach der Scheune gelandet war, wo ich ihn schon früher gesehen hatte. Der Wächter meiner Mutter.

»Das macht er andauernd«, erklärte Tilo. »Aber seltsamerweise nur bei mir. Als wären Hitchcocks *Vögel* lebendig geworden.« Ein Schauder überlief mich und ich beschleunigte das Tempo.

»Ich hoffe, er hat keine Tollwut oder so was. Deine Mutter hat mir erzählt, dass die Wildvögel ihre Nester vehement verteidigen. Kann ja sein, dass sie schon brüten.«

Tilo passte sich meinen Schritten an. Ich war froh, dass meine Mutter ihn gefunden hatte. Dass sie wieder glücklich war und dieses Glück mit jedem Blick und jeder Geste ausstrahlte. Vielleicht war es im Nachhinein für sie sogar gut gewesen, dass mein Vater sie verlassen hatte.

»Hast du wenigstens für einen Kaffee Zeit?«, fragte Tilo, als wir in der Küche standen. »Dann können wir ein bisschen quatschen.«

Ich sah auf meine Armbanduhr und nickte.

»Schön.« Tilo rieb sich die Hände und machte sich an der Kaffeemaschine zu schaffen. Er nahm drei Tassen aus dem Schrank. Ich runzelte verwundert die Stirn.

»Deine Mutter hat noch kurz vor ihrer Abreise einen jungen Mann für die Büroarbeit eingestellt. Er kommt einmal die Woche, und ich habe den Eindruck, er ist richtig gut.«

Davon hatte sie mir gar nichts erzählt. Aber sie war ja auch ziemlich überstürzt aufgebrochen.

»Kaffee!«, rief Tilo nach oben.

Ich hörte Schritte und blickte lächelnd zur Treppe. Sah Schuhe, Beine, Arme, die einen Stapel Papier trugen. Dann sah ich sein Gesicht – und erstarrte.

Mein Stuhl kippte um, als ich aufsprang und zur Tür lief.

Tilo rief meinen Namen. Luke rannte hinter mir her. Der Bussard auf dem Scheunendach starrte mich mit schräg geneigtem Kopf an. Ich warf mich ins Auto, haute den Gang rein, setzte zurück und hätte Luke dabei fast gestreift.

*

Auf dem Weg nach Hause machte Merle noch einen kurzen Zwischenstopp im Supermarkt. Am Morgen hatte sie festgestellt, dass in ihrem Kühlschrank trostlose Leere herrschte. So wie in ihrem Innern. Sie hatte einen endlos anstrengenden Tag hinter sich, mit einem Strom von Besuchern, von denen sich keiner für ein Tier hatte entscheiden können.

Eigentlich wollte ich eine rotbraune Katze. Weil sie besser zur Couchgarnitur passte oder zum Teppichboden oder einer Vorgängerin ähnlich sehen sollte. *Haben Sie auch Glückskatzen? Diese dreifarbig gescheckten, wissen Sie.*

Am schwersten hatten es Tigerkatzen. Sie waren zu gewöhnlich, streunten auf jedem Bauernhof umher und auf dem Gelände jeder stillgelegten Fabrik. Die Getigerten waren die Otto Normalverbraucher unter den Katzen. Dabei waren sie es, in denen noch am meisten von einer Raubkatze steckte.

Kinder waren unkompliziert. Die verliebten sich sogar in dreibeinige, lahme und halb blinde Tiere. Das Alter einer Katze war ihnen schnuppe, und Schönheitsfehler schreckten sie nicht ab. Sie wurden jedoch sofort von Mama und Papa zurückgepfiffen.

Merle zog ein Glas Rollmöpse aus dem Regal. So wie sie dieses Zeug in sich hineinstopfte, musste sie mindestens scheinschwanger sein. Aber sie bekam wohl eher ihre Tage. Da hatte sie kurz vorher immer üble Fressattacken, die sie selbst anwiderten. Da konnte sie Käse, Schokolade, Fisch und Lakritz durcheinander essen und ihr wurde nicht mal schlecht.

Als sie sich zu ihrem Einkaufswagen umdrehte, stieß sie mit einem jungen Mann zusammen, der dicht hinter ihr stand, die Kapuze seines Sweatshirts tief in die Stirn gezogen und eine Lennonbrille mit fast schwarzen Gläsern auf der Nase.

»Tschuldigung!«

Sie ärgerte sich über Menschen, die ihr ungefragt auf die Pelle rückten, und am liebsten hätte sie ihn angefaucht, aber er wirkte so zerknirscht, dass sie grinsen musste. »Schon gut.«

Er trat einen Schritt zurück, den Kopf tief gesenkt, eine scherzhafte Demutsgeste. Als Merle schmunzelnd an ihm vorbeiging, nahm sie seinen Geruch wahr, eine Mischung aus einem beinah verflogenen Aftershave oder Eau de Toilette und etwas anderem, das sie kannte, jedoch nicht einordnen konnte.

Einen Moment lang versuchte sie herauszufinden, was es war. Dann gab sie es auf und rekapitulierte in Gedanken die Einkaufsliste, die sie in der Kaffeepause niedergekritzelt und dann im Büro vergessen hatte. Sie stellte sich an der Käsetheke an und wartete darauf, dass sie an die Reihe käme.

Plötzlich war sie sich sicher, dass jemand sie beobachtete. Sie fühlte es wie eine kleine, unangenehme Berührung auf der Haut. Verstohlen schaute sie sich um.

Da waren zwei alte, elegant gekleidete Damen, eine junge Frau mit ihrem schlafenden Baby, das sie in einem farbenfrohen Tuch vor dem Bauch trug, ein alter Herr mit Hut, drei Mädchen auf Inlineskates, zwei Bankertypen, die beide über Headset telefonierten, und natürlich die Verkäufer und Verkäuferinnen, die allesamt beschäftigt waren. Aus den Lautsprechern plätscherte weich gespülter Rock. Die Kassen fiepten.

Alles war wie immer.

Aber Merle hatte gelernt, auf ihre Gefühle zu hören. Sie verließ die Käsetheke, schnappte sich ein Stück Brie und ein paar Scheiben eingeschweißten Gouda aus der Kühltruhe und schob ihren Wagen langsam zur Kasse.

Der Typ, den sie angerempelt hatte, packte gerade seine Einkäufe ein. Er schien sie nicht zu bemerken, hatte sie vermutlich längst vergessen. Seine Hände versteckten sich unter den überlangen Ärmeln des Sweatshirts, aber Merle hätte gewettet, dass sie schön waren, groß und schmal.

Sie konnte dahinschmelzen, wenn ein Mann solche Hände hatte. Doch dazu war nicht der richtige Augenblick. Sie bezahlte, stopfte die Einkäufe in ihren Rucksack und schnallte ihn um. Auf dem Weg zu ihrem Fahrrad musste sie sich zwingen, nicht loszurennen. Eine Angst, die sie sich nicht erklären konnte, hielt sie mit spitzen Klauen gepackt.

Überall sind Menschen, redete sie sich gut zu. Niemand wird dir hier etwas tun. Also stell dich gefälligst nicht so an.

Als sie vor ihrem Fahrrad in die Knie ging, um es loszuketten, sah sie es.

Jemand hatte ihr mit langen, gezielten Schnitten die Reifen aufgeschlitzt.

*

Es hatte ihm Spaß gemacht. Ein Spiel mit dem Feuer.

Nett, die Kleine. Nicht sein Typ mit dem kurzen, leuchtend rot gefärbten Haar. Aber er konnte sich vorstellen, dass andere auf sie flogen.

Er wusste nicht, warum er ihre Reifen zerschnitten hatte. Es war einfach so über ihn gekommen. Bei all dem hektischen Hin und Her einen unbeobachteten Moment zu finden, war nicht leicht gewesen. Und dann noch einen Zusammenstoß mit dem Mädchen zu provozieren!

Er musste das hin und wieder tun, an die Grenzen gehen. Herausfinden, dass er noch lebendig war. Und unbesiegbar.

Die verrücktesten Dinge hatte er schon angestellt. Er war aus einem fahrenden Zug gesprungen. War in der Nacht an einem Riesenrad hochgeklettert. Hatte sich übers Wochenende in einem Kaufhaus einschließen lassen.

Jetzt hatte es ihn wieder eingeholt, dieses Wahnsinnsgefühl. Das Leben – ein Spiel. Und er beherrschte die Regeln wie kein anderer. Alle hatten es begriffen. Alle hatten gelernt, ihn zu respektieren. Keiner machte mehr den Molli mit ihm.

Er lehnte sich im Sessel zurück und schlug das Buch auf. Sämtliche Romane von Imke Thalheim würde er noch einmal lesen. Diesmal mit anderen Augen. Er würde nach autobiografischen Hinweisen suchen, nach Schlüsseln zu ihrem Wesen. Auf diese Weise würde es ihm gelingen, sie aufzustöbern, die einzige Frau auf der Welt, die es wagte, ihn an der Nase herumzuführen.

Das war so sicher wie das Amen in der Kirche.

*

Das Lokal hatte sich allmählich gefüllt und Imke Thalheim schien sich zu entspannen. Ihre Wangen hatten Farbe bekommen und die Befangenheit war von ihr abgefallen. Sie hatte das Bedürfnis, sich ihren Kummer von der Seele zu reden, und Bert hörte ihr geduldig zu.

Er wusste, wie Menschen zumute war, die untertauchen mussten, und sei es nur für kurze Zeit. Wie belastend es war, sich freiwillig zu isolieren und dabei unentwegt befürchten zu müssen, der Verfolger könnte das Schlupfloch finden und hinter der nächsten Ecke auf sein Opfer warten.

Imke Thalheim hielt sich tapfer. Bert sah ihr an, dass sie sich quälte, doch das hatte vor allem mit dem Tod ihrer Putzfrau zu tun. Sie wurde von ihren Schuldgefühlen förmlich zu Boden gedrückt.

»Und was tun Sie so den ganzen Tag?«, fragte er, als sie aufgehört hatte, sich selbst anzuklagen. »Kommen Sie mit den Recherchen für Ihr neues Buch voran?«

»Ganz gut. Ich habe schon angefangen zu schreiben.«

»Darf ich nach dem Thema fragen?«

Sie hob den Kopf. Unter ihrem aufmerksamen, nachdenklichen Blick wurde er verlegen. Vielleicht hatte er mit seiner Neugier an ein Tabu gerührt. Vielleicht bewahrten Schriftsteller abergläubisch Schweigen über ein Thema, solange sie sich damit befassten. Er wollte gerade den Rückwärtsgang einschalten, als sie antwortete.

»Ich schreibe über das, was ich zurzeit erlebe.« Sie trank einen Schluck Wein. Steckte sich ein Stück Brot in den Mund. Gelassen. Selbstverständlich.

Bert spürte, wie sich die Härchen in seinem Nacken aufstellten. »Über ...«

»... den Schattengänger. Ja.«

Bert starrte sie ungläubig an. *Und wenn du das Unglück heraufbeschwörst?*

»Die Angst wird kleiner, nachdem ich sie in ein Stück Literatur verwandelt habe, verstehen Sie?«

Bert nickte. Dann schüttelte er den Kopf.

»Schreiben hat viel mit Überleben zu tun«, sagte sie langsam und wie zu sich selbst. »Ohne meine Worte wäre ich längst tot.« Ihr Blick ließ ihn los. Sie sah traurig aus und irgendwie kleiner als in Wirklichkeit.

Und wenn du ihm damit das Gefühl gibst, Gott zu sein? Bert hatte mehr als eine Katastrophe kommen sehen. Und sie nicht aufhalten können. Die Verwüstungen, die sie angerichtet hatten, waren irreparabel gewesen.

»Lassen Sie die Finger davon«, bat er leise. »Bitte.«

Sie runzelte die Stirn. Ihr Blick kehrte zu ihm zurück. »Er hat mir mein Selbstbewusstsein genommen und meine Sicherheit und die Nähe zu allem, was mir wichtig ist. Wenn er es auch noch schafft, mir das Schreiben zu nehmen, dann hat er gewonnen. Ich denke nicht daran, klein beizugeben.«

Ihre Haltung beeindruckte Bert, obwohl er bezweifelte, dass sie ihr helfen würde. »Das Wort als Waffe?«, fragte er.

»Als Schutzschild«, antwortete sie und schenkte ihm ein strahlendes Lächeln.

*

»Ich dachte, du wärst mit Luke verabredet.«

Merle war gerade damit beschäftigt, sich ein Abendessen zuzubereiten. Rührei mit Pilzen und Tomaten, eines ihrer Lieblingsgerichte. Sie guckte mir ins Gesicht, schaltete das Gas ab und drehte sich seufzend zu mir um.

»Spuck's aus. Was ist los? Habt ihr Krach?«

Ich setzte mich aufs Sofa, wo Julchen schon schnurrend auf mich wartete. Zufrieden rieb sie den Kopf an meinem Arm.

»Luke arbeitet für meine Mutter.«

»Wie bitte?«

»Meine Mutter hat ihn vor ihrer Abreise für ihren Bürokram eingestellt.«

»Was?«

»Bist du taub? Er ist sozusagen ihr Sekretär!«

»Dein Luke?«

»Mein Luke?« Ich schnaubte abfällig. »Das ist noch die Frage.«

»Jetzt mal langsam.« Merle stieß sich vom Herd ab und setzte sich an den Tisch. »Deine Mutter hat Luke als Sekretär eingestellt und du hast nichts davon gewusst?«

»Haargenau.« Meine Lippen zitterten. Ich presste sie zusammen, damit Merle es nicht merkte.

»Und weiter?«

So war Merle. Sie stocherte nicht im Trüben, brauchte immer eine Perspektive, blickte immer nach vorn. Anders konnte man die Arbeit für den Tierschutz wohl auch nicht überleben.

»Ich ... bin einfach abgehauen. Ich hab ihn fast noch umgefahren.«

»Wen? Luke?«

Ich sah ein, dass Merle aus meinem Gestammel nicht schlau wurde, und erzählte ihr die ganze Geschichte von Anfang an.

»Und deswegen die Aufregung?« Merle stand auf und kehrte an den Herd zurück. »Magst du auch was?«

»Keinen Hunger.«

»Jetzt komm mal wieder auf den Teppich, Schätzchen.« Sie blitzte mich angriffslustig an. »Es gibt wahrscheinlich eine ganz einleuchtende Erklärung.«

»Da bin ich aber gespannt.«

»Vielleicht ... vielleicht wollte Luke nicht, dass du denkst, er hätte sich bloß mit dir angefreundet, weil du die Tochter von Imke Thalheim bist.«

»Dann hätte er den Job ja sausen lassen können.«

»Vielleicht wollte er nur den richtigen Zeitpunkt abpassen, um es dir zu erzählen.«

»Und wann wäre der gewesen? Am Sankt-Nimmerleins-Tag?«

»Könnte auch sein, dass er gar nicht wusste, dass Imke Thalheim deine Mutter ist. Schließlich trägst du den Namen deines Vaters und posaunst die Irrungen und Wirrungen in deiner Familiengeschichte nicht gerade bei jeder Gelegenheit aus.«

»Weißt du, wie wenig wahrscheinlich so ein Zufall ist?«

»Willst du nicht doch mitessen?« Merle zeigte anklagend mit dem Pfannenwender auf mich. »Du siehst aus, als könntest du einen Happen vertragen.«

Und wenn Luke wirklich keine Ahnung von unseren Verwandtschaftsverhältnissen gehabt hatte? Vergeblich versuchte ich, mich zu erinnern, ob ich ihm jemals von meiner Mutter erzählt hatte. Über meine erste Liebe wusste er Bescheid und dass meine Eltern geschieden waren. Aber hatte ich ihm erzählt, dass meine Mutter Krimis schrieb?

Und was das Gesetz der Wahrscheinlichkeit betraf – hatten Merle und ich es nicht schon mehrfach außer Kraft gesetzt?

Im Schrank war kein Geschirr mehr. Ich nahm zwei Teller aus der Spülmaschine und wischte sie unter fließendem Wasser ab. Ich hatte wirklich einen Bärenhunger. Die Übelkeit hatte ihn bloß verdeckt.

»Brav«, sagte Merle.

In diesem Augenblick klingelte es.

»Wenn ich es noch ein bisschen strecke«, sagte Merle mit leisem Bedauern, »reicht es vielleicht auch für drei.«

Ich ging zur Tür. Zum ersten Mal, seit ich Luke kannte, öffnete ich ihm mit einem Gefühl von Unbehagen. Zum ersten Mal wünschte ich, wir wären uns nie begegnet.

20

Während Jette und Luke draußen im Hof miteinander redeten, hatte Merle Brötchen aufgebacken und Käse und Obst auf den Tisch gestellt. Noch vor ein paar Wochen hätte sie Claudio angerufen und Pizza bestellt, aber Birkenweiler lag außerhalb des Bereichs, den Claudio mit seinem Service abdeckte.

Merle verdrängte den Gedanken an Claudio schnell. Sie arbeitete nicht mehr so oft für ihn, wie sie das früher getan hatte. Sie sah ihn überhaupt kaum noch. Es gab hier zu viel zu tun. Das alte Haus war ein Fass ohne Boden. Die Renovierungsarbeiten waren längst noch nicht abgeschlossen und im Stall stapelten sich die unausgepackten Kisten.

Sie warf einen Blick auf ihre Armbanduhr. Wurde Zeit, dass die beiden endlich wieder Frieden schlossen und hereinkamen. Lange konnte sie das Rührei nicht mehr warm halten, ohne dass der ganze Geschmack verloren ging. Außerdem war ihr vor Hunger schwindlig. Sie hatte eine Ewigkeit für den Heimweg gebraucht.

Natürlich hatte sie kein Flickzeug bei sich gehabt. Also hatte sie ihr Fahrrad geschoben, den ganzen langen Weg bis Birkenweiler. Und immer wieder über die Schulter gespäht.

Doch da war nichts gewesen. Nur der ewig gleiche Tross der Autos, der sich Abend für Abend über die Landstraße wälzte. Ab und zu ein Hupen, lachende junge Männer, die Merle eine Kusshand zugeworfen oder einen bewundernden

Pfiff geschickt hatten, hin und wieder ein halbherziger Versuch, sie anzumachen.

Trotzdem hatte Merle gespürt, dass sie belauert wurde, jede einzelne Sekunde.

Verdammter Spanner, dachte sie jetzt. Kümmere dich um deinen eigenen Scheiß.

Sie war froh, dass Jette heute Abend nach Hause gekommen war. Sie hatte das Bedürfnis, mit ihr zu reden. Ihr von diesen seltsamen Wahrnehmungen zu berichten. Sie klopfte ans Fenster und zeigte einladend auf den gedeckten Tisch.

Luke winkte ihr zu, gab Jette einen Kuss auf die Wange und verschwand.

»Wir werden uns eine Weile nicht sehen«, sagte Jette, als sie die Küche betrat. Sie nahm sich ein Brötchen und knabberte daran herum.

»Sag das noch mal!«

»Wir werden ... du hast es doch genau gehört.«

»Aber warum denn nur?«

»Ich kann ihm nicht vertrauen, Merle. Ich schaff's einfach nicht.«

»Weil er den Job bei deiner Mutter angenommen hat?« Merle hatte das Rührei auf zwei Teller verteilt und machte sich nun ausgehungert über ihre Portion her. »Entschuldige«, nuschelte sie. »Reiner Selbsterhaltungstrieb. Aber ich hör dir zu.«

Jette stocherte abwesend auf ihrem Teller herum. Sie zerdrückte ein Tomatenstückchen nach dem andern mit der Gabel und schichtete die Pilze gedankenverloren zu einem kleinen Turm. Als sie endlich antwortete, war Merle beinah schon satt.

»Dieser Job, der passt so schrecklich gut ins Bild. Weißt du, manchmal frag ich mich, ob Luke überhaupt *wirklich* ist. Vielleicht hab ich ihn mir ja bloß eingebildet. Ich habe mir ein Bild von ihm zusammengesetzt aus dem wenigen, das er mir über sich erzählt hat. Wie soll ich ihn denn auch kennenlernen? Richtig, meine ich. Nie hat er Zeit. Immer ist er auf Achse. Und dann …«

»Was – dann?«

»Es ist doch seltsam, Merle, dass exakt in dem Moment, in dem meine Mutter von einem Stalker belästigt wird …«

»Das ist Schwachsinn, Jette!«

»… dass genau in diesem Augenblick Luke in mein Leben tritt. Er ist Assistent des Maklers, der uns den Bauernhof vermittelt. Angeblich verliebt er sich in mich. Überrennt all meine Bedenken. Und gerade als ich anfange, meinen Schutzwall Stück für Stück abzutragen, als ich anfange, *wir* zu denken statt *ich*, da laufe ich ihm im Haus meiner Mutter in die Arme …«

»Was sagt Luke denn dazu?«

»Zufall, was sonst. Er hat die Anzeige meiner Mutter gelesen und sich beworben und nicht gewusst, dass er mit der Tochter der Schriftstellerin … Gott, das klingt wie in einem Groschenroman.«

»Du glaubst ihm nicht?«

Jette schaute von ihrem Teller auf. Es schien sie beträchtliche Überwindung zu kosten, Merles Frage zu beantworten.

»Für ein, zwei Sekunden, Merle … hatte ich … Angst vor ihm.«

Merle spürte das Erschrecken bis in die Fingerspitzen. Und wenn Jette recht hatte? Wenn ihr Gefühl sie nicht trog? Sie mussten reden. Unbedingt.

*

Der Wein stieg Imke allmählich zu Kopf. Sie vertrug nicht viel. Eigentlich mochte sie Alkohol nicht einmal besonders gern. Sie fand es nur gemütlich, zu einem guten Essen ein Glas zu trinken. Außerdem würde der Wein ihr beim Einschlafen helfen. Sie hasste es, nachts wach zu liegen und den Gedanken ausgeliefert zu sein, die in der Stille der Dunkelheit auf sie lauerten.

Der Kommissar war noch einmal mit ihr die Liste der Menschen durchgegangen, die ihren engeren und weiteren Umkreis bildeten. Die meisten davon waren inzwischen von der Polizei befragt worden, bei keinem von ihnen hatten sich Verdachtsmomente ergeben.

Er selbst hatte sich höchstpersönlich Imkes Agentin vorgenommen und dann dem Piepenbrink Verlag mehrere Besuche abgestattet. Er hatte mit den Leuten vom Vertrieb gesprochen, mit der Herstellung, der Presseabteilung und dem Lektorat. Die Befragung der Verlagsleiterin hatte einen ganzen Vormittag in Anspruch genommen.

»Mir ist schleierhaft, was Sie sich von diesen Gesprächen erhoffen«, sagte Imke und nahm noch einen Schluck Wein. »Die werden doch ihre eigene Autorin nicht boykottieren, indem sie sie in Todesangst versetzen. Das wäre nicht nur pervers, es wäre auch äußerst unklug.«

»Vielleicht wollen sie die Autorin auf diese Weise ins Gespräch bringen.«

Imke lächelte und hatte das Gefühl, sich in diesem Lächeln vollständig aufzulösen. Sie schob den Wein beiseite und goss sich Mineralwasser ein. »Das ist bei mir nicht mehr nötig, Herr Kommissar.«

Er sah sie an, und sie stellte fest, dass er für einen Mann bemerkenswert dichte Wimpern hatte. Unter dem weichen Licht der Lampe warfen sie einzigartige Schatten auf seine Wangen.

»In unserer Gesellschaft ist Geld zum Maßstab geworden«, gab er zurück. »Selbst millionenschwere Spitzensportler und Schauspieler und geradezu unanständig überbezahlte Fernsehmoderatoren machen Werbung, um noch mehr Kohle zu scheffeln. Sie kriegen den Hals einfach nicht voll. Wieso sollte Ihr Verlag da eine Ausnahme machen?«

Sie nickte und beugte sich wieder über ihre Dorade. Der Kellner war so freundlich gewesen, sie ohne Kopf zu servieren. Imke hatte ihn darum gebeten. Sie hätte den Anblick der toten Augen heute Abend nicht ertragen.

»Natürlich haben Sie im Prinzip recht«, sagte sie. »Aber es wäre entsetzlich für mich, wenn dieser Mann in irgendeiner Weise mit meinem Beruf zu tun hätte.« Während sie das aussprach, wurde ihr bewusst, dass es für sie wesentlich schlimmer wäre, von jemandem terrorisiert zu werden, der ihr wirklich nahestand.

Der Kommissar verspeiste mechanisch Fleischbröckchen, Paprikaragout und Reis, während sein Kopf auf Hochtouren lief. Er kam Imke vor wie ein nervös tänzelndes Pferd, die Füße kaum auf dem Boden, die Muskeln angespannt, zum Bersten gefüllt mit Energie.

»Ich weiß, dass ich mich wiederhole«, sagte er schließlich, »aber wir müssen es drehen und wenden, bis es einen Sinn ergibt – jemand wie Sie *muss* Neider haben. Es kann gar nicht anders sein.«

»Neid und Missgunst gehören ebenso zum Leben wie das Gegenteil. Mit solchen Empfindungen lernt man doch umzugehen, sonst würde die Hälfte der Menschheit Amok laufen.«

»Davon bin ich überzeugt.«

»Sie glauben nicht, dass der Mensch von Natur aus gut ist?«

»In meinem Beruf verlieren Sie diesen Glauben ziemlich schnell.«

»In meinem klammert man sich eine ganze Weile daran. Ihn zu verlieren, ist eine Katastrophe, jedenfalls war es das für mich.« Imke schaute von ihrem Teller auf. Ihr Blick fiel direkt in seine Augen. Ihr war ein bisschen schwindlig. Sie schwor sich, an diesem Abend keinen Tropfen Alkohol mehr anzurühren.

»Sie haben ihn immer noch«, sagte der Kommissar. »Ich finde ihn in all Ihren Büchern und ich bewundere Sie dafür.«

Imke hatte nicht gewusst, dass er ihre Bücher kannte. Sie wurde rot und ärgerte sich darüber. Sein Lob freute sie über die Maßen. Länger als notwendig beschäftigte sie sich damit, sich zwei hauchfeine Fischgräten von den Lippen zu zupfen.

»Ich fürchte, das kommt Ihnen nur so vor«, sagte sie. »Ich habe mir wirklich schon oft gewünscht, allein auf einer Insel zu leben.«

Die Lachfältchen um seine Augen vertieften sich. *»Allein mit einem Laptop, einem Boot und einer gut sortierten Bibliothek.«*

Es kam ihr merkwürdig vor, ihn aus einem ihrer Bücher zitieren zu hören. Und es war ihr unangenehm, dass er so mühelos einen Schnittpunkt entdeckt hatte, an dem die erfundene Welt und die wirkliche sich berührten.

»Es gibt immer Neider«, flüchtete sie sich zu dem letzten Gedankengang zurück. »Wo wollen Sie da anfangen zu suchen?«

»Und Bewunderer«, sagte er. »Fans, die den Boden der Realität verloren haben. Die sich in Ihren Romanen besser auskennen als in ihrem eigenen Leben. Für die Sie … alles sind.«

Mich interessiert nur einer meiner Leser, dachte Imke überrascht. Ich will, dass er jedes meiner Bücher verschlingt. Jeden Satz aufsaugt. Ich möchte ihm meine Lieblingsstellen vorlesen und mit ihm darüber weinen und lachen.

Und dieser Leser bist du.

Sie wünschte, sie wäre richtig betrunken und nicht nur beschwipst. Dann hätte sie eine Erklärung für ihre sonderbare Stimmung aus dem Hut zaubern können.

»Wahrscheinlich«, sagte sie, »geht es wirklich nur um einen durchgeknallten Fan.«

»Nur?«

Er hatte recht. Es ging längst um mehr. Irgendwo da draußen war ein Mörder, der alle Hebel in Bewegung setzte, um sie zu finden. Imke griff nach dem Weinglas. Zum Teufel auch. Wenn das kein Grund war, sich zu betrinken, was dann?

*

Manuel hatte sich in seinen Wagen gesetzt und war losgefahren. Er hatte kein Ziel, musste einfach unterwegs sein. Ihre Abwesenheit machte ihn verrückt. Er konnte keinen klaren Gedanken fassen.

Er wollte sie wiederhaben!

Allmählich verlor er den Kopf. Sein Alltag hatte keine feste Struktur mehr. Wie denn auch? Die Liebe zu Imke Thalheim hatte ihn stark gemacht, und jetzt stand er da, allein und verlassen. Ihr Verhalten demütigte ihn. Es stellte ihn bloß vor aller Welt.

Aber niemand weiß von dir und ihr.

Er verabscheute die rechthaberische Stimme in seinem Kopf. Sie war so überheblich. Und sie nervte! Manuel schlug sich mit der flachen Hand gegen die Stirn, um sie zum Schweigen zu bringen.

So ging es nicht weiter. Er musste etwas unternehmen. Die Frau, die ihm das antat, mit ihren eigenen Waffen schlagen. Es musste eine Möglichkeit geben, sie nach Hause zu locken.

Ein frühlingshafter Abend. Schöne Mädchen auf der Straße, jung und verführerisch. Eigentlich brauchte er nur die Hand auszustrecken. Er hatte wirklich eine unheilvolle Neigung, sich das Leben schwer zu machen. Ein hübsches, schlichtes Mädchen für ein hübsches, schlichtes Leben. Warum reichte ihm das nicht aus?

Weil es Imke Thalheim gab. Weil sie in sein Innerstes geschaut hatte.

Er entdeckte sich selbst in ihren Büchern. Er hatte keine Ahnung, wie sie das angestellt hatte, aber sie hatte ihn erkannt und beschrieben, immer und immer wieder. All die Liebesgeschichten in ihren Romanen waren Abwandlungen der großen, einzigen und einmaligen Liebesgeschichte zwischen ihm und ihr.

»Imke«, flüsterte er, und es überlief ihn heiß und kalt.

Irgendwann merkte er, dass er nicht länger ziellos umherstreifte. Er war auf dem Weg zu ihrem Haus und er fuhr mörderisch schnell.

*

Tilo saß im Wintergarten, seine Arbeit auf dem Tisch ausgebreitet, und gab sich alle Mühe, sich zu verhalten wie immer. Er hatte sich einen Tee aufgebrüht und ging nun die letzten Sitzungsprotokolle durch, wie er das an den meisten Abenden tat.

Er arbeitete gern zu Hause, wenn die Mühle auch streng genommen noch nicht wirklich sein Zuhause war. Er fühlte sich wohl hier auf dem Land und in Imkes Gegenwart. Es war eine andere Welt und er hatte sie sich zu eigen gemacht.

Inzwischen jedoch war diese Welt bedroht, in einem Ausmaß, das er noch nicht abschätzen konnte. Alles hatte sich verändert. Der Stalker war zum Mörder geworden. Hier.

Tilo hatte sich mit ihm auseinandergesetzt. Er hatte versucht, ihn zu betrachten wie einen seiner Patienten, hatte versucht, ihn zu analysieren, so gut das bei jemandem möglich war, den man nie zu Gesicht bekommen hatte.

Sollte ich ihn jemals zwischen die Finger kriegen, dachte er, ich schlag ihn tot.

Wirklich alles hatte sich verändert, auch er selbst. Er konnte sich nicht erinnern, je einen solchen Hang zur Gewalttätigkeit verspürt zu haben.

Sie gehört MIR!

Das war mehr als eine bloße Warnung. Das war eine handfeste Drohung. Der Schattengänger hatte seinen Kreis erweitert. Das Objekt seiner Begierde war für ihn unerreichbar, also nahm er sich diejenigen vor, die Imke nahestanden.

Als Tilo sich klarmachte, dass es Jette war, mit der man Imke am tiefsten verwunden konnte, wusste er, dass er seine Arbeit für diesen Abend vergessen konnte. Er selbst war in der Lage, sich zu verteidigen, aber das Mädchen war nicht stark genug. Noch nicht. Sie hatte zu viel durchgemacht. Sie holte doch gerade erst wieder Luft.

Er musste mit ihr sprechen. Auch über den Vorfall mit diesem Lukas. Wieso war Jette Hals über Kopf aus dem Haus gestürmt? Warum hatte der junge Mann sich so merkwürdig verhalten? Ohne ein Wort der Erklärung war er verschwunden.

Tilo beschloss, eine Kleinigkeit zu essen und dann mit Jette zu telefonieren. Danach würde er Imke anrufen. Er hatte noch im Ohr, was sie ihm auf seine Mailbox gesprochen hatte. *Ich wollte dir nur sagen, dass ich dich vermisse.*

Sie hatte ihm erzählt, dass sie mit dem Kommissar verabredet war. Es hatte Tilo einen Stich versetzt, dass der Kommissar sie sehen durfte, während er selbst sich zurückhalten musste. Vielleicht gerade aus diesem Grund wollte er sie bei ihrem Gespräch nicht stören. Er würde sich später bei Imke melden und versuchen, sie aufzuheitern, falls sie unangenehme Neuigkeiten über den Stalker erfahren hätte.

Er räumte seine Unterlagen zusammen und nahm die leere Teetasse mit in die Küche. Draußen war es mittlerweile dunkel geworden. Sein Schatten bewegte sich auf den schwarzen Fensterscheiben wie sein Zwilling.

Schatten, dachte Tilo. Schattengänger.

Zum ersten Mal, seit er in der Mühle lebte, war er versucht, die Rollläden herunterzulassen. Und zum ersten Mal, seit er Imke kannte, musste er sich eingestehen, dass er eifersüchtig war.

*

Unser Bauernhof war mir von Anfang an eigentümlich vertraut gewesen. Als hätte ich ihn in einem früheren Leben schon gekannt. Nur manchmal entstand eine Stimmung in den Räumen, die mich überraschte, weil sie fremd war und ungewohnt. So wie jetzt. Draußen zog sich das Licht zurück und überall machten sich die Schatten breit.

Merle bemerkte mein Frösteln sofort. »Was hast du?«

»Nichts«, wehrte ich ab. »Mir ist nur ein bisschen unheimlich zumute. Ich muss mich erst an die neue Umgebung gewöhnen.«

»Das liegt nicht am Haus«, behauptete Merle. »Das liegt daran, dass wirklich etwas Unheimliches im Gange ist.« Sie beugte sich zu mir vor. »Mich hat heute jemand verfolgt.«

Alarmiert starrte ich sie an.

»Kennst du das Gefühl, dass dir Blicke im Nacken sitzen?«

Ich nickte.

»Und dann hat mir jemand vorm Supermarkt die Reifen aufgeschlitzt.«

Merle ist die unerschrockenste Person, die ich kenne. Sie hat vor gar nichts Angst und stellt sich jeder Herausforderung, doch jetzt saß sie ganz klein und beklommen am Tisch und wich meinem Blick aus, als schämte sie sich ihres Unbehagens.

»Glaubst du, das war ein und dieselbe Person?«, fragte ich.

»Jede Wette. Aber ich kann es natürlich nicht beweisen. Ich könnte ja noch nicht mal beschwören, dass mir tatsächlich jemand gefolgt ist.«

»Du hast es nur gespürt.«

Merle nickte. »Mit Gefühlen kannst du den Bullen aber nicht kommen.«

»Dem Kommissar schon.« Wenn ich einem Polizisten zutraute, Merles Instinkt ernst zu nehmen, dann ihm. »Er kennt uns. Er weiß, dass wir uns nichts zurechtspinnen.«

»Er weiß aber auch, dass wir ihm ständig ins Handwerk pfuschen.« Ein verschmitztes Lächeln huschte über Merles Gesicht und ließ für einen Moment ihre Augen leuchten.

»Du solltest es ihm erzählen, Merle. Bei euren Aktionen legt ihr euch mit so vielen Leuten an, vielleicht will sich einer von denen an dir rächen.«

»Klasse Idee!« Merle gab ihrer Kaffeetasse einen Stoß, der sie über den halben Tisch segeln ließ. »Als militante Tierschützerin die Bullen um Hilfe zu bitten!«

»Nicht die Bullen – den Kommissar. Das ist doch ein Unterschied.« In der nächsten Sekunde war ich mir nicht mehr sicher, dass ich damit richtiglag. »Haben Dorit, Bob und die andern auch das Gefühl, verfolgt zu werden?«

Merle schüttelte den Kopf. »Und wenn das gar nichts mit dem Tierschutz zu tun hat?«, fragte sie. »Wenn ...«

In diesem Augenblick läutete das Telefon. Es war Tilo, der wissen wollte, warum ich so fluchtartig das Haus verlassen hatte. Ich erklärte es ihm kurz und bündig, und er hörte zu und stellte keine weiteren Fragen. Seine absolute Diskretion war einer der Gründe dafür, dass ich ihn beim Kennenlernen auf Anhieb ins Herz geschlossen hatte.

Doch sein Anruf hatte noch einen Grund.

»Ich möchte dir keine Angst machen«, sagte er, »aber ich glaube, dass der Stalker, der deine Mutter belästigt, seine

Kreise erweitert. Er hat mir eine unmissverständliche Warnung an der Außenwand meiner Wohnung hinterlassen. Pass auf dich auf, Jette. Solltest du etwas Verdächtiges bemerken, ruf bitte sofort den Kommissar an. Wirst du das tun?«

Also hatte Merle sich den Verfolger nicht eingebildet. Ich zog mir die Ärmel meines Sweatshirts über die Hände. Eine Geste der Abwehr, wie ich von Tilo gelernt hatte. Aber es gab keine Möglichkeit, drohendes Unheil abzuwehren. Nicht auf diese Weise. Wenn ich etwas begriffen hatte, dann das.

*

Manuel raste über die schwarze Landstraße und fühlte sich zu allem fähig. Der mickrige kleine Alltag, der ihm immerzu Fesseln anlegte, spielte keine Rolle mehr.

Sollte der Boss ihn doch feuern. Egal. Manuel hatte Besseres zu tun, als mit öligen Fingern an Motoren herumzufummeln. Er konnte den Krach in der Werkstatt nicht mehr ertragen und die blöden Witze seiner Kollegen nicht mehr hören.

Das alles hatte ihn einmal gehalten. Er hatte sich frei gefühlt und als sein eigener Herr. Heute konnte er es kaum glauben. War er wirklich zufrieden gewesen mit dieser Durchschnittlichkeit? Hatte er keine Ziele gehabt?

Arbeit. Genug Geld, um leben zu können. Bücher. Mehr hatte er nicht gebraucht. Dann und wann ein Mädchen, für ein paar Wochen vielleicht. Aber keine Bindung.

Es hatte funktioniert, bis er Imke Thalheim begegnet war, ihren Gedanken und Gefühlen und wie sie sie in Worte kleidete. Da hatte er den Mangel gespürt.

Manuel hämmerte mit der Faust auf das Armaturenbrett ein, so lange, bis seine Hand ein einziger glühender Schmerz war. Er wurde mit jeder Schwierigkeit fertig, solange er *handlungsfähig* war. Doch jetzt war er gezwungen, diese grässliche Ohnmacht auszuhalten.

Wie lange noch? Wann würde das Versteckspiel ein Ende haben?

Er nahm die Hände vom Lenkrad, schloss die Augen und trat das Gaspedal durch. Mit angehaltenem Atem schoss er so durch die Dunkelheit, überließ sich blind und ohne Führung seinem Schicksal. Als er nach ein paar Sekunden die Augen wieder öffnete und nach dem Lenkrad griff, stellte er triumphierend fest, dass er immer noch lebte und keine einzige Schramme hatte.

Er war stark genug, um jeden herauszufordern, der sich ihm in den Weg stellte. Wenn es sein musste, sogar Gott.

*

Bert hatte keine Ahnung, wie spät es inzwischen war. Er hatte nicht ein einziges Mal auf seine Uhr geschaut. Die ganze Nacht hätte er so mit Imke Thalheim dasitzen können. Sie redeten und redeten, und er hatte das Gefühl, endlich angekommen zu sein.

Mach dich nicht lächerlich, dachte er, während er ihr Gesicht betrachtete, das unter der Perücke ganz verändert wirkte und doch so vertraut. Diese Frau ist nichts für dich und das weißt du genau. Bitte um die Rechnung und zieh dich mit Anstand zurück.

Aber er blieb sitzen und hörte ihr zu. Hatte er Margot auch so angesehen, damals? Sich so hungrig ihre Gesichtszüge eingeprägt, aus lauter Angst, sie sonst zu vergessen?

Ganz kurz überfiel ihn das schlechte Gewissen. Er schob es beiseite.

Ihr Lachen kam von tief innen heraus. Manchmal warf sie dabei den Kopf zurück und er sah ihren langen weißen Hals. Bert musste sich zurückhalten, um ihn nicht mit den Fingerkuppen sacht zu berühren.

Noch war es möglich, es bei ihrem Gespräch bewenden zu

lassen. Er brauchte nur aufzustehen und zu gehen. Noch war nichts geschehen, was er sich hätte vorwerfen müssen.

Eine Geschichte zwischen ihnen war unmöglich. Nicht nur, dass Bert verheiratet und Vater zweier Kinder war, während sie mit Tilo Baumgart zusammenlebte, nicht nur, dass ihre Berufe sie in völlig verschiedene Welten geführt hatten – Imke Thalheim war in einen Mordfall verwickelt, und Bert war der Mann, der ihn aufklären musste.

Steh auf, sagte er sich. Jetzt. Sofort. Steh auf und geh.

Aber er wusste, dass er bleiben würde.

*

In jedem Fenster war Licht. Schon von Weitem leuchtete die Mühle in der Nacht wie ein großer Lampion. Er hat keine Angst, dachte Manuel. Oder er will sie nicht zeigen. Vielleicht hat er dieses Spektakel einzig und allein für mich aufgezogen.

Er konzentrierte sich auf seine Schritte. Es war so still, dass das Knacken eines zertretenen Zweigs doppelt und dreifach laut durch den Wald hallte. Zwar hatte Manuel eine Taschenlampe bei sich, doch er wollte sie nur im Notfall benutzen.

Oder war die zur Schau gestellte Sorglosigkeit eine Kampfansage? Sieh her, ich präsentiere mich vor aller Augen. Du hast zwar unser komplettes Leben aus den Angeln gehoben, aber ich zeige dir die kalte Schulter. Komm doch, wenn du dich traust.

»Du kannst mich mal«, murmelte Manuel. »Ich werde dir zeigen, wer hier am Drücker ist.«

Etwas, das lange in ihm geschlummert haben musste, hatte sich gelöst und Gestalt angenommen. Eine Stärke, von der er nie geglaubt hätte, sie zu besitzen, und das Bewusstsein einer Art Unverwundbarkeit wie bei Siegfried, dem Drachentöter.

Siegfried aber war schließlich doch noch ermordet worden. Eine Stelle an seiner Schulter war verletzlich geblieben.

Eine winzige Stelle, dachte Manuel. Das darf mir nicht passieren.

Ihm war jetzt klar, dass er sich verändert hatte. Dass sein ganzes Leben eine einzige, allmähliche Verwandlung gewesen war. Nichts erinnerte mehr an den kleinen Jungen, der Nacht für Nacht ins Bett gemacht hatte und Morgen für Morgen Laken und Schlafanzug in kaltem Wasser auswaschen musste.

Nehmt euch in Acht, dachte er. Alle.

Er hörte den Warnruf eines Vogels und grinste in sich hinein. Da hätten sie sich besser einen Hund angeschafft.

*

Es war spät geworden, doch Imke konnte sich nicht losreißen. Längst ging es nicht mehr um den Schattengänger, den Mord an Frau Bergerhausen, die allgegenwärtige Bedrohung.

Es ging um die uralte Geschichte von Mann und Frau.

Irgendwo in Imkes Hinterkopf regte sich der Impuls, dieses Treffen zu beenden, wie es sich gehörte, rechtzeitig und sauber und so, dass sie sich am nächsten Morgen im Spiegel noch in die Augen schauen könnte. Doch sie brachte die Kraft dazu nicht auf.

Alles in ihr war im Lot. Für einen kostbaren Augenblick hatten sich Angst und Schuldgefühle zurückgezogen. Sie fühlte sich lebendig wie lange nicht mehr.

Dann war auch der letzte Gast aufgebrochen. Der Kellner an der Theke hatte schon mehrmals demonstrativ gegähnt.

»Wir sollten langsam ...«, sagte Imke. »Sie müssen ja noch den ganzen weiten Weg ...«

Der Kommissar bestand darauf, sie einzuladen. Er gab ein irrsinnig hohes Trinkgeld. Verstaute das Portemonnaie in der Gesäßtasche.

Gesäßtasche, dachte Imke. Sie fing an zu kichern, heftig und unkontrolliert, beinah hysterisch. Ebenso gut hätte sie in Tränen ausbrechen können. Wie nah die Gefühle bei ihr neuerdings beieinanderlagen.

Die Luft draußen war kühl und erfrischend. Unter dem klaren Sternenhimmel gingen sie schweigend durch den menschenleeren Ort. Imkes Absätze klackerten auf den Pflastersteinen. Sie bemühte sich, ihre Schritte den seinen anzupassen.

Als sie stolperte, fasste er sie am Ellbogen. Und ließ sie nicht mehr los.

Sein Wagen, dachte Imke. Er hat ihn auf dem Parkplatz vergessen.

»Meinen Wagen hole ich später«, sagte er, mühelos ihre Gedanken lesend.

Seine Nähe nahm ihr die Luft. Imke zitterte, obwohl ihr nicht kalt war. Er spürte es und legte ihr behutsam den Arm um die Schultern. Sie atmete seinen Geruch ein und ließ für einen winzigen Moment den Kopf an seine Schulter sinken.

Die Pension kam in Sicht, ein zu wuchtig geratenes Puppenhaus mit Blumenkästen auf den Fensterbänken und gebauschten Gardinen an den Scheiben. Im ersten Stock befand sich Imkes Zimmer.

Ich kann mich immer noch an der Haustür von ihm verabschieden. Noch ist nichts geschehen, dessen wir uns …

Sie blieben stehen. Er fasste sie bei den Schultern und drehte sie zu sich um. Sah sie an.

Imke schloss die Augen.

Als ihr Handy klingelte, zuckten sie beide zusammen. Imke warf einen Blick auf das Display und wandte sich ab. »Hallo«, meldete sie sich leise.

»Ich vermisse dich auch«, hörte sie Tilos zärtliche Stimme.

21

Ich hatte außer einer Tüte knuspriger, duftender, noch warmer Brötchen auch die Samstagszeitung mitgebracht. Merle und ich hatten uns vorgenommen, endlich nach einem neuen Wagen zu suchen. Mein Renault würde heute oder morgen an Altersschwäche eingehen, und ich wollte vermeiden, dass mir das auf der Autobahn oder auf einer einsamen Landstraße passierte.

»Er soll noch auf seinen eigenen vier Rädern zum Schrottplatz fahren«, sagte ich zu Merle. »Das bin ich ihm schuldig.«

Merle biss krachend in das erste Brötchen. »Alles andere wäre würdelos«, bestätigte sie. »Er hat uns nie im Stich gelassen. Ein paar Macken muss man einem alten Haudegen wie ihm schon verzeihen.«

Meine Stimmung schwankte zwischen Trauer und Euphorie. Ich verlor meinen treuen Sancho Pansa, aber ich freute mich auch auf einen etwas jüngeren Nachfolger, bei dem die Türen nicht klemmten, das Dach dicht war und das Öl nicht ständig nachgefüllt werden musste.

Nach einer Stunde hatten wir drei Angebote rot umkringelt, einen Clio, einen Fiesta und einen Polo. Nach einer weiteren halben Stunde hatte ich mit den Besitzern telefoniert und erfahren, dass sie schon mit mehreren Interessenten Besichtigungstermine vereinbart hatten.

»Shit!« Ich warf das Telefon auf den Tisch. »Die scheinen

sich die Zeitung alle schon am Vorabend zu besorgen. Das ist gegen die Regel.«

»Gegen welche Regel?« Merle zog die Füße auf den Stuhl und umschlang die Knie mit den Armen. »Wir leben im Megakapitalismus, und da gilt nur eines: jeder gegen jeden und jeder für sich allein. War bei der Haussuche doch nicht anders.«

Daran brauchte sie mich nicht zu erinnern. Fast immer waren wir zu spät gekommen, selbst wenn wir uns schon um sechs Uhr früh die Zeitung geholt hatten. Inzwischen wusste ich, warum. Die besten Angebote, hatte Luke mir später verraten, gehen unter der Hand weg, bevor sie überhaupt im Netz oder in der Zeitung auftauchen. Und so mancher Angestellter in den Anzeigenredaktionen lässt sich für ein Scheinchen gern einen heißen Tipp entlocken.

»Und wenn wir uns mal bei den Händlern umsehen?«, fragte ich.

»Ist vielleicht auch sicherer«, antwortete Merle. »Da kriegst du, glaube ich, sogar eine Garantie.«

Tilo, der mehr von Autos verstand als wir, hatte schon häufiger angeboten, mir bei der Suche nach einem gepflegten, intakten Gebrauchtwagen zu helfen. Darauf kam ich jetzt zurück und rief ihn an. Er sagte sofort zu, wollte aber nicht, dass wir ihn abholten. Er bestand darauf, nach Birkenweiler zu kommen.

Eine halbe Stunde später stiegen wir in meinen Renault. Tilo hatte Mühe, seine langen Beine unterzubringen, doch er beklagte sich nicht. Er lotste uns zu einem Händler, mit dem er schon Geschäfte gemacht hatte, doch ich konnte mich in keinen der ausgestellten Wagen verlieben.

»Verlieben?«, fragte Tilo amüsiert. »Ein Fahrzeug ist ein Gebrauchsgegenstand.«

»Mit einem Gebrauchsgegenstand wollen wir nichts zu tun

haben«, entschied Merle. »Jettes Wagen muss schon Persönlichkeit besitzen.«

»Und er sollte bezahlbar sein«, erinnerte ich Tilo. »Kennst du nicht einen kleineren Laden?«

Er überlegte. Nachdem er seine Beine wieder zusammengeklappt und halbwegs bequem verstaut hatte, hellte sich sein Gesicht auf. »Ich habe neulich durch Zufall eine Autowerkstatt mitten in der Prärie gefunden. Da gab es auch einen kleinen Hof mit gebrauchten Fahrzeugen.«

Etwas sagte mir, dass mein neues Auto dort auf uns wartete. »Okay.« Ich drehte den Zündschlüssel im Schloss und der Motor sprang sofort an. Das hatte er seit einer Ewigkeit nicht mehr getan. Ich war zu Tränen gerührt, aber ich wurde nicht schwach. »Sag einfach, wo es langgeht.«

*

Tilo fragte sich verzweifelt, wie er es den Mädchen beibringen sollte. Was war der geeignete Moment für einen Schock? Und wie sollte er die richtigen Worte finden?

Als er am Morgen in die Küche gekommen war, um sich Frühstück zu machen, hatte er es entdeckt. Es hatte ihn mit voller Wucht getroffen.

Der Bussard hing leblos vor dem Küchenfenster.

Tilo war sofort hinausgelaufen, die Haare noch feucht vom Duschen. Bitte nicht, hatte er gedacht. Oh nein, bitte nicht.

Die Brust des Vogels war eine einzige klaffende Wunde. Blut war auf die Steinfliesen getropft und hatte sich dort in einer Lache gesammelt, deren Form Tilo unpassenderweise an die Umrisse Skandinaviens erinnert hatte.

Seltsam, hatte er im nächsten Moment gedacht, dass man den Tod auf den ersten Blick erkennt, wenn man ihn vor sich hat. Auch ohne die schreckliche Wunde und ohne das Blut.

Der Bussard hing an den Füßen, mit dem Kopf nach unten,

und Tilo sah sich unvermittelt einem Schreckgespenst seiner Kindheit gegenüber.

Einer seiner Onkel war Jäger gewesen und hatte die Familie regelmäßig mit Hasen versorgt. Tilos Mutter band ihnen die Hinterläufe zusammen und hängte die toten Tiere kopfüber in der kalten Waschküche an einen Haken in der Wand. Dort blieben sie, bis seine Mutter die Zeit fand, sie zu enthäuten.

Bis dahin behielten sie ihr schönes, weiches Fell, und der kleine Tilo schlich immer wieder in die Waschküche, um es mit scheuen Fingern zu berühren. Er vermied es, in ihre toten Augen zu blicken. Es schauderte ihn, wenn er die starren Muskeln fühlte.

Leise hatte er zu den Hasen gesprochen und sie zu trösten versucht. Manchmal hatte er dabei weinen müssen.

Seine Mutter enthäutete die Hasen eigenhändig. Sie nannte es scherzhaft *den Hasen das Fell über die Ohren ziehen.* Tilo, der ein einziges Mal einen enthäuteten Hasen gesehen und den Anblick nie verkraftet hatte, hasste seine Mutter dafür und konnte es eine ganze Weile nicht ertragen, von ihr berührt zu werden.

Und nun der Bussard.

Erst nach einer Weile hatte Tilo den großen Haken bemerkt, an dem der Vogel aufgehängt worden war. Jemand hatte ihn mit ein paar gewaltigen Hieben ins Mauerwerk über dem Fensterrahmen getrieben.

Wieso hatte Tilo nichts gehört?

Weil er eine ganze Flasche Rotwein getrunken und danach tief und traumlos geschlafen hatte. Er hatte lange mit Imke telefoniert, dabei die erste Hälfte der Flasche geleert und später dann die zweite.

Mein Wächter. So hatte Imke den Bussard immer genannt.

Vorsichtig hatte Tilo das Seil vom Haken gelöst und das

Tier zu den Büschen hinübergetragen. Es war ihm riesig vorgekommen und unglaublich schwer. Tilo hatte es behutsam abgelegt und war in die Scheune gegangen, um eine Schaufel zu holen. Er hatte beschlossen, den Vogel anständig zu begraben, in der Nähe der Scheune, auf deren Dach er meistens gesessen hatte.

Das Loch war schon spatentief ausgehoben, als Tilo klar wurde, dass er im Begriff war, Beweismaterial zu vernichten. Er trug den Bussard in die Scheune, bettete den steifen Körper auf einen Stapel Papier, der dort auf seine Entsorgung wartete, und deckte ihn mit einem alten Wolltuch zu. Dann wählte er die Handynummer des Kommissars und hinterließ ihm eine kurze Nachricht mit der Bitte, ihn zurückzurufen.

Früh am Morgen war das gewesen, und Tilo hatte keinen Bissen heruntergebracht, nur eine Tasse Kaffee, von der es ihm fast hochgekommen war.

»Übrigens«, begann er jetzt und dachte im nächsten Moment, dass dieses Wort ein denkbar schlechter Anfang war.

»Ja?« Jette wandte ihm das Gesicht zu. Merle beugte sich erwartungsvoll nach vorn. Es war der falsche Augenblick. Sie freuten sich auf das neue Auto und waren aufgeregt. Er brachte es nicht fertig, ihnen die Stimmung kaputt zu machen.

Vielleicht war es ohnehin ratsam, zuerst einmal gegen das eigene Unbehagen anzugehen, das ihn mit festem Griff gepackt hielt.

*

Bert saß in seinem Büro und starrte auf die Pinnwand, die sich allmählich mit Fotos und Notizen füllte. Die Kinder verbrachten das Wochenende bei den Großeltern, und Margot war mit einer Freundin losgezogen, um einen Einkaufsbummel zu machen. Bert war es recht. Er war heute gern allein und ungestörte. Vor allem brauchte er eine Beschäftigung, die ihn von den Gedanken an Imke Thalheim ablenkte.

Manchmal, dachte er, entscheidet eine Kleinigkeit über den Verlauf eines ganzen Lebens. Hätte Margot ihn damals nicht angelächelt, wäre er nicht auf sie zugegangen, und sie wären kein Paar geworden. Hätte Imke Thalheims Handy nicht geklingelt oder wäre der Anrufer nicht ausgerechnet Tilo Baumgart gewesen ...

Bert war allein in dem großen, wochenendstillen Gebäude. Allein auf der Welt, dachte er. Im Grunde sind wir das doch alle, nur dass wir unsere Einsamkeit feige mit Illusionen bemänteln.

Sein Blick fiel auf das Foto, das er von Tilo Baumgarts Hauswand gemacht hatte. Ein Grafologe, den er von früheren Fällen her kannte, hatte es sich angeschaut und sich dazu geäußert. Unter Vorbehalt selbstverständlich, denn ein mit der Hand geschriebener Satz, hatte er erklärt, sei etwas grundlegend anderes als ein mit der Spraydose gesprühter, wie der ihm vorliegende. Außerdem beurteile er eine Schriftprobe ungern, ohne das Original untersucht zu haben.

Ein besonderer Schwierigkeitsfaktor, das wusste Bert, war die Tatsache, dass die Worte nicht auf Papier geschrieben worden waren, sondern auf eine Wand aus Stein. Wesentliche Merkmale, wie beispielsweise die Stärke des Drucks, den die Finger beim Schreiben ausüben, konnten so nicht erfasst werden.

»Ich erkenne Wut«, hatte der Grafologe gesagt, »Wut und das Bemühen, sie unter Kontrolle zu halten. Beachten Sie, wie die Buchstaben dastehen, jeder für sich allein, kaum einmal verbunden mit einem anderen. Der untere Bogen vom *g* ist als bloßer Strich ausgeführt. Sehen Sie, wie atemlos er nach unten führt und dann jäh endet? Betrachten Sie dagegen das überdimensionale, weit ausholende, äußerst weiblich gestaltete *S*.

Und dann das geradezu egoman hervorgehobene Possessivpronomen: *MIR*. Sie fragen mich nach meiner Einschätzung? Verstehen Sie diese Botschaft unbedingt als eine ernst zu nehmende Drohung.«

Bert hatte sich für die erste Rückmeldung bedankt. Inzwischen war das Gutachten eingetroffen. Es deckte sich im Großen und Ganzen mit dem, was Bert bereits erfahren hatte.

Sie gehört MIR!

Das hättest du wohl gern, dachte Bert gereizt. Er hätte das Foto am liebsten von der Pinnwand gerissen und zerfetzt. Ihm war bewusst, dass er den Fall eigentlich längst hätte abgeben müssen. Er war befangen und zu einer unvoreingenommenen Sicht auf die Dinge nicht mehr fähig.

Sein Blick nahm die übrigen Fotos ins Visier. Die tote Putzfrau, die bruchstückhaften Fußabdrücke, das Reifenprofil, die Einbruchspuren. Zusätzlich hatte Bert Ausdrucke und Fotokopien des Materials angepinnt, das der Täter Imke Thalheim hatte zukommen lassen.

Das Mosaik eines Falls, noch unvollendet. Wie auch Berts Notizen, die noch jegliche Feinstruktur vermissen ließen.

Zwei Äußerungen waren ihm bei den Befragungen besonders aufgefallen. Imke Thalheim hatte berichtet, sie habe bei einem Anruf des Schattengängers im Hintergrund einen zischenden Laut vernommen. Doch sie hatte das Geräusch weder einordnen noch näher charakterisieren können.

Und Tilo Baumgart hatte die Vermutung geäußert, die autobiografischen Elemente in den Büchern Imke Thalheims könnten ihr möglicherweise gefährlich werden, weil sie dem Täter verrieten, wo sie am verwundbarsten war.

Berts Instinkt sagte ihm, dass da etwas war, dem nachzugehen sich lohnte. Aber in der Hand, das war das deprimierende Resümee seiner Bestandsaufnahme, hatte er nichts, absolut gar nichts. Resigniert griff er zum Telefon.

»Isa? Entschuldige, dass ich dich am heiligen Samstag störe …«

»Hast du eigentlich schon mal bemerkt«, unterbrach ihn Isa mit einem freundlich tadelnden Unterton, »dass du dazu neigst, dich unentwegt zu entschuldigen?«

»Tut mir leid, aber …«

»Siehst du?«

»Du hast ja recht. Trotzdem …«

»Also, Bert, du störst mich *nicht*. Du unterbrichst mich beim Fensterputzen und dafür bin ich dir ziemlich dankbar.«

Isa mit Putzeimer und Fensterleder? Dafür reichte seine Vorstellungskraft nicht aus. Was gegen seine Vorstellungskraft sprach, dachte er, nicht gegen Isa.

»Auch wenn meine Fenster es dringend nötig haben.« Sie machte eine kleine Pause, in der Bert sie atmen hörte. »Also, was kann ich für dich tun?«

»In mein Büro kommen«, bat Bert sie ohne Umschweife. »Ich brauche dich für ein gründliches Brainstorming.«

»Bin schon unterwegs«, sagte Isa und unterbrach die Verbindung.

Bert legte die Füße auf seinen Schreibtisch, verschränkte die Arme vor der Brust und starrte weiter die Pinnwand an. Da irgendwo war sie, die Verbindung zwischen den einzelnen Elementen. Es war nur eine Frage des Blickwinkels.

*

Manuel hatte für heute die Stallwache übernommen. Es war ein geschickter Schachzug, sich ab und zu freiwillig für ungeliebte Pflichten anzubieten. Dadurch gerieten die andern in seine Schuld und irgendwann würde ihm das zugutekommen.

Die Samstage gehörten dem Verkauf. Da saß einer von ihnen im Büro und wartete auf Kundschaft, führte Interessenten über den Hof, zeigte ihnen das Angebot, und manchmal ergab sich auf der Stelle ein Geschäft. Der Boss hatte sich fast ganz aus dem Betrieb herausgezogen. Er war andauernd auf Achse.

Manuel war es schnuppe. Er registrierte ohne Emotionen, dass Alex neuerdings eine Rolex trug und einen Brillantring am kleinen Finger der linken Hand. Und dass er manchmal von Typen besucht wurde, die jede zwielichtige Rolle im *Paten* hätten spielen können.

»So einer ist Zuhälter oder Manager«, hatte Ellen neulich gesagt. »Wenn er die Klappe hält, kann er als einer von der Chefetage durchgehen, aber nur dann.«

Ihr Parfüm war immer noch im Raum. Manuel hatte es sich auf ihrem Schreibtischstuhl bequem gemacht, sich aus ihrem streng gehüteten Teevorrat bedient und einen Roman von Imke Thalheim aufgeschlagen. Wenn er Glück hatte, würde sich heute kein Kunde blicken lassen. Das Wetter war schön, ein vollkommener Frühlingstag, da hatten die Leute hoffentlich anderes im Sinn als den Gebrauchtwagenmarkt.

Nach den ersten Seiten drifteten seine Gedanken ab, und er sah wieder den Bussard vor sich, wie er auf dem Dach der Scheune gehockt und ihn beobachtet hatte.

Manuel hasste es, angestarrt zu werden, egal ob von Mensch oder Tier. Er hatte den mächtigen Vogel im Dunkeln nur erkennen können, weil das Licht über dem Scheunentor brannte. Seltsam, hatte er gedacht, man sollte doch meinen, Raubvögel würden den Schutz der Dunkelheit bevorzugen.

»Hau ab!«, hatte er gezischt. Und da war ihm eingefallen, dass in Imke Thalheims Büchern immer wieder von einem Bussard die Rede war. Er hatte versucht, sich zu erinnern. Aber ja, der Vogel hatte in jedem der Romane so etwas wie eine prophetische Bedeutung.

Ein Orakel sozusagen.

In der Serie *Flamme und Fegefeuer* war er das Alter Ego der Hauptfigur, spiegelte ihre Gedanken und Gefühle und bestimmte die Richtung ihrer Gedanken.

Erst da hatte Manuel den Zusammenhang hergestellt. Es gab den Vogel wirklich. Imke Thalheim hatte ihn nicht erfunden. Und wenn sie ihm eine so bedeutsame Rolle in ihren Krimis zuwies …

»Sie kann ohne dich nicht sein«, hatte er überrascht gemurmelt und nach oben gestarrt. »Ohne dich fällt ihre ganze feine Überlegenheit in sich zusammen.«

Aus schmalen Augen hatte er den Bussard gemustert, der so reglos dasaß, dass man hätte glauben können, er sei gar nicht echt und nur zum Spaß dort oben hingesetzt worden.

Vielleicht war er ja krank gewesen, hatte Manuel gedacht, nachdem er den Vogel mit einem einzigen Steinwurf vom Dach geholt hatte. Oder er stellte sich bloß tot. Vorsichtshalber hatte er mit dem Messer nachgeholfen.

»Das – wird – ihr – eine – Lehre – sein!«

Er hatte gespürt, wie ihm die Tränen in die Augen gestiegen waren, und er hatte sie mit einer zornigen Bewegung weggewischt. Wie konnte sie ihm das antun? Ihn dazu zwingen, ein wehrloses Tier zu töten, nur um sie zur Rückkehr zu bewegen?

Unaufhaltsam waren jetzt die Tränen geflossen und in dem Federkleid des toten Bussards versickert.

Manuel schüttelte die Erinnerung ab. Er versuchte, sich auf den Krimi zu konzentrieren, doch er konnte keine einzige Zeile lesen, solange er so aufgebracht war. Er pfefferte das Buch an die Wand und beobachtete, wie es zu Boden fiel und aufgeklappt, die Seiten nach unten, liegen blieb.

Auch der Bussard war gefallen wie ein Stein. Beinah geräuschlos.

Manuel verpasste dem Schreibtisch einen Tritt und sah zu, wie der Tee überschwappte. Er hatte Lust, sämtliche Aktenordner aus den Regalen zu fegen und jedes einzelne Möbelstück kurz und klein zu schlagen.

Wenn ich die Schlampe in die Finger kriege, dann gnade ihr Gott!

In diesem Augenblick hörte er einen Wagen auf den Hof fahren. Er beugte sich vor und schaute hinaus und das Herz blieb ihm stehen. Es war ihr Lebensgefährte, der da aus dem klapprigen Renault stieg. Und er hatte die Mädchen bei sich.

Schnell wischte Manuel mit einem von Ellens Kosmetiktüchern über den Schreibtisch. Er hob das Buch vom Boden auf und verbarg es unter einem Stapel von Papieren.

Dann holte er tief Luft und ging hinaus.

*

Ein toller Typ. Merle sah ihn im gleißenden Sonnenlicht über den Hof kommen und fragte sich, was, um alles in der Welt, sie immer noch bei Claudio hielt, der sie schamlos belog und ausnutzte und der nicht einen Funken Respekt vor ihr hatte.

Ganz einfach. Claudio war Claudio.

Etwas an ihm ging ihr unter die Haut, jedes Mal wenn sie ihm gegenüberstand. Hormone, sexuelle Duftstoffe, Hexerei. Ihre Liebe spielte sich auf einer ausschließlich instinktiven Ebene ab. Sie konnten keine halbe Stunde miteinander reden, ohne zu streiten, hatten so gut wie keine gemeinsamen Interessen und waren charakterlich Meilen voneinander entfernt.

Merle verstand es ja selber nicht.

Der junge Mann, der da auf sie zukam, war groß und schlank, und seine Bewegungen waren geschmeidig. Seine Haut war gebräunt, obwohl der beginnende Frühling die Gegend noch nicht gerade mit Sonne verwöhnt hatte. Alles an ihm wirkte dunkel, ein bisschen wie bei Claudio, doch da hörten die Gemeinsamkeiten auch schon auf. Dieser Mann erinnerte an einen Panther, Claudio eher an einen Stubentiger.

Kampfsport, dachte Merle. Das könnte ich mir bei ihm gut vorstellen. Sie betrachtete sein dichtes, glänzendes Haar, das ihm bis zu den Schultern reichte. Er strich es mit einer raschen Bewegung der Hand nach hinten, von wo aus es wieder in alle Richtungen auseinanderfiel. Der Schotterboden staubte unter seinen Schritten, und Merle beobachtete fasziniert, wie sich das ernste, verschlossene Gesicht des Mannes veränderte, als er Tilo die Hand hinstreckte. Für einen kurzen Moment explodierte ein offenes, hinreißendes Lächeln auf seinen Zügen, doch es verschwand so plötzlich, wie es aufgetaucht war.

Während Tilo ihr Anliegen vorbrachte und Jette den Wagen beschrieb, der ihr vorschwebte, hatte Merle das Gefühl, den Mann von irgendwoher zu kennen. Manuel Grafen, so hatte er sich vorgestellt. Merle wusste genau, sie hatte diesen Namen nie zuvor gehört. Sie hatte diesem Mann nie zuvor die Hand geschüttelt.

Dennoch musste sie ihm schon begegnet sein.

Langsam, altes Mädchen, dachte sie. An so einen Typen würdest du dich garantiert erinnern. Aber sie wurde ihre Irritation nicht los.

*

Das Mädchen mit den roten Haaren ließ ihn nicht aus den Augen. Manuel war sich dessen durchaus bewusst. Aber sie konnte ihn nicht einordnen. Seine Kapuze und die Sonnenbrille hatten ihn gestern im Supermarkt gut geschützt, da war er sich sicher. Vorsichtshalber hatte er seine Stimme verstellt, als er sich entschuldigt hatte, aber sie war so in Eile gewesen, dass sie alles geschluckt hätte, ohne Verdacht zu schöpfen.

Jetzt sah sie ihn richtig. Und sie fuhr auf ihn ab.

Er wusste, welche Wirkung er auf Frauen hatte. Es war fast schon unheimlich. Er konnte sie lenken, wie er wollte, mit einem einzigen Blick, einer einzigen Geste.

Zauberer hatte ihn eines seiner Mädchen einmal genannt. Hokuspokus. Es war so simpel.

Sie waren so leicht zufriedenzustellen. Er schaute sich ihre Träume an und ließ sie wahr werden, wenigstens einen Teil davon. Dazu gehörte nicht viel. Eine Berührung, ein Wort, ein Kuss.

Aber sie ließen ihn kalt. Sein Herzschlag blieb immer gleich. Nur eine brachte sein Blut in Wallung. Und ausgerechnet diese eine war unerreichbar für ihn.

Wo bist du?, dachte er, während er ihrer Tochter die Wagen zeigte. Wo hast du dich verkrochen? Muss ich dich wirklich zwingen, zu mir zurückzukommen?

22

»Ich liebe Brainstorming«, sagte Isa, als sie das Büro betrat. »Vor allem am Samstag. Wochenenden sind tödlich für Singles, das kannst du mir glauben.«

Bert stellte fest, dass er sie noch nie nach ihrem Privatleben gefragt hatte. Er schämte sich dafür, denn umgekehrt war sie ziemlich genau über seines informiert. Er öffnete den Mund, doch sie kam ihm zuvor.

»Versteh mich nicht falsch. Alles ist wunderbar. Bis auf die Wochenenden eben und Weihnachten und Ostern sind auch nicht gerade Freudenfeste. Dabei sollten Psychologen ihr Leben doch geregelt kriegen, findest du nicht?«

»Eine Ehe bedeutet nicht zwangsläufig, dass man auf ewig glück...«

»Ich weiß, ich weiß. Aber es gibt nichts Hartnäckigeres als Illusionen und manche bleiben für immer an dir kleben.« Sie setzte sich ihm gegenüber und sah ihn erwartungsvoll an. »Und was hat *dich* hierhergetrieben?«

»Die Aussicht, ungestört nachdenken zu können.«

»Du bist gern in diesem Raum.«

»Manchmal. Ja. Wenn sonst keiner im Haus ist.«

»Das hat sich bereits herumgesprochen.«

Sie erwiderte seinen verwunderten Blick voller Wärme. Wahrscheinlich wusste längst jeder Kollege Bescheid. Glücklich verheirateten Menschen war ihr Büro keine Zuflucht. Die verbrachten ihre Freizeit auf andere Weise.

»Die Welt ist ein Dorf«, philosophierte er und merkte, wie er sich in Isas Gegenwart entspannte. »Sprichst du noch einmal mit mir die Fakten im Fall Thalheim durch?«

Fakten. Fall. Thalheim. Wie gut es tat, sich für einen Moment mit knappen Begriffen zu distanzieren. Bald darauf saßen sie bei ihrem zweiten Kaffee. Die Sonne schien ins Zimmer und sie streckten die Beine aus, lehnten sich zurück und waren wieder ganz sie selbst.

»Was will er?«, fragte Bert.

»Kontrolle«, sagte Isa.

»Wie weit wird er gehen?«

»Kein Stalker ist wie der andere, Bert. Der eine hat die Absicht, sein Opfer zu töten, der andere versetzt es nur in Angst und Schrecken.«

»Nur! Erzähl das mal den Opfern!«

Isa schaute aus dem Fenster, als sie weitersprach. »Es ist eine besonders subtile Form der Grausamkeit, denn das Opfer stirbt tausend Tode in der bloßen *Erwartung*, getötet zu werden.«

»Aber es gibt Stalker, die dann tatsächlich zu Mördern werden.«

»Wir alle können zu Mördern werden, Bert, jeder von uns. Und im Fall Imke Thalheim hat der Stalker ja bereits den ersten Mord begangen. An einem Außenstehenden.«

»Eine Zufallstat. Davon gehen wir doch aus oder hast du deine Meinung inzwischen geändert?«

»Nein. Regina Bergerhausens Tod war nicht geplant. Auf der Besetzungsliste dieses Beziehungsdramas kam sie mit Sicherheit überhaupt nicht vor.«

»Wie hoch ist die Wahrscheinlichkeit, dass er auch ... sein Opfer tötet?«

Isa beugte sich vor und ergriff über den Schreibtisch hinweg seine Hand. »Du hast Angst um sie.«

Bert versuchte nicht länger, ihr etwas vorzumachen. Er nickte und spürte, wie seine Mundwinkel zitterten.

*

Die meisten Wagen waren noch ziemlich gut in Schuss. Jedenfalls sah jeder um Klassen besser aus als mein alter Renault. Das Modell, in das ich mich schließlich verliebte, war ein metallicgrüner Peugeot 206 CC. Er hatte ein stabiles Dach, das man jedoch herunterfahren konnte, um ihn in ein Cabrio zu verwandeln. Ich sah ihn und war ihm rettungslos verfallen.

»Ich will mich nicht einmischen«, sagte Tilo. »Aber wenn das Dach unten ist, fällt der Kofferraum praktisch weg. Da kriegst du nicht mal einen Kasten Wasser verstaut.«

»Dann lass ich das Dach eben oben, wenn ich den Kofferraum brauche.«

Es war verrückt. Wir wohnten in einem Bauernhaus und würden noch oft zwischen Baumarkt und Gartencenter hin und her pendeln müssen. Ein Kombi hätte sich da eher angeboten.

»Ich fühle schon den Wind im Haar und die Sonne auf dem Gesicht«, sagte Merle verzückt.

Im Grunde war die Entscheidung längst gefallen. Ich konnte mich noch ein bisschen sträuben und nach Ausflüchten suchen, aber mir war klar, dass ich jeden vernünftigen Einwand mit einem fröhlichen Lächeln vom Tisch fegen würde.

Tilo hob die Schultern. Das bedeutete so viel wie: Ich wasche meine Hände in Unschuld. Ich sah ihn an und merkte, wie sehr ich ihn inzwischen ins Herz geschlossen hatte. Und wie gut ich ihn allmählich kannte. Etwas bedrückte ihn, das war mir schon aufgefallen, als wir uns begrüßt hatten. Irgendetwas verheimlichte er uns.

»Wenn Sie mir bitte ins Büro folgen würden.«

Der Autohändler, der gar nicht in diese Umgebung zu passen schien, ging über den Hof voran. Er bewegte sich wie jemand, dem die Schönheit seiner Bewegungen selbstverständlich ist, wie ein Tänzer vielleicht oder ein Zirkusartist. Seine Schritte waren so leicht, dass man sie auf dem Schotter kaum hörte. Im flirrenden Licht war er fast unsichtbar.

Wir anderen trotteten im Gänsemarsch hinter ihm her und warfen in der Mittagssonne scharf geschnittene Schatten.

*

Imke saß an ihrem Laptop und schrieb bei zurückgezogener Gardine. Die Sonne warf staubige Strahlen ins Zimmer, eines der zahlreichen, unpersönlichen, ewig gleichen Hotelzimmer, in denen Imke im Laufe der Jahre schon zu Gast gewesen war. Immer nur für ein, zwei Tage jedoch und nie auf unbestimmte Zeit.

Sie hatte Heimweh. Sehnte sich nach Tilo und Jette. Sie verspürte eine unbändige Lust, die Finger im warmen Fell ihrer Katzen zu vergraben. Im Wintergarten zu sitzen mit einem heißen, starken, sündhaft süßen Tee und einem packenden Buch. Wenn sie die Augen schloss, gelang es ihr für Sekunden, den ganz spezifischen, unvergleichlichen Geruch ihres Arbeitszimmers heraufzubeschwören, den sie brauchte, nach dem sie süchtig war.

Telefongespräche waren kein Ersatz. Sie machten den Mangel nur deutlicher. Seufzend lehnte Imke sich auf ihrem unbequemen Stuhl zurück. Sie las die letzten Sätze, die sie geschrieben hatte.

Er hatte alle Grenzen eingerissen. Es gab kein Zurück für ihn.

Bisher hatte sie die Motive ihrer Figuren immer nachvollziehen können. Bei diesem Buch war das anders. Sie mochte den Täter nicht. Er war ihr fremd und sie fürchtete ihn. Zum ersten Mal machte das Eigenleben einer Figur ihr Angst.

Ich werde dich kriegen.

Imke zuckte zusammen. Wie war der Satz in ihren Kopf gekommen? Immer häufiger passierte es ihr, dass die Ebenen sich mischten, die der Wirklichkeit und die ihrer Phantasie. Dass der Schattengänger eins wurde mit seinem literarischen Bruder.

Nicht mehr lange, dachte Imke, und ich schreibe ihn herbei.

Es rieselte ihr kalt über den Rücken. Sie sprang auf, griff nach ihrer Tasche, riss den Mantel vom Haken und hastete die Treppe hinunter, dass sie beinahe stürzte.

*

Jette hatte den Handel perfekt gemacht und eine Anzahlung geleistet. In ein paar Tagen würde sie das Auto abholen können. Auf dem Heimweg waren sie in einem Landgasthof eingekehrt, wo Tilo die Mädchen zum Essen eingeladen hatte, dann waren sie nach Birkenweiler zurückgefahren und hatten sich in den Hof gesetzt, um noch eine Weile die Sonne zu genießen.

Die Mädchen schwärmten entspannt und glücklich von dem neuen Wagen und überboten sich mit Vorschlägen, wohin die erste längere Fahrt sie führen sollte. Tilo hörte ihnen lächelnd zu und ließ den Blick über die Sträucher wandern, deren Blätter eruptionsartig zu sprießen begonnen hatten. Er bewunderte all das zerbrechliche, helle Grün und erfreute sich an dem matten Glanz der alten Pflastersteine. In den breiten Fugen hatten sich zaghaft ein paar Gänseblümchen angesiedelt, ein paar dünne Grasbüschel und lauter hauchzarte Pflänzchen mit winzigen, leuchtenden Blüten.

»Der Bussard ist tot«, sagte er.

Merle sah ihn verständnislos an, doch Jette begriff sofort und wurde blass. »Wie ist er … ich meine …«

Tilo hätte ihr die Antwort gern erspart, aber das war unmöglich. Wenn sie es schon erfahren musste, dann von ihm. Er schilderte wahrheitsgetreu, wie er den Vogel vorgefunden hatte.

»So ein mieses Schwein!« Merle sprang auf und fuchtelte hilflos mit den Händen in der Luft herum, in der die ersten Mücken tanzten. »Ein unschuldiges Tier abzuschlachten!«

»Was bezweckt er damit?«, fragte Jette leise.

»Ich denke, es war eine ausdrucksvolle Demonstration seiner Wut darüber, dass er nicht an sein Opfer herankommt.« Tilo hatte instinktiv vermieden, Imkes Namen zu nennen oder *deine Mutter* zu sagen. Es war für Jette leichter auszuhalten, wenn sie die Angelegenheit behandelten wie einen abstrakten Sachverhalt.

»Nur das? Wut?«

»Nein. Wahrscheinlich nicht.« Es war unmöglich, Jette zu belügen. Sie hatte die Fähigkeit, den Dingen auf den Grund zu sehen. »Es könnte ebenso gut der Versuch sein, das ... Opfer hierherzulocken.«

»Wir dürfen es ihr nicht erzählen«, sagte Jette. »Bitte, Tilo, versprich mir das!«

Genau das hatte Tilo sich auch schon überlegt. Forschend schaute er Jette an und erkannte, dass ihre Gedanken in dieselbe Richtung gingen.

»Sie wird automatisch glauben, durch den Tod des Bussards wäre ich in Gefahr«, erklärte sie.

»Und wenn das stimmt?« Merle sank auf ihren Stuhl. »Wenn er sich jetzt an *dich* ranmacht? Denk an mein Fahrrad.«

Tilo wurde hellhörig. »Dein Fahrrad?«

»Jemand hat mir die Reifen zersäbelt. Und mich verfolgt.«

»Hast du ihn gesehen? Kannst du ihn beschreiben?« Tilo saß mit einem Mal kerzengerade. »Hast du den Kommissar informiert?«

»Es ist ja erst gestern Abend passiert. Und ich hab auch nichts gesehen.«

»Ruf ihn an«, sagte Tilo. »Am besten sofort.«

In diesem Augenblick klingelte Merles Handy. »Claudio«, sagte sie, und eine freudige Röte überzog ihr Gesicht.

Tilo blickte ihr hinterher, als sie sich ins Haus zurückzog, um in Ruhe zu telefonieren. »Und zu deiner Mutter kein Wort«, versprach er Jette. »Abgemacht.«

*

Bert hatte sich noch einmal die Akten früherer Stalkingfälle vorgenommen. Er hatte sich so in die Lektüre vertieft, dass er seine Umgebung darüber völlig vergessen hatte. Als er endlich wieder aufschaute, registrierte er überrascht, dass es schon gegen Abend ging.

Er reckte sich, gähnte und rieb sich mit beiden Händen über das Gesicht. Er hatte sich selbst einen Tag gestohlen. Keinen Schritt war er weitergekommen. Er hätte sich das alles sparen können.

Als das Telefon klingelte, griff er frustriert nach dem Hörer.

»Entschuldigen Sie vielmals«, hörte er Tilo Baumgarts Stimme. »Da bitte ich Sie um Ihren Rückruf und dann nehme ich nur mein Notfallhandy mit und lasse das private zu Hause liegen.«

Bert hatte tatsächlich mehrmals versucht, ihn zu erreichen. Er ließ sich seinen Ärger jedoch nicht anmerken. »Was kann ich für Sie tun?«

Keine zehn Minuten später war er unterwegs. Die Straßen waren noch voller Menschen. Nicht mehr lange, und die Läden würden auch sonntags geöffnet haben. Und irgendwann, dachte Bert, wird es kein Wochenende mehr geben. Dann rennen endgültig alle der Zeit hinterher, bis ihnen die Zunge zum Hals raushängt.

Er atmete tiefer, als die ersten Wiesen auftauchten. Traktoren brummten auf den Feldern. Die ersten Saisonarbeiter waren mit den Vorbereitungen für die spätere Ernte beschäftigt. Die kilometerweit gespannten Folien, die im Sonnenlicht geglitzert hatten wie frisch gefallener Schnee, waren verschwunden.

Dutzende von Fahrrädern parkten am Straßenrand. Zur Erntezeit würden es Hunderte sein. Bert dachte an den ersten Fall zurück, der ihn hierhergeführt hatte. Er hätte sich gewünscht, nie wieder in dieser Gegend ermitteln zu müssen, vor allem nicht im Zusammenhang mit Imke Thalheim und ihrer Familie.

Tilo Baumgart erwartete ihn bereits vorm Haus. Bert stieg aus und versuchte ein Lächeln. Das Wort *Nebenbuhler* kam ihm in den Sinn. Es war so stark und altertümlich und so voller Sinnlichkeit, dass Bert nicht anders konnte, als ihn so zu betrachten, den anderen Mann.

Er hatte Bert die Chance seines Lebens vereitelt.

Bert hatte das Bedürfnis, ihm eine reinzuhauen. Er hätte sich liebend gern auf ihn gestürzt und ihn mit sich zu Boden gerissen. Der Wunsch, Tilo Baumgart ein Veilchen zu verpassen, wurde fast übermächtig.

Sein Gruß fiel entsprechend frostig aus.

»Tut mir leid, wenn ich Sie in Ihrem Wochenende gestört habe«, entschuldigte sich Tilo Baumgart, »aber Sie haben mich darum gebeten, Sie über sonderbare Zwischenfälle jederzeit zu informieren.«

»Schon gut«, knurrte Bert und folgte ihm in die Scheune.

Nie zuvor hatte er einen Raubvogel aus solcher Nähe gesehen. Die enorme Größe überraschte ihn. Er streifte Handschuhe über, um das Tier nach Spuren von Gewalt zu untersuchen. Sie waren unübersehbar. Die Brust des Bussards war regelrecht zerfetzt, das Genick gebrochen.

»Der Vogel hatte eine besondere Bedeutung für Imke«, sagte Tilo Baumgart. »Wenn sie ihn einige Tage lang nicht sah, war sie zutiefst beunruhigt. Dann erwartete sie jedes Mal eine Katastrophe.«

Wie selbstverständlich er ihren Vornamen benutzte. Und Bert mit der Demonstration seiner Nähe zu ihr in seine Schranken verwies.

Tilo Baumgart betrachtete das tote Tier mit einem Ausdruck echten Schmerzes auf dem Gesicht, und Bert erinnerte sich widerwillig daran, dass dieser Mann ihm eigentlich von Grund auf sympathisch war.

Nachdem Bert das Tier behutsam zu seinem Wagen getragen und in den Kofferraum gebettet hatte, wies Tilo Baumgart auf die erleuchteten Fenster der Mühle. »Möchten Sie mir beim Abendessen Gesellschaft leisten?«

Warum nicht? Bert hatte einiges wiedergutzumachen. »Gern«, sagte er und meinte das ganz aufrichtig.

Tilo Baumgart legte ein zweites Gedeck auf. Es gab Brot und Käse und dazu einen viel zu starken schwarzen Tee. »Hat Merle Sie erreicht?«, fragte er.

»Nein.« Bert war sofort alarmiert. »Warum?«

»Jemand hat ihr gestern die Fahrradreifen zerschnitten.«

»Jemand?«

»Sie hat ihn nicht gesehen.«

»Wo ist das passiert?«

»Sie hatte das Rad vor einem Supermarkt in der Nähe des Tierheims abgestellt.«

»In der Gegend ist so was an der Tagesordnung.«

»Merle glaubt aber, dass jemand sie anschließend verfolgt hat.«

»Weiß sie es oder glaubt sie es?«

»Sie sagt, sie hat es gespürt.«

Bert nahm solche Gefühle ernst. In diesem Fall schlug sein

Instinkt laut Alarm. »Ich werde mich darum kümmern«, versprach er. »Und, Herr Baumgart, bitte wirken Sie auf die Mädchen ein, dass sie diesmal die Finger von dem Fall lassen. Die Polizei ist durchaus in der Lage, allein mit ihrer Arbeit fertig zu werden.«

»Weiß die Polizei auch, was der Stalker als Nächstes tun wird?« Tilo Baumgart goss ihnen Tee ein und hielt Bert mit einem leicht ironischen Lächeln den Brotkorb hin.

Bert bediente sich. »Sollten Sie als Psychologe die Antwort nicht eher kennen als ich?«, konterte er.

Alles an Tilo Baumgart wirkte auf einmal schwer und niedergedrückt. Im Licht der Küchenlampe nahm Bert die dunklen Bartstoppeln wahr, die verrieten, dass der Alltag dieses Mannes aus den Fugen zu geraten drohte.

»Er gibt sich mit bloßen Drohungen nicht mehr zufrieden«, sagte Tilo Baumgart. »Er versucht, Imke zur Rückkehr zu zwingen. Das hier war erst der Anfang.« Flehend sah er Bert ins Gesicht. »Korrigieren Sie mich, wenn Sie das anders beurteilen.«

Bert wich seinem Blick nicht aus. Er presste die Lippen zusammen und schüttelte langsam den Kopf.

*

Manuel versuchte, sich mit Lesen zu beruhigen. Diese Begegnung hatte ihm alles abverlangt. Er war nicht darauf gefasst gewesen. Es hatte ihn umgehauen.

Das Schicksal hielt oft die bizarrsten Überraschungen bereit. Denn dass es das Schicksal war, das über das Leben der Menschen bestimmte, davon war er überzeugt. Schon aus diesem Grund hielt er an seiner Liebe fest.

Imke Thalheim war ihm vom Schicksal gesandt worden. Ihre Wege hatten sich nicht zufällig gekreuzt.

»Du bist für mich geboren worden«, murmelte Manuel.

Die Vorstellung berauschte ihn. Er beugte sich wieder über das Buch. All diese Worte hatte sie, wenn man den Gedankengang zu Ende verfolgte, für ihn geschrieben. Er war Dreh- und Angelpunkt ihres Lebens. Sie wusste es bloß noch nicht.

»Ich werde es dir schon beibringen«, versprach er ihr. Und sich selbst. »Hab noch ein klein bisschen Geduld.«

*

Sobald der Händler meinen neuen Wagen angemeldet hätte, würde ich ihn abholen. Doch die Freude darüber war fast verflogen. Der Gedanke an den toten Bussard ließ mich nicht los.

Merle war noch immer außer sich. Sie konnte nicht fassen, dass ein Mensch es fertigbrachte, einer wehrlosen Kreatur so etwas anzutun.

»Ein Tier würde sich niemals so verhalten.«

Ich erinnerte sie halbherzig daran, dass es sich bei dem Bussard um einen Raubvogel handelte, doch natürlich wusste ich, was sie meinte.

»Wie mag es im Kopf eines solchen Scheißkerls aussehen?«, fragte sie.

Das wagte ich mir gar nicht auszumalen, denn der tote Bussard war mehr als eine Drohung. Er war ein Versprechen. Ich war heilfroh, dass meine Mutter sich in Sicherheit befand.

Niemand außer dem Kommissar kannte ihre neue Adresse, nicht einmal Tilo. Der Kommissar hatte es für sinnvoll gehalten, uns alle auf diese Weise *aus dem Spiel* zu nehmen, wie er es nannte.

Wir waren damit einverstanden. Was wir nicht wussten, konnten wir auch nicht ausplappern, selbst dann nicht, wenn der Täter versuchen würde, uns unter Druck zu setzen.

Merle und ich hatten uns ein paar DVDs besorgt, die wir uns übers Wochenende ansehen wollten. Wir hatten gerade die erste Viertelstunde von *Blair Witch Project* hinter uns, da klingelte das Telefon.

»Luke«, sagte Merle nach einem Blick auf das Display und reichte das Telefon mit einem bedeutsamen Grinsen an mich weiter.

»Ich muss dich treffen«, sagte Luke, ohne sich erst mit einer Begrüßung aufzuhalten.

Seine Worte ließen mich an allem zweifeln, was ich mir vorgenommen hatte – ihn nicht mehr zu sehen, mich auch innerlich zu distanzieren und mich vor allem auf keine Diskussion darüber einzulassen.

»Bitte, Luke«, sagte ich. »Halt dich an die Vereinbarungen.«

»Es waren deine Vereinbarungen«, antwortete er, »nicht meine.«

»Ich bin noch nicht so weit«, sagte ich.

Eine Weile schwiegen wir. Jeder sammelte Munition für das, was kommen würde.

»Ich will dich nicht vor den Altar zerren«, begann Luke. »Ich möchte nur mit dir reden.«

»Dazu hattest du Zeit genug.«

»Jette! Bitte!«

Ich merkte, wie mir die Tränen kamen. Etwas in mir wollte sich ihm jetzt und sofort in die Arme werfen. Etwas anderes in mir warnte mich.

»Ich kenne dich überhaupt nicht«, flüsterte ich.

»Dann *lern* mich kennen!«

»Ab jetzt lässt du mich teilhaben an deinem Leben? Du erzählst mir von dir, deinen Jobs und deinen Träumen?« *Und schwörst mir, dass du nichts mit dem Albtraum meiner Mutter zu tun hast?*

»Wenn du das willst, ja.«

Ich wollte ihm so gern glauben, aber ich konnte nicht.

Wahrscheinlich hatte das immer noch mit damals zu tun. Erfahrungen kann man nicht mit einem Mausklick löschen.

»Gib mir Zeit, Luke. Bitte.«

Ein Klicken, und das Gespräch war beendet. Ich starrte auf das Display. *Teilnehmer hat aufgelegt.*

Nach einem forschenden Blick in mein Gesicht ließ Merle den Film, den sie gestoppt hatte, weiterlaufen. Sie hatte gelernt, mich in Ruhe zu lassen, wenn ich nicht reden wollte. Ich war ihr dankbar dafür.

23

Manuel setzte sich intensiv mit Imke Thalheims Büchern auseinander. Sie verriet darin wahrhaftig eine Menge über sich selbst. Wusste sie denn nicht, wie gefährlich das werden konnte? All die Spinner da draußen, hatte sie das gar nicht bedacht?

Er hatte auch noch einmal die wichtigsten Interviews gelesen. Dabei war ihm aufgefallen, dass sie selten direkt von ihrer Tochter sprach. Sie beschrieb die Beziehungen der Mütter und Töchter, wie sie in ihren Romanen vorkamen. Jette selbst tauchte in den Äußerungen ihrer Mutter so gut wie nie auf.

»Du willst sie schützen«, sagte Manuel leise.

Es war ihm zur Gewohnheit geworden, sich während der Arbeit mit Imke Thalheim zu unterhalten, in Gedanken oder flüsternd, so wie jetzt. In der Werkstatt war der Teufel los. Inspektionen, Reparaturen und dazwischen etliche Kunden, denen spontan eingefallen war, dass ihre Winterreifen noch gegen Sommerreifen ausgetauscht werden mussten.

Die Türen standen weit offen, um die angenehme Frühlingsluft hereinzulassen. Wenn gerade einmal nicht alle Werkzeuge um die Wette lärmten, hörte man draußen die Vögel singen. Sie klangen anders als in den vergangenen Wochen, fröhlich, beinah verheißungsvoll. Als hätten sie schon eine Ahnung von den ersten strahlend blauen Sommertagen.

Sobald er Imke Thalheim gewonnen hätte, würde Manuel

mit ihr verschwinden. Geld wäre kein Problem. Er hatte hart gearbeitet und jeden Cent zurückgelegt. Außerdem – er lächelte bei dem Gedanken –, außerdem war sie eine wohlhabende Frau. Es würde ihnen an nichts mangeln. Zusammen würden sie die Welt erkunden. Und irgendwo schließlich den Ort finden, der ihnen beiden ein Zuhause sein könnte.

Vielleicht Schweden, dachte er. Oder auch der Süden, wenn es dir da besser gefällt. Er würde großzügig sein und verständnisvoll. Er würde es wirklich versuchen.

»Liebste, du.«

Manuel strich sich über die Stirn. Er wollte der Wut nicht erlauben, wieder von ihm Besitz zu ergreifen. Komm zurück, dachte er. Wenn du jetzt zurückkommst, dann werde ich dich nicht bestrafen. Obwohl du … Komm zurück, Liebes, und alles ist gut.

*

Bert saß nachdenklich an seinem Schreibtisch und begutachtete die Pinnwand, die er auf den neuesten Stand gebracht hatte. Er spürte dieses Kribbeln im Magen, das sich jedes Mal meldete, wenn die Ermittlungsarbeit einen Schritt vorangegangen war. Meistens handelte es sich dabei um Kleinigkeiten, die sich erst in der Summe als Erfolge zeigten.

Die Befragungen waren abgeschlossen. Inzwischen hatten sie sich über die Presse an die Öffentlichkeit gewandt und eine Flut an Hinweisen war über sie hinweggeschwappt. Jemand hatte beim Ausführen seines Hundes auf den Feldern einen Mann beobachtet, der einen Gegenstand vergraben habe. Ein anderer war einer Bande Jugendlicher begegnet. *Wie sie mich angeguckt haben – und ich glaube, an ihren T-Shirts klebte Blut.*

Regina Bergerhausen war von zahlreichen Zeugen gesehen worden, sogar zu Zeiten, als sie längst tot gewesen war. Ihre

Spur führte im Zickzack durch die Bundesrepublik und verlor sich irgendwo an der Ostsee.

So spielte es sich immer ab. Die Leute logen, übertrieben, machten sich wichtig, und manchmal vermischten sie ganz einfach Wirklichkeit und Vorstellung, ohne es zu merken.

Einem Zeugen jedoch war zur Tatzeit ein parkender Wagen im Wald bei der Mühle aufgefallen. Dummerweise war ausgerechnet dieser Zeuge ein Radfahrer aus Überzeugung, der sich keinen Deut für Autos interessierte. Er hatte sich weder die Marke gemerkt noch die Farbe noch irgendeine Besonderheit.

»Dunkel«, hatte er sich vage geäußert. »Und irgendwie vornehm.«

Doch Bert hatte oft genug erfahren, dass Erinnerungen mit der Zeit an Kontur gewannen. Man durfte die Leute nur nicht bedrängen. Seufzend wandte er sich wieder seinem Computer zu.

Isa hatte ihm einige Psychogramme auf den Rechner geschickt, die sie bei ihren Recherchen ausgegraben hatte. *Und hier ein paar psychologische Leckerbissen aus der Welt des Stalkings,* hatte sie in einem Anflug von Galgenhumor dazugeschrieben. *Diese Täter haben für Furore gesorgt. Lies, und du wirst verstehen, warum.*

Nach zwei Stunden wusste Bert, dass er sich nicht länger einreden konnte, ein Stalker gebe sich in der Regel (es gab keine Regel) damit zufrieden, seinem Opfer Angst einzujagen. Manche waren ausgesprochen erfinderisch, wenn es darum ging, ihrem Opfer eine Lektion zu erteilen, weil es ihre *Liebe* nicht erwiderte.

Und die schlimmste Lektion, die höchste Strafe war der Tod.

Bert schaltete den Computer aus, schnappte sich seine Jacke und stürmte aus dem Büro.

Er musste sich bewegen, brauchte Luft. Ihm war schlecht wie lange nicht mehr.

*

Wieder hatte Imke sich eine neue Unterkunft gesucht. Allmählich erschien ihr altes Leben ihr wie eine Erinnerung. Die Tatsache, dass sie inzwischen mitten im neuen Roman steckte, erleichterte es ihr nicht, aus dem Koffer zu leben und der einsamste Mensch auf Erden zu sein. Sie schrieb, las, machte lange Spaziergänge und redete mit keiner Menschenseele, außer ab und zu mit den Wirtsleuten.

Alles kam ihr sonderbar vor, auch sie selbst. An manchen Tagen studierte sie im Spiegel ihr Gesicht wie das einer Frau, die sie früher einmal gekannt hatte.

Die Zimmer in den Pensionen und Hotels waren alle gleich. Bett, Schrank, Tisch, Stuhl, Sessel, Fernseher. Und in einer der Schubladen eine Bibel, Billigausgabe, eigens für Hotelbetriebe angefertigt. In keiner schien jemals geblättert worden zu sein.

Ihr augenblickliches Zimmer hatte eine kleine Kochzeile, wofür Imke dankbar war. Sie setzte Wasser auf, nahm einen Teebeutel aus der Verpackung, ließ ihn in die hässliche Tasse fallen und sah aus dem Fenster, während sie darauf wartete, dass das Wasser kochte. Der Blick ging auf einen kleinen gepflasterten Platz hinaus, der im Schatten weiß blühender Kastanienbäume lag. Zwei alte Männer saßen auf einer der beiden Bänke. Über den ausgestreckten Arm eines Goethedenkmals spazierte eine Taube.

Plötzlich vermisste Imke den Bussard. Sie stellte sich vor, wie er auf dem Scheunendach saß oder auf einem Zaunpfahl und alles überlegen im Blick behielt. In dieser Gegend schien es kaum Raubvögel zu geben. Vielleicht wurden sie nur in manchen Gegenden ausgewildert.

Das Wasser kochte und Imke goss den Tee auf. Während er zog, setzte sie sich wieder an den Laptop. Sie war an einer Stelle angelangt, an der sie eine Entscheidung treffen musste, um die Handlung voranzutreiben. Unschlüssig nagte sie an der Unterlippe.

Kurz darauf wusste sie, dass sie im Moment nicht weiterkommen würde. Und dass es keinen Sinn hatte, am Laptop hocken zu bleiben. Ein Spaziergang würde frischen Wind in ihre Gedanken bringen und vielleicht würde sie unterwegs Tilo anrufen. Sie hatte solche Sehnsucht nach zu Hause, dass es wehtat.

*

Merle und ich hatten den Peugeot abgeholt und waren nun auf dem Weg nach Hause. Die Sonne stand an einem knatschblauen Himmel und wir hatten das Verdeck heruntergefahren. Nahezu geräuschlos glitten wir durch die Frühlingslandschaft, vorbei an leuchtenden Rapsfeldern und löwenzahngesprenkelten Wiesen.

»Waaahnsinn!« Merle hatte den Kopf zurückgelegt und die Augen geschlossen. Licht und Schatten tanzten über ihr Gesicht. Sie lachte.

Eine Frau hatte uns Wagen und Papiere übergeben. Die Türen zur Werkstatt hatten weit offen gestanden, und wir hatten Arbeitsgeräusche gehört, ein lautes Hämmern, Zischen und Quietschen. Vom Hof aus jedoch, der in leuchtendes Sonnenlicht getaucht war, hatte das Innere der Werkstatt ausgesehen wie ein leeres schwarzes Loch.

Die Frau hatte uns eine gute Fahrt gewünscht und war wieder in ihrem Büro verschwunden.

»Worauf warten wir noch?« Voller Vorfreude hatte Merle sich auf den Beifahrersitz fallen lassen.

Wir waren losgebraust. Die Haare wirbelten uns um den

Kopf. Flirrende Lichtpunkte huschten vorbei. Und über uns war nichts als Himmel, wolkenlos.

»Ich liiiebe diesen Wagen!«, schrie Merle, und der Fahrtwind riss ihr die Worte von den Lippen.

Lachend drückte ich ihre Hand. Für einen winzigen, kostbaren Moment war ich glücklich. Einfach aus mir selbst heraus. Das hatte ich schon lange nicht mehr erlebt.

*

Er hatte sie da draußen gesehen.

Im blendenden Licht der Sonne hatte ihr Haar gewirkt wie ein Heiligenschein.

Es war wie eine Bestätigung seiner Überlegungen gewesen.

Du lässt mir keine andere Möglichkeit, hatte er gedacht. Du zwingst mich dazu.

Was jetzt geschehen würde, hatte Imke Thalheim sich selbst zuzuschreiben.

*

Der Spaziergang hatte Imke gutgetan. In einem Ausflugscafé mit Blick auf einen schmalen, gewundenen Fluss hatte sie sich ein Stück Kuchen gegönnt und eine ganze Weile nach Herzenslust in den Zeitschriften gestöbert, die dort ausgelegt waren.

Zurück in ihrem Zimmer, hatte sie sich wieder an die Arbeit begeben, doch es war ihr nicht ein einziger Satz gelungen. Sie hatte sich auf den winzigen Balkon gesetzt und auf den Platz hinuntergeschaut.

Sie war über die kritische Stelle in ihrer Geschichte noch nicht hinweg. Bevor sie auch nur daran denken konnte, weiterzuschreiben, musste sie sich über die nächsten Schritte des Täters klar werden.

Auf dem Platz spielten Kinder. Ihre Stimmen wetteiferten

mit dem Raunen des Verkehrs, das von der Straße herüberdrang, und dem heiseren Krächzen der Krähen, die sich in den Bäumen zusammengerottet hatten. Imke versuchte, die Augen offen zu halten, doch dann gab sie der Versuchung nach und nickte ein.

Vom Heulen einer Polizeisirene schreckte sie auf und versuchte verwirrt, sich zu orientieren. Und während sie mühsam die Fesseln des Schlafs abstreifte, berührten sich die Welt in ihrem Kopf und die wirkliche, und es fiel Imke wie Schuppen von den Augen.

Es gab nur eine Möglichkeit für den Schattengänger, sie zur Rückkehr zu zwingen.

Keuchend griff sie nach ihrem Handy. »Bitte, Jette«, sagte sie mit einer viel zu hohen Stimme. »Bitte, sei da!«

*

Merle war damit beschäftigt, die Blumenkübel zu bepflanzen, die sie in der Scheune gefunden hatte, alte, traumhaft schöne Stücke, die eine Zierde für jeden Trödelmarkt gewesen wären. Sie hatte einen Großeinkauf im Gartencenter gemacht, Grünes, Blühendes, bunt Gemischtes und säckeweise Blumenerde, und konnte jetzt aus dem Vollen schöpfen. Darauf hatte sie sich schon lange gefreut.

Es war ein beglückendes Gefühl, mit bloßen Händen in der Erde zu buddeln, die Pflanzen hineinzusetzen und die Wurzelballen festzudrücken. Die Katzen, die sich gerade an den Geschmack der Freiheit gewöhnten, sahen ihr zu. Sie blieben immer nah beim Haus. Selbstbestimmung war schön und gut, aber sicher war sicher.

Smoky steckte die Nase in einen Lavendelbusch und nieste. Ärgerlich mit dem Schwanz schlagend, trollte er sich. In diesem Moment klingelte das Telefon, das Merle mit nach draußen genommen hatte.

»Merle, ist Jette da?«

Jettes Mutter hielt sich selten mit langen Vorreden auf und mitunter vergaß sie auch die Begrüßung. Daran hatte Merle sich gewöhnt und sie nahm es nicht übel.

»Nein. Sie ist im *St. Marien.*«

»Hat sie heute nicht frei?«

»Eigentlich schon, aber sie hat für den Nachmittag eine Vertretung übernommen. Kann ich ihr was ausrichten?«

Die Angestellten des Heims durften während ihrer Arbeitszeit nur in Ausnahmefällen Privatgespräche führen. Das war eine strikte Regel, die von allen eingehalten wurde.

»Ich ... nein, ich glaube nicht. Bestell ihr einfach liebe Grüße, ja?«

»Ist alles in Ordnung?« Irgendetwas stimmte nicht. Merle konnte es förmlich riechen.

»Ach, ich ... mache mir Sorgen, Merle. Vielleicht übertreibe ich ja, aber ich habe das Gefühl, dass diese ... Ruhe nichts Gutes zu bedeuten hat.«

Von wegen Ruhe, dachte Merle. Nachdem das Labor mit dem Bussard fertig gewesen war, hatten Jette, Tilo und sie ihn im Garten der Mühle begraben und einen Strauch auf das Grab gesetzt. Den Namen des Strauchs hatte sie schon wieder vergessen. Er hatte dunkelrote Blätter und würde im Herbst schwarze (für den Menschen ungenießbare) Früchte tragen. Von alldem hatte Imke Thalheim noch nichts erfahren.

»Dieser Irre kann Ihnen nichts tun«, sagte sie. »Ihm sind die Hände gebunden.«

Imke Thalheim schwieg so lange, dass Merle sich schon fragte, ob sie vielleicht etwas Falsches gesagt hatte. »Und euch ist nichts aufgefallen, das euch irgendwie seltsam vorgekommen ist?«, fragte sie dann.

Merle war noch nie eine gute Lügnerin gewesen. Auch im Verschweigen hatte sie keine Übung. »Äh ... nein.«

Jettes Mutter hatte das kurze Zögern bemerkt. Und schon hakte sie nach. »Bist du sicher, Merle?«

»Ehrlich. Uns geht's prächtig. Wir haben heute Morgen Jettes neues Auto abgeholt und eine kleine Spritztour gemacht, danach ist Jette ins Heim gefahren, und ich nutze meinen freien Tag, um unseren Hof ein bisschen zu verschönern.« Das Telefon war ganz glitschig in Merles Hand. Sie spürte, wie ihr Schweißtropfen den Rücken hinunterliefen. Es war grässlich schwer, sich nicht zu verplappern.

»Gut«, sagte Imke Thalheim und klang alles andere als überzeugt. »Dann hab ich mich wohl getäuscht ... ich ... es ist nicht einfach, mit ... alldem zurechtzukommen, weißt du?«

Das konnte Merle sich lebhaft vorstellen. Es tat ihr weh, die Frau zu belügen, die sie lieber mochte als ihre eigene Mutter. »Kommt die Polizei denn voran?«, fragte sie, um abzulenken und auch, um zu demonstrieren, dass Jette und sie sich diesmal brav zurückhielten und dem Kommissar nicht ins Handwerk pfuschten.

»Der Mord an Frau Bergerhausen ist ja gerade erst passiert. Die Routine ist angelaufen. Da können wir noch keine Ergebnisse erwarten.«

»Für Sie muss das Warten besonders schwer sein.«

»Oh ja. Ich halte es hier kaum noch aus.«

»Wir würden Sie so gerne besuchen, aber ...«

»Um Himmels willen! Merle! Dass ihr bloß nicht herkommt! Versprich mir das!«

»Wir wissen doch gar nicht, wo ...«

»Zum Glück nicht!« Jettes Mutter stieß erleichtert den Atem aus. »Versucht gar nicht erst, es herauszufinden! Und – Merle – seid vorsichtig, hast du gehört?«

»Ehrenwort.«

Merle legte den Hörer beiseite und beugte sich wieder über die Blumenerde. Ihr war nicht wohl bei dem Gedanken daran, dass sie Jettes Mutter den Tod des Bussards verschwiegen. Er hatte zu der Mühle gehört und zu ihrem Leben dort. Hatte Imke Thalheim, die darüber hinaus ein ganz besonderes Verhältnis zu dem Vogel gehabt hatte, nicht ein Recht darauf, zu erfahren, was ihm zugestoßen war?

*

Manuel hatte sich noch keine konkreten Gedanken über sein Vorgehen gemacht. Er hatte bis zuletzt gehofft, auf eine geradezu kindliche Weise, Imke würde auch ohne weitere Aktionen zurückkehren. Doch es war an der Zeit zu begreifen, dass sie seine Liebe nicht erkannt hatte. Schlimmer noch – sie hatte sie zurückgewiesen, anders war ihr Verhalten nicht zu verstehen.

Inzwischen ging es ihm nicht mehr bloß darum, sie zurückzuholen und endgültig für sich zu gewinnen. Er wollte sie für immer gefügig machen. Mit dem Verlust ihrer Tochter würde sie einen Teil ihres Selbst verlieren.

Schweigend erledigte er die Handgriffe, die für seine Arbeit notwendig waren. Die Kollegen hatte er aus seinem Bewusstsein ausgeschaltet. Sie waren für seine Zukunft verzichtbar. Er brauchte sie nicht mehr.

Der Einzige, den er jetzt brauchte, war der Boss, und der wusste es nicht mal. Das heißt, genau genommen brauchte er nicht Alex selbst, sondern dessen Jacht. Die Jacht, die Alex vor einiger Zeit gekauft hatte, um der Welt zu imponieren. Vor allem jedoch einer bestimmten Frau, die mit einem Politiker verheiratet war und eigentlich alles besaß, was man besitzen konnte. Fasziniert hatte Manuel beobachtet, wie der kantige Alex, dessen Mangel an Manieren beinahe sprichwörtlich war, sich für diese Frau verwandelt hatte.

Zwar war er im Kern derselbe geblieben, aber er hatte gelernt, seine Worte zu wählen, die Lautstärke seiner Äußerungen zu drosseln, die Hemden zuzuknöpfen und nicht bis zum Bauchnabel offen stehen zu lassen, er hatte begonnen, Sakkos zu tragen, sich die Fingernägel rund zu feilen und die Kippen nicht im Mundwinkel verglühen zu lassen. Und dann hatte er die Jacht gekauft. Obwohl er sich auf dem Wasser überhaupt nicht wohlfühlte und nichts gemein hatte mit den Leuten, deren Jachten am Wackertsee neben seiner lagen. Ein Boot, groß genug für sechs Personen, ein Fingerhut im Vergleich zu den Luxusfregatten der High Snobiety, aber schnittig und elegant. *Hai* hatte Alex sie getauft, ein ziemlich ungewöhnlicher Name unter all den *La Palomas, Seekatzen* und *Mon Amours.*

Die Schwärmerei für die Politikergattin hatte sich schnell verflüchtigt, Alex hatte sein vornehmes Gehabe wieder abgelegt und das Interesse am *Hai* verloren. Und wie alles, was ihm lästig geworden war, hatte er auch die Verantwortung dafür weitergegeben an Manuel.

Manuel hatte angefangen, sich damit zu befassen. Er hatte seinen Bootsführerschein gemacht, sich um die Wartung gekümmert und war ab und zu für eine Stunde oder zwei hinausgeschippert. Jetzt kamen ihm seine Kenntnisse zugute. Der *Hai* würde das Täubchen schon schlucken.

Alles im Leben hatte seinen Sinn, letztlich sogar die Irrungen und Wirrungen eines hormongesteuerten Alex. Manuel grinste von einem Ohr zum andern. Endlich sah die Zukunft wieder rosig aus.

*

Bert hatte keine Möglichkeit, jemanden abzustellen, um Jettes Sicherheit zu garantieren. Auch Imke Thalheims Prominenz änderte daran nichts. Doch das konnte er ihr schlecht sagen. Ebenso wenig konnte er sie darauf hinweisen, dass dann eigentlich auch Merle und Tilo Baumgart Personenschutz nötig hätten.

»Es tut mir leid«, wiederholte er.

»Wenn ich das richtig verstehe«, antwortete Imke Thalheim bissig, »kann die Polizei nicht aktiv werden, bevor meiner Tochter etwas zugestoßen ist. Was erwarten Sie von mir? Dass ich einen Bodyguard engagiere?«

Zum ersten Mal ärgerte er sich über sie. Schrieb sie nicht einen Krimi nach dem anderen? Hatte sie nicht recherchiert? Kannte sie die Regeln nicht? Er nahm ihr auch ihren Sarkasmus übel. Was dachte sie sich dabei? Sie konnte doch unmöglich ihn zum Sündenbock für die gesamte Polizei machen.

»Entschuldigung«, sagte sie da zerknirscht. »Es ist nur ...«

Sofort stieg wieder diese verwirrende Zärtlichkeit in ihm auf, und er presste den Hörer ans Ohr und wünschte sich, bei ihr zu sein, um ihr jeden Zweifel und alle Angst zu nehmen. »Die meisten Stalker belassen es bei martialischen Drohgebärden«, versuchte er, sie zu beschwichtigen.

»Und Frau Bergerhausen?«

»Noch ist unklar, ob es Mord oder Totschlag war. Ich glaube nicht, dass der Täter ihren Tod geplant hat.«

»Haben Sie das auch ihrem Mann und ihren Töchtern erzählt?«

Er beschloss, auf diese Bemerkung nicht einzugehen. »Die Menschen aus Ihrem Umfeld sind sensibilisiert«, sagte er. »Ich stehe mit Jette, Merle und Herrn Baumgart in ständigem Kontakt. Jeder von ihnen kann mich jederzeit erreichen. Die Ermittlungen laufen auf Hochtouren. Es ist jetzt einzig und allein wichtig, dass Sie nicht die Nerven verlieren, denn damit würden Sie dem Täter in die Hände spielen.«

»Aber Sie benachrichtigen mich, sobald irgendeine Ver...«

»Das wissen Sie doch.«

Nach dem Gespräch stürzte er sich in die Arbeit, um nicht darüber nachzudenken, ob sie ihm jemals verzeihen würde, dass er sie über das Ausmaß der Gefahr belogen hatte.

24

Merle und ich hatten meinen armen Renault auf den Schrottplatz gefahren und unter Tränen von ihm Abschied genommen. Dann hatten wir uns schnell umgedreht und das trostlose Gelände verlassen. Wir waren beide niedergeschlagen und legten den Heimweg stumm zurück.

Als wir zu Hause ankamen, läutete mein Handy. Wieder meldete sich niemand. Das ging nun schon eine ganze Weile so.

»Hallo?«

Ich hörte seinen Atem. Ich hätte nicht sagen können, woher ich wusste, dass es der Atem des Typen war, der meine Mutter tyrannisierte. Ich wusste es einfach.

Meine dummen Hände zitterten.

Bevor ich reagieren konnte, hatte Merle mir das Handy abgenommen. »Uns jagst du keine Angst ein, du Arschloch«, sagte sie scharf. »Du kannst einem wirklich leidtun mit deinem verkorksten Hirn.« Sie drückte das Gespräch weg und legte das Handy auf den Tisch.

»Damit machst du ihn wütend.« Ich verschränkte die Hände, um das Zittern vor Merle zu verbergen.

»Das ist er doch schon. Aber ich lass trotzdem nicht zu, dass dieser Perverse sich an unserer Angst berauscht.«

Sie verließ die Küche und ging in den Innenhof hinaus, den sie mit Hingabe umgestaltete. Er sah mit seinen Rosensträuchern und Lavendelbüschen, den Tonschalen und Pflanzenkrügen aus, als wäre er auf direktem Weg von Südfrankreich aus hierher gebeamt worden.

Mit dem Frühling war die Wärme gekommen, die sich leuchtend in den alten Mauern fing. Donna und Julchen jagten begeistert einer Hummel hinterher. Smoky hatte es sich auf dem Rand des Brunnens bequem gemacht und beobachtete sie schläfrig.

Selbst wenn Merle so tat, als ließe der Telefonterror sie kalt – die ständigen Anrufe zermürbten auch sie allmählich. Jedes Mal wenn mein Handy oder unser Festnetztelefon klingelte, zuckten wir unwillkürlich zusammen.

Manchmal schwieg er und ich hörte seinen Atem. Manchmal lachte er leise. Manchmal sagte er ein paar Worte, und ich konnte deutlich hören, dass er die Stimme verstellte. Wenn Merle sich meldete, legte er wieder auf. Er hatte es auf mich abgesehen, nicht auf sie.

Seine Anrufe kamen am Tag und in der Nacht. Sie störten mich beim Duschen, beim Autofahren und bei der Arbeit im *St. Marien.* Er war allgegenwärtig.

Seine Worte waren sinnlos und wirr. Als hätte er die Sätze auseinandergenommen und die Worte nach dem Zufallsprinzip wieder zusammengewürfelt.

Luke hatte mir einmal erzählt, dass er Gedichte schrieb. Dass er dabei assoziativ die Worte aneinanderreihte …

»Mach dich nicht lächerlich«, hatte Merle mich ausgeschimpft. »Es ist nicht Luke. Der würde so was niemals tun.«

Ich beneidete sie um ihre Gewissheit.

»Lass uns den Kommissar einschalten«, hatte Merle gedrängt. »Er sollte von den Anrufen wissen. Auch wenn er sie garantiert nicht zurückverfolgen kann. Dieser Kerl ist nicht blöd. Ich wette, der wechselt die Handys wie andere ihre Socken.«

Bislang hatte ich mich dagegen gesträubt. Ich wollte nicht erfahren, dass meine Zweifel berechtigt waren, dass Luke womöglich tatsächlich hinter all dem steckte.

Das Telefon läutete. *Teilnehmer unbekannt.* Wie jedes Mal. Wir konnten doch nicht nur noch Gespräche von Leuten annehmen, deren Nummer wir gespeichert hatten. Ich meldete mich.

»Angst?«, flüsterte er.

Ich drückte das Gespräch weg und begegnete Merles fragendem Blick. Sie konnte sich so tough geben, wie sie wollte – in ihren Augen las ich das Gegenteil.

*

Es bereitete ihm eine tiefe Befriedigung, ihre Furcht zu spüren. Er mochte diese Jette nicht. Sie stahl ihm Imkes Liebe.

Anscheinend hatte sie ihrer Mutter noch nichts von seinen Anrufen erzählt, sonst wäre sie doch bestimmt längst herbeigeeilt, um die Tochter unter ihre Fittiche zu nehmen. Er musste sich eingestehen, dass er eifersüchtig war.

Aber war Eifersucht nicht Teil der Liebe?

Er hätte leichteres Spiel gehabt, wenn diese Merle ihm nicht ständig dazwischengefunkt hätte. Mit ihrer flapsigen, frechen, unverschämten Art stellte sie sich zwischen Jette und die Angst und ließ seine Einschüchterungsversuche an sich abtropfen.

»Pass auf«, murmelte er. »Sonst bist du dran.«

Er nutzte die Mittagspause, um eine Einkaufsliste zu machen. Er war kalt und konzentriert. Imke hatte es nicht anders gewollt.

*

Imke packte, um erneut ihr Quartier zu wechseln. Allmählich wurde sie des Versteckspiels müde. Wie eine Klette klebte eine

Bangigkeit an ihr, die sie vorher nicht gekannt hatte. Das Telefongespräch mit Merle hatte sie ein wenig ruhiger werden lassen. Später hatte sie noch lange mit Jette gesprochen und sich an der Zuversicht ihrer Tochter aufgerichtet. Sie kannte die Kraft der Mädchen und verließ sich auf ihr Versprechen, nicht wieder Detektiv zu spielen und sich keiner Gefahr auszusetzen.

Als sie den Laptop verstaut hatte, brach sie in Tränen aus. Sie kam nicht zurecht mit dieser Situation, hasste es, untätig abzuwarten und zuzuschauen, ohne eingreifen zu können, um den Gang der Ereignisse zu beeinflussen. Wäre sie jetzt zu Hause gewesen, wäre sie in den Garten hinausgegangen, um stumm Zwiesprache mit dem Bussard zu halten. Er war mehr als ein Vogel.

Er war ein magisches Geschöpf.

Doch sie war nicht zu Hause, hielt sich immer noch in einem dieser vor Schiefer strotzenden Orte im Sauerland auf und in der Geschichte, die sie schrieb und die gleichzeitig ihre eigene Geschichte war. Wenn sie den Roman glücklich enden ließe, würde vielleicht auch in ihrem Leben alles wieder gut.

Imke trocknete sich die Augen und raffte die letzten Sachen zusammen, die noch auf dem Bett verstreut lagen. Sie würde nicht kapitulieren. Das war sie sich selbst schuldig. Und Frau Bergerhausen. Wenn sie durchhielt, würde der Schattengänger sein krankes Spiel nicht gewinnen.

*

Tilo saß in der Abendsonne, um einen Vortrag auszuarbeiten. Auf dem Terrassentisch gab es keine freie Fläche mehr. Überall stapelten sich Bücher und Fachzeitschriften, Nachschlagewerke und Notizen. Auf der Wiese, die Imke verpachtet hatte, grasten nach langer Zeit wieder die Schafe. Tilo konnte hören, wie sie das Gras rupften, unermüdlich und sacht. Er merkte, dass sie ihm in den vielen dunklen Wintermonaten gefehlt hatten, und wunderte sich darüber. Es war ihm nicht bewusst gewesen.

Beim Nachdenken ließ Tilo den Blick über das Land schweifen. Er versuchte, nicht an den Bussard zu denken. Es war, als hätte jemand einen Teil des Bildes ausradiert. Und nun war es nicht mehr ganz.

Wie sollte er es Imke beibringen? Und wann?

Sie war auf dem Sprung, immer kurz davor, die Koffer zu packen und nach Hause zu kommen. Er sehnte sich danach, aber er sah auch ein, dass es eine unverzeihliche Dummheit wäre.

Seit sie fort war, telefonierten sie jeden Tag miteinander. Ihm war aufgefallen, dass eine neue Art von Zärtlichkeit in ihrer Stimme mitschwang, etwas, das ihn rührte und ihn zweifellos jederzeit dazu gebracht hätte, ihr alles zu verzeihen.

Dabei war sie es, die ihm vergeben musste. Eigentlich war es seine Nachlässigkeit gewesen, die ihr den Bussard genommen hatte. Er hätte besser achtgeben müssen auf alles.

Er fühlte sich so ausgebrannt. Seit er die Leere, die Imke hinterlassen hatte, mit Arbeit füllte, hatte sein Tag achtzehn Stunden. Wenn ihn morgens der Wecker aus dem Schlaf riss, hatte er das Empfinden, aus einer tiefen Ohnmacht zu erwachen, und er trank literweise Kaffee, um bis zum Abend durchzuhalten.

Selbstzerstörung, diagnostizierte der Psychologe in ihm.

Ach, halt die Klappe, dachte Tilo, stand auf und ging in die Küche, um sich einen weiteren Kaffee zu holen. Es gelang ihm nicht, sich an die Stille in den Räumen zu gewöhnen. Gehörte er inzwischen auch zu denen, die vor sich selbst auf der Flucht waren?

Wie oft hatte er über Abhängigkeit in Beziehungen doziert.

Wie sehr war er davon überzeugt gewesen, die Weisheit mit Löffeln gefressen zu haben. Und wie stand er nun da. Allein. Und ihm war zum Heulen zumute.

Er hat es geschafft, dachte er mit überraschender Klarheit, als er die volle Tasse vorsichtig zur Terrasse balancierte. Es ist diesem Kerl gelungen, uns allen den Boden unter den Füßen wegzuziehen.

*

Die Frühbesprechung hatte alle Beteiligten frustriert. Bert hatte den bisherigen Ablauf der Ermittlungen vor den Kollegen rekapituliert und sich bemüht, dabei nicht auf die noch schlaftrunkenen, ausdruckslosen Gesichter zu achten, die ihm fast widerwillig zugewandt waren.

Sie hatten die ganz normale Knochenarbeit getan, hatten Spuren gesichtet und ausgewertet, Hunderte von Befragungen hinter sich gebracht, ein Täterprofil erstellt und über die Einbeziehung der Medien einen Schwall an Zeugenaussagen losgetreten, denen sie immer noch nachgingen.

Dennoch hatten sie das Gefühl, auf der Stelle zu treten.

Der Chef hatte seinem Ärger Luft gemacht. Auf der letzten Pressekonferenz hatte er keine gute Figur abgegeben. Ein Redakteur vom *Abendkurier* hatte sich mit ihm angelegt und der Chef hatte Nerven gezeigt. Eine Todsünde, wie jeder hier wusste. Man musste die Leute auf Abstand halten. Kompetenz demonstrieren. Erfolge andeuten, bevor sie sich auch nur andeutungsweise am Horizont abzeichneten.

»Ich fasse zusammen«, hatte der Chef nach Berts Ausführungen gesagt und an den Fingern abgezählt: »Wir haben erstens keine DNA vom Stalker Imke Thalheims und stehen zweitens überhaupt, was seine Identität betrifft, noch ganz am Anfang. Wir können drittens nicht sagen, ob dieser Stalker mit dem Mörder Regina Bergerhausens identisch ist. Wir wissen viertens nicht einmal genau, ob der Tod der Putzfrau nicht ebenso gut Folge eines Totschlags oder sogar eines Unfalls gewesen sein kann. Fünftens haben uns die in der Nähe des Tatorts gesicherte Reifenspur und die Fußabdrücke kein Stück weitergebracht. Und sechstens«, hier blickte er drohend in die Runde, »sechstens stehen wir im Fall Thalheim vor einer möglichen Eskalation und sind nicht im Mindesten darauf vorbereitet.«

Er konnte das gut, die Dinge so darstellen, dass man wie der letzte Depp dastand. Es war seine ureigene Art, die Mitarbeiter zu motivieren. Zuckerbrot und Peitsche, bloß ohne Zuckerbrot.

Dabei liefen die Ermittlungen völlig normal. Seit dem Mord an Regina Bergerhausen waren knapp vier Wochen vergangen. Kaum ein Mordfall wurde in so kurzer Zeit aufgeklärt. Und es wurde auch von niemandem verlangt. Aber hier lagen die Dinge anders, weil mit Imke Thalheim eine Person des öffentlichen Interesses involviert war.

Offiziell hieß es, die Schriftstellerin habe sich zurückgezogen, um in aller Ruhe ihren neuen Roman zu schreiben. Imke Thalheims Agentin hatte diese Version, die mit Bert abgesprochen war, an die Medien weitergeleitet. Doch ein findiger Reporter hatte von dem Stalker Wind bekommen und den Zusammenhang hergestellt. Seitdem glaubte niemand mehr an eine Schreibklausur.

Wo bleibt die Stellungnahme der Autorin zum Tod ihrer Hausangestellten?

Ist etwas dran an der Stalking-Geschichte?

Den ersten Schlagzeilen würden weitere folgen. Und davor fürchtete der Chef sich wie der Teufel vorm Weihwasser.

»Selbst bekannte Autoren sind in den Medien nicht so präsent, dass man auf der Straße ihr Gesicht erkennt«, hatte Imke Thalheim beim letzten Gespräch zu Bert gesagt. »Aber vorsichtshalber benutze ich jetzt sogar einen falschen Namen.«

Sie hatte ihm den Namen einer ihrer Romanfiguren genannt, und Bert hatte sie schleunigst gebeten, sich einen neuen zuzulegen, denn es war offensichtlich, dass der Schattengänger ihre Bücher in- und auswendig kannte.

»Wie dumm von mir«, hatte sie betroffen gemurmelt, und Bert hatte begriffen, dass er ihr damit die letzte Möglichkeit genommen hatte, in der erzwungenen Isolation ein Stück ihrer Identität zu bewahren.

Nachdem der Chef die Versammlung aufgelöst hatte, war Bert in sein Büro gegangen und vor der Pinnwand stehen geblieben. Er hatte dort auch das Täterprofil angepinnt, das Isa entworfen hatte.

Extrem sensibel. Bindungslos. Flüchtet in Scheinwelten, hauptsächlich in die der Literatur. Unauffällig, dennoch charismatisch, ein Widerspruch, der ihm das Leben schwermacht. Projiziert sein Liebesbedürfnis auf eine Frau, der er im wirklichen Leben kaum begegnet wäre.

Genauso wenig wie ich, dachte Bert. Im normalen Leben hätte sie mich keines zweiten Blickes gewürdigt. Er las weiter, bevor die Sehnsucht nach dem Verbotenen ihn wieder packen konnte.

Intelligent. Partielle Hochbegabung. Arbeitet in einem typischen Männerberuf. Chauvinistisch. Kein Interesse an den Frauen, die er haben kann. Idealisiert Imke Thalheim. Äußerst gefährlich, falls sich herausstellen sollte, dass sie seinen Maßstäben nicht gerecht wird. Melancholisch. Zeitweise selbstmordgefährdet.

Bert begegnete Begriffen wieder, die auch auf die anderen Psychopathen zutrafen, mit denen er zu tun gehabt hatte. Sie alle waren sensibel, intelligent, begabt und gefährlich gewesen. Schwierige Gegner, an denen er beinah gescheitert wäre.

»Aber auch du hast einen Schwachpunkt«, sagte er leise. »Und den werde ich finden, verlass dich drauf.«

*

Der *Hai* war in allerbestem Zustand, davon hatte Manuel sich überzeugt, bevor er das Boot mit Vorräten bestückt und zur Abfahrt bereit gemacht hatte. Zuerst hatte er vorgehabt, niemanden einzuweihen und einfach abzuhauen. Bis der Boss entdeckt hätte, dass sein schwimmendes Statussymbol fehlte, wäre einige Zeit vergangen. Doch dann hatte Manuel sich anders entschieden. Er hatte offiziell um Urlaub gebeten.

»Für wie lange?«, hatte Alex gefragt.

Er war nicht gerade erfreut gewesen, als Manuel ihm mitgeteilt hatte, er wolle seinen gesamten Jahresurlaub und den Resturlaub vom Vorjahr an einem Stück nehmen. »Ich könnte den *Hai* gut gebrauchen«, hatte Manuel hinzugefügt.

»Bisschen viel auf einmal«, hatte Alex geknurrt und ihn aus schmalen Raubtieraugen betrachtet. »Was hast du vor?«

»Weltreise.« Manuel hatte den abwägenden Blick ruhig zurückgegeben. »Kennst mich doch.«

Unter seinen Kollegen galt er als Abenteurer, dem man keine Fesseln anlegen durfte, wenn man ihn halten wollte. Sie alle wunderten sich ohnehin darüber, dass er schon so lange bei der Stange geblieben war.

»Ab wann?«

»Kurzfristig«, hatte Manuel gesagt und sich zum Gehen gewandt. »Ich geb dir Bescheid.«

Alex hatte seine Bedingungen widerspruchslos akzeptiert, wie immer. Letztlich war sein ganzes Imponiergehabe nichts als ein Kartenhaus, das beim leisesten Luftzug in sich zusammenfiel. Er hätte alles getan, um seinen besten Arbeiter nicht zu verlieren.

Am nächsten Tag hatte Manuel mit den Planungen begonnen.

Das Mädchen würde nicht freiwillig an Bord kommen und auch nicht freiwillig dort bleiben. Es würde schwierig werden, sie in Schach zu halten. Manuel konnte schließlich nicht überall sein, nicht seine Geisel bewachen und gleichzeitig das Steuer bedienen. Er entwarf alle möglichen Szenarien und legte sich für jede einen Plan zurecht. Nichts sollte ihn überraschen und aus der Bahn werfen können. Er wollte in jeder Hinsicht gewappnet sein.

Mehr und mehr nahm sein Vorhaben Gestalt an.

Bevor Manuel abends einschlief, küsste er sein Lieblingsfoto, das er von Imke besaß. Sie stand darauf gegen eine Mauer gelehnt und sah ihn lächelnd an. *Als hätte er selbst die Aufnahme gemacht.* Ihre Augen luden ihn ein und versprachen ihm, was er nur wollte.

»Alles will ich«, flüsterte er. »Alles.«

*

Als ich das Haus verlassen wollte, wäre ich fast über den Blumenstrauß gestolpert, der vor der Tür lag. Wiesenblumen und Gräser, die Stängel mit grünem Seidenband umwickelt. Ich hob ihn auf und sah mich um.

Niemand da. Nur die üblichen Geräusche. Das gewohnte Bild.

Merle schlief noch. Sie musste erst gegen Mittag ins Tierheim. Es war spät geworden gestern Abend. Sie war mit Claudio aus gewesen, endlich wieder einmal. Vielleicht kapierte er allmählich, was er an Merle hatte.

Ich steckte die Nase in den duftenden Strauß und fühlte die Gräser weich auf der Haut. Dann ging ich noch einmal in die Küche zurück, gab die Blumen in eine Vase und stellte sie mitten auf den Tisch.

Wunderschön.

Ich schaute auf meine Armbanduhr. Frau Stein duldete keine Verspätungen und mir war nicht nach einem Vortrag über Pflicht und Zuverlässigkeit. In der nächsten Minute saß ich im Auto und brauste los.

Dieser Wagen war ein Traum. Er sprang gleich beim ersten Mal an, der Motor lief ruhig und gleichmäßig und ging an Ampeln nicht aus. Nichts klapperte, nichts klemmte, und er beschleunigte sogar an Steigungen. Er brachte mich sicher von A nach B.

Über mein Headset rief ich Luke an. Er meldete sich erst beim sechsten Klingeln und hörte sich ziemlich verschlafen an. »Ja?«

»Danke, Luke.«

»Wieso? Wofür? Wie spät ist es eigentlich?«

Er spielte den Ahnungslosen wirklich überzeugend. Ich musste lachen. »Schon gut. Du sollst nur wissen, dass ich mich über die schönen Blumen freue.«

Ich beendete das Gespräch und konzentrierte mich auf den Verkehr. Die Fahrt lief wie geschmiert. Fast alle Ampeln standen auf Grün. Ich fing an zu singen.

Wie schnell ein paar Blumen dich schwach werden lassen.

Ich sang lauter, um die nervende Stimme in meinem Kopf zu übertönen. Durfte man sich, um stark zu bleiben, nicht mal freuen?

Und ehe du es richtig mitkriegst, hat er dich um den Finger gewickelt.

Aber so war Luke nicht, so berechnend und kalt. Mein Rückzug hatte ihn bestürzt und verletzt. War eine so liebevolle Geste da nicht umso großmütiger?

Du biegst dir die Wirklichkeit zurecht, wie du sie haben willst.

Mit sieben Minuten Verspätung bog ich auf den Parkplatz ein. Als ich meinen Wagen abgestellt hatte, läutete mein Handy.

Es war Luke.

»Du, ich bin furchtbar in Eile, Luke.«

»Ich will dich auch nicht lange stören, aber eins sollst du wissen: Ich habe deine Entscheidung respektiert.«

»Was meinst du damit?«

»Dass ich dir keine Blumen geschickt habe, Jette.«

*

Merle war gerade mit dem Frühstück fertig, als Jette sich meldete. Merle hörte Vogelgezwitscher im Hintergrund, das bedeutete, dass sie aus dem Park anrief.

»Die Blumen ...«, sagte sie atemlos.

»... sind echt stark. Sie bringen die ganze Küche zum Leuchten.«

»Ich dachte, sie wären von Luke«, sagte Jette. »Aber er wusste gar nichts davon. Sie lagen heute Morgen vor der Tür. Können sie für dich sein, Merle?«

»Machst du Witze? Claudio weiß nicht mal, wie man Blumen *buchstabiert,* und ein anderer glühender Verehrer ist mir in letzter Zeit nicht untergekommen. War denn keine Karte dabei?«

»Nein.«

Beide schwiegen erschrocken, und beide dachten dasselbe, da war Merle sich sicher. »Ich rufe jetzt den Kommissar an, Jette.«

»Und was soll der tun? Fingerabdrücke von den Blütenblättern nehmen?«

Merle hob den Strauß aus der Vase.

»Kannst du vergessen«, sagte Jette, als hätte sie das zweite Gesicht. »Er hat sie mit einem Seidenband zusammengebunden und selbst dabei hat er wahrscheinlich noch Handschuhe getragen. Es gibt keine Fingerabdrücke. Er ist schlau, Merle.«

»Trotzdem sag ich dem Kommissar Bescheid.«

»Merle?«

»Ja?«

»Ich hab Angst.«

»Im *St. Marien* bist du in Sicherheit«, beruhigte Merle sie. »Lass dich nach dem Dienst von jemandem zum Auto bringen, damit du nicht allein über den Parkplatz laufen musst, und drück unbedingt die Zentralverriegelung.«

»Und du?«

Merle dachte an all die Fenster, die offen standen, und nahm sich vor, sie nach dem Gespräch sofort zu schließen. »Um mich mach dir mal keine Sorgen. An unseren Kampfkatzen kommt keiner vorbei.« Sie hörte Jette kichern und freute sich darüber. »Und im Tierheim bin ich keine Sekunde allein.«

»Aber die Fahrt ...«

»Ich werde in die Pedale treten, als wär ich bei der Tour de France.«

Und was ist am Abend, dachte Merle, wenn wir allein im Haus sind? Und in der Nacht? Was, wenn der Typ endgültig durchknallt?

»Hat gutgetan, mit dir zu sprechen«, sagte Jette.

»Danke, gleichfalls.«

Nachdem alle Fenster geschlossen waren, fühlte Merle sich so eingesperrt, dass ihr das Atmen schwerfiel. Sie riss die Tür zum Innenhof auf und stürzte hinaus. Du kannst mich mal, dachte sie, hielt das Gesicht in die Sonne und atmete gleichmäßig ein und aus.

Dann lief sie in die Küche zurück, nahm den Blumenstrauß und pfefferte ihn in den Müll. Sie riss die erst halb volle Tüte aus dem Eimer, rannte zum Stall und stopfte sie voller Abscheu und voller Wut in die Abfalltonne. Erst danach war ihr leichter zumute. Sie duschte, zog sich an, schwang sich aufs Fahrrad und raste Richtung Tierheim, als hinge ihr Leben davon ab. Den Gedanken daran, dass es genau so sein könnte, ließ sie gar nicht erst zu.

25

Berts Ermessensspielraum war nicht groß, trotzdem verzichtete er darauf, sich um Rückendeckung vom Chef zu bemühen. Persönlichkeiten, die in der Öffentlichkeit standen, wurden vom Chef hemmungslos umschmeichelt und umgarnt, aber wenn auch nur der Hauch einer Möglichkeit bestand, sich die Finger zu verbrennen, ging derselbe Mann ganz schnell auf Tauchstation.

Ein Gespräch mit Isa war für Bert der letzte Anstoß gewesen, einen Beamten abzustellen, der nachts den Bauernhof in Birkenweiler im Auge behalten sollte.

»Was will der Täter von Jette?«, hatte er Isa gefragt, denn dass Merle in dieser Geschichte nur am Rande eine Rolle spielte, war ihm klar.

»Er will, was er von Anfang an wollte – Imke Thalheim. Ihre Tochter ist nur Mittel zum Zweck.«

»Es kann nicht sein, dass ihm das Mädchen gefällt?«

»Eine Übertragung? Das halte ich für unwahrscheinlich, aber ausschließen kann ich es nicht.«

»Klare Worte. Da weiß ich ja jetzt, woran ich bin.«

Isa hatte ihn milde angelächelt. »Ich bin Psychologin, Bert, keine Hellseherin. Mit einer Glaskugel oder Kaffeesatzhokuspokus kann ich dir nicht dienen.«

»Du hast ja recht.« Bert konnte sich selbst nicht leiden. »Ich hasse es nur, im Nebel herumzustochern, während sich da draußen weiteres Unheil zusammenbraut.«

Er hatte den Mädchen einen Besuch abgestattet, um die Situation mit ihnen zu bereden. Beide waren nicht dazu bereit gewesen, ihren Tagesablauf auch nur minimal zu verändern.

»Wir haben unseren Job«, hatte Jette gesagt, »und wir werden uns nicht verkriechen. Wenn es dem Wahnsinnigen gelingt, uns einzusperren, dann sind wir nicht nur im Haus, sondern auch in unserer Angst gefangen.«

»Richtig.« Merle hatte zu den Worten ihrer Freundin genickt. »Wir haben zu oft Angst gehabt. Irgendwann muss Schluss sein damit.«

Hätte Bert die beiden nicht längst ins Herz geschlossen, dann hätte er es in diesem Augenblick getan, Merle mit ihrer schnoddrigen, unverblümten Art und die zurückhaltende, immer ein wenig kühl wirkende Jette, in deren Gesten er manchmal schemenhaft die Mutter erkannte. Er würde nicht zulassen, dass ihnen etwas zustieße.

»Nachts wird ab jetzt jemand da sein und das Haus im Auge behalten«, hatte er ihnen mitgeteilt. »Sie können also ganz entspannt und unbekümmert schlafen.«

»Sieht er gut aus, unser Beschützer?«, hatte Merle gefragt und ihm zugezwinkert.

Er hatte ihr nicht den Gefallen getan, mit einem Scherz zu antworten. »Keine Alleingänge«, hatte er ihnen ernst ins Gewissen geredet. »Versprechen Sie mir das.«

Beide hatten gleichzeitig die Finger zum Schwur gehoben und waren darüber in Gelächter ausgebrochen. Vielleicht war es ihre Tapferkeit, die Bert davon abhielt, Erleichterung zu empfinden. Er traute ihnen nicht, sosehr sie auch Zurückhaltung gelobten.

»Und zu meiner Mutter kein Wort«, bat Jette.

Das allerdings war ganz in Berts Sinn.

*

Das mit den Blumen wäre nicht nötig gewesen, aber es hatte ihm Spaß gemacht. Er hatte lange genug gelitten und sich gesehnt. Imke hatte sich lange genug geziert. Es war an der Zeit, die Verhältnisse zu klären.

Um keinen Argwohn zu erregen, ging Manuel weiterhin seiner Arbeit nach. Er schraubte, hämmerte, schweißte und polierte und hörte sich dabei das Geschwätz der andern an, die mit ihrem kleinen, unbedeutenden Leben zufrieden waren und unablässig ihre kleinen, unbedeutenden Gedanken produzierten, die für keinen interessant waren, am wenigsten für sie selbst.

Bei einer seiner nächtlichen Inspektionen hatte er den Bullen entdeckt. Manuel hatte leise geflucht. Er war nicht scharf auf Komplikationen. Der Beamte hatte in einem unauffälligen alten Saab gesessen, ein paar Schritte vom Haus der Mädchen entfernt. Als er sich eine Zigarette angezündet hatte, war für einen Augenblick der Lichtschein über sein Gesicht geflackert und hatte es aus der kompakten Dunkelheit hervorgehoben wie das ausgezehrte, bleiche Gesicht eines Vampirs.

Die Situation war Manuel vorgekommen wie eine Filmszene. Als säße er vor einer Leinwand und sähe sich selbst und dem Bullen beim Katz-und-Maus-Spielen zu.

Sie waren ihm auf der Spur.

Aber sie wussten nichts. Sollten sie das Haus ruhig beobachten, dachte Manuel. Sollten sie ihre lächerlichen Fallen stellen. Sie würden sich an ihm die Zähne ausbeißen. Er würde sich nicht aufhalten lassen. Er wartete nur noch auf den richtigen Moment.

*

Dieser Roman verwischte die Grenzen. So etwas war Imke noch nie passiert. Zwar hatten ihre Figuren schon häufiger ein Eigenleben entwickelt, das sie nur mit Mühe kontrollieren konnte, doch letztlich hatte sie die Fäden in der Hand behalten, und sie war es gewesen, die den Lauf der Handlung bestimmt hatte.

Vor allem hatte sie jederzeit unterscheiden können zwischen Realität und Fiktion.

Mittlerweile hatte sie manchmal den Eindruck, jemand würde ihr den Text diktieren. Jemand, der sich in ihrem Kopf eingenistet hatte und in ihren Gefühlen, der jede Nuance ihrer Empfindungen wahrnahm und prompt darauf reagierte.

Sie hatte sich immer von ihrem Unterbewusstsein leiten lassen, hatte sich oft staunend gefragt, woher sie die Sätze nahm, die vor ihr auf dem Monitor erschienen wie die Gedanken eines andern. Manchmal stolperte sie bei Lesungen über Worte, die sie geschrieben haben musste, an die sie sich jedoch überhaupt nicht erinnern konnte.

Doch das hier stellte alles in den Schatten. Dieses Buch war auf eine Weise wirklich, die sie zutiefst verstörte. Die Figuren kamen ihr viel zu nah. Sie waren Teil ihrer selbst, vertrauter beinah als die Frau, die sie beim Blick in den Spiegel sah.

Vielleicht waren sie die Wirklichkeit, während die Welt nur Einbildung war.

Einsamkeit machte krank. Und sonderlich. Das hatte Imke schon immer gewusst. Isolation war eine teuflische Folter. Man konnte die stärksten Menschen zerbrechen wie ein Streichholz. Man brauchte sie nur von ihrem Leben abzutrennen.

Wieder einmal wanderte sie durch die Gegend, allein, denn sie blieb nie lange genug irgendwo, um Bekanntschaften schließen zu können. Sie hatte ihre Spaziergänge ausgedehnt. Inzwischen machte es ihr nichts mehr aus, fünf Stunden am Stück in Bewegung zu sein.

Allerdings half das Laufen ihr nicht mehr, die Sehnsucht nach zu Hause zu unterdrücken. Sie hatte sich sattgesehen an den Hügeln und dem ewigen Grün, den schwarz und weiß gefleckten Kühen, die sich malerisch in der Landschaft bewegten. Sie kannte sie allmählich zur Genüge, die blank geschrubbten Bauernhöfe, die im harten Sonnenlicht immer ein wenig melancholisch wirkten, die Madonnenwinkel an den Gabelungen der Wege und die tausendjährigen Linden und Eichen, auf die man hier so stolz war.

In einem Landgasthof machte sie Rast. Umgeben von schwatzenden, lachenden Ausflüglern, saß sie allein an einem Tisch auf der Gartenterrasse und sah einer Elster zu, die über die Wiese hüpfte. Nach dem Essen bestellte sie sich einen Kaffee.

Die Elster verschwand unter einer Baumgruppe, zwischen deren Stämmen man einen See erkennen konnte, der funkelte und blinkte, als hätte jemand Diamanten auf dem Wasser verstreut.

Die Kellnerin brachte den Kaffee. Imke hob die Tasse zum Mund, trank, stellte sie auf das kleine Silbertablett mit der Spitzenserviette zurück. Ihre Handgriffe waren mechanisch und hatten nichts mehr mit ihr zu tun. Ihr war danach, zu weinen, doch sie blockte das Gefühl ab, bevor es sie richtig erreichte.

Es ist genug, dachte sie. Und noch einmal: Es ist genug.

Sie stand auf und ging durch das schummrige, nach kaltem Rauch stinkende Lokal zur Toilette. Im Waschraum ließ sie sich Wasser über die Handgelenke laufen und schaute dabei in den Spiegel.

Grotesk. Was hatte dieser Irrsinnige aus ihr gemacht?

Langsam fasste sie sich ins Haar und zog die Perücke ab. Endlich liefen ihr die Tränen über das Gesicht. Sie weinte und schluchzte, und es war ihr egal, ob jemand sie dabei überraschen würde.

Als keine Tränen mehr kamen, wusch sie sich das Gesicht, trocknete es mit Papier aus dem Spender und fuhr sich mit ihrem Kamm durchs Haar. Dann kehrte sie auf die Terrasse zurück, um zu bezahlen. Sie hatte einen Entschluss gefasst.

Die Perücke ließ sie im Waschraum liegen.

*

Manuel hatte sich von den Kollegen verabschiedet. Sie hatten ihm auf die Schulter geklopft und ihm jede Menge ungebetener Wünsche und Ratschläge für die Reise mit auf den Weg gegeben. Noch glaubten sie, ihn in ein paar Wochen wiederzusehen. Es war ein irres Gefühl gewesen, als Einziger im Raum mehr zu wissen.

Nie wieder werdet ihr mich zu Gesicht bekommen, hatte Manuel gedacht und Richie die schmale, schwielige Jungenhand geschüttelt.

Ihm war feierlich zumute gewesen und er hätte das Gefühl gern mit jemandem geteilt. Stattdessen war er ins Büro hinübergeschlendert, hatte Alex spielerisch in die Seite geboxt und sich federnd weggeduckt, um der Reaktion auszuweichen. Ihr längst vergessenes Begrüßungsritual aus alten Zeiten. Er hatte eine Art von Rührung an Alex bemerkt und ihm versprochen, gut auf das Boot aufzupassen.

Nicht nur auf das Boot, hatte er gedacht und sich gewünscht, er könnte Alex von seinen Plänen erzählen, könnte *irgendjemanden* einweihen und müsste das Geheimnis nicht allein mit sich herumschleppen.

Der Abschied von Ellen war ihm überraschend schwergefallen. Sie hatte ihm die Arme um den Hals geschlungen und er hatte sie an sich gezogen und eine Weile so gehalten. Verwirrt hatte sie sich von ihm losgemacht und ihn stirnrunzelnd betrachtet.

Ein Fehler, hatte er gedacht und sich geschworen, von nun an jedes Wort und jeden Handgriff zu bedenken.

Er wusste, dass er Ellen gefiel, trotz des Altersunterschieds zwischen ihnen, aber er hatte sich stets betont neutral verhalten, um sie nicht zu ermutigen. Er war sich immer sicher gewesen, dass die Liebe seines Lebens irgendwo auf ihn wartete. Und dass er sie erkennen würde, wenn er ihr begegnete. Und genau so war es dann ja auch passiert.

Ein letzter Rundgang durch seine Wohnung, dann war Manuel über den Hof zu seinem Wagen gegangen, hatte den Zündschlüssel ins Schloss gesteckt und war losgefahren, ohne sich noch einmal umzusehen.

Zum ersten Mal seit langer Zeit hatte er sich frei gefühlt. Alle Fesseln waren von ihm abgefallen. Er würde die Dinge jetzt selbst in die Hand nehmen. Das hätte er schon viel früher tun sollen.

*

Nach den Blumen waren andere Geschenke gekommen. Eine Schachtel mit Jettes Lieblingspralinen. Ein silbernes Armband, passend zu ihrer Schlangenkette. Ein klatschmohnrotes Kleid in exakt ihrer Größe. Ein Fläschchen Parfüm (ihres war fast aufgebraucht). Ein Lippenstift – mit Erdbeergeschmack (Zufall? Oder hatte er in der Vergangenheit gewühlt?).

Die Sachen lagen vor der Tür. Im Innenhof. In der Scheune. Im Stall. Als hätte ein Geist sie dort abgelegt, fähig, Mauern und verschlossene Türen zu durchdringen. Mit einem Mal war das Haus eingesponnen in einen Kokon aus Angst. Wenn Merle es betrat oder verließ, hielt sie unwillkürlich den Atem an. Wie musste es da erst Jette ergehen?

Es gab Augenblicke, da unterhielten sie sich im Flüsterton. Als hätten die Wände Ohren. Dabei war Merle danach, ihre Empörung, die Scham und die Hilflosigkeit herauszuschreien. Er hat uns im Griff, dachte sie, und das darf nicht sein.

Der Kommissar nahm alles mit, um es auf Spuren untersuchen zu lassen. Er vermied es, Spekulationen anzustellen, und wich Fragen aus. Merle hatte den Eindruck, er spiele die Situation herunter.

»Kann es sein, dass der Typ auf Jette ... sozusagen umgestiegen ist?«, hatte sie ihn neulich gefragt.

Der Kommissar hatte den Kopf geschüttelt. »Ein solcher Fall ist mir nicht bekannt. Die meisten Stalker fixieren sich auf einen einzigen, ausgewählten Menschen.«

Nichts weiter. Kein Wort der Erklärung. Er schleicht um den heißen Brei herum, dachte Merle. *Weil die Geschichte gefährlicher ist, als er zugeben will.*

Erst jetzt hatte sie realisiert, was es wirklich bedeutete, dass Nacht für Nacht der Wagen eines Bullen vor der Haustür parkte. Erst jetzt hatte sie begriffen, dass Jette in die Geschichte hineingeraten war wie in Treibsand und dass dadurch auch sie selbst bis zum Hals drinsteckte, ebenso wie die Katzen. Der Kerl war ein Terrorist, eine tickende Zeitbombe. Ihn zu unterschätzen, wäre reiner Selbstmord.

An den Sachen wurden keine Fingerabdrücke gefunden, aber die Leute im Labor hatten ein einzelnes schwarzes Haar an dem roten Kleid entdeckt. Der Kommissar kam eigens deswegen vorbei.

»Ich hätte gern Namen und Anschrift sämtlicher schwarzhaariger Menschen aus Ihrem Bekannten- und Freundeskreis. Das ist bloße Routine«, setzte er hinzu. »Ich werde auch Frau Thalheim und Herrn Baumgart um eine Liste bitten.«

In Merles Kopf ratterte es. Auch in Jette schien es zu rotieren. Es gab eine erstaunliche Menge Schwarzhaariger in der Tierschutzgruppe. Claudio hatte dunkles Haar. Jettes Mutter, die ihre Farbe jedoch mit Tönungen auffrischte, gehörte ebenso zu der gesuchten Gruppe wie Tilo, dessen Haar allerdings schon reichlich mit Grau durchsetzt war. Jette und Merle selbst kamen nicht infrage – und auch Luke war, falls das Haar tatsächlich vom Täter stammte, damit aus dem Schneider.

»Das Haar könnte doch genauso gut einer Verkäuferin oder einem Verkäufer aus dem Geschäft gehören, in dem das Kleid gekauft worden ist«, wandte Jette ein. »Oder einer Kundin, die es anprobiert hat. Oder …«

Der Kommissar gab keine Antwort. Das war auch nicht nötig. Sein warnender Blick war eindeutig. Wagt es bloß nicht, signalisierte er. Fangt nicht mal ansatzweise an, über Aspekte des Falls nachzudenken.

»Er könnte ruhig ein bisschen mehr Vertrauen zu uns haben«, beklagte sich Jette, nachdem er sie wieder verlassen hatte.

»Dazu kennt er uns zu gut.«

Sie saßen im Hof. Die Sonne sprenkelte Mauern und Boden mit Flecken aus Licht. Alles wirkte heiter und friedlich. Für einen Stalker, dem die Sicherungen durchbrannten, war in dieser Stimmung überhaupt kein Platz.

»Das ist wahr.« Jette nickte abwesend. Sie war schon wieder in ihre Gedanken abgetaucht. Merle fragte sich, wie ihre Freundin das aushielt, die Angst um ihre Mutter, die Krise mit Luke, das gemeine Spiel des Stalkers. Leise stand sie auf, um im Haus die Türen und Fenster zu schließen. Sie hatte das gern erledigt, bevor die Dämmerung einsetzte und die Schatten sich verdichteten.

»Dir ist doch klar, dass wir allmählich eine Phobie entwickeln?«, fragte Jette.

»Immer noch besser, als tot zu sein.«

Jette rappelte sich auf und zog die Schultern zusammen. »Es wird kühl.«

Dabei war es angenehm warm, mindestens zwanzig Grad. Die Sonne ging eben erst unter und der Steinboden hatte die Wärme noch gespeichert. Als Merle das komplette Haus endlich sicher verriegelt und verrammelt hatte, fühlte sie sich so erleichtert, dass ihre Augen in Tränen schwammen.

*

Ich hatte schlecht geträumt und war froh, dass die Nacht vorbei war. Noch am Frühstückstisch klebten Reste des Traums an mir und ich konnte sie nicht abschütteln. Der Aufstieg auf einen Berg. Herabstürzendes Geröll. Und irgendetwas Unaussprechliches, das oben auf mich wartete.

Merle war schon unterwegs. Das Tierheim plante einen Tag der offenen Tür und es gab hunderttausend Dinge zu regeln und vorzubereiten. Sie hatte mir einen Zettel auf den Tisch gelegt. *Ich bringe ein paar DVDs mit. Besorgst du was Leckeres dazu? Freu mich auf heute Abend. Merle.*

Auf der Fahrt zum Dienst hörte ich Musik. Meine Mutter hatte mir zum Geburtstag eine CD von Edith Piaf geschenkt, deren irgendwie altmodische Stimme mich sonderbar berührte.

»Lies mal ihre Autobiografie«, hatte meine Mutter mir geraten. »In dieser Stimme steckt ein Leben – das kannst du dir nicht vorstellen.«

Das Gesicht auf dem Booklet wirkte so zart, so angegriffen und ungeschützt, dass die fulminante Stimme gar nicht dazu passen wollte. Und dann ... etwas war in dieser Stimme, das mich zurückschrecken ließ und mir nicht erlaubte, mich einfach hineinfallen zu lassen.

Heute verlief die Fahrt zäh. Seit Monaten war Bröhl wegen irgendwelcher Kanalarbeiten Dauerbaustelle. Die Leute quittierten das mit aggressivem Fahrstil, wütenden Hupkonzerten und damit, dass sie beim geringsten Anlass den Mittelfinger aus dem Fenster streckten.

Trotz mehrerer Staus war ich ein bisschen zu früh und hatte Zeit, in Ruhe meinen Wagen abzustellen und noch kurz zur

Apotheke zu laufen, um neue Tabletten gegen meinen Heuschnupfen zu kaufen. Ich war gegen Gräser allergisch, deren Pollen allmählich zu fliegen begannen.

Die Apothekerin hatte mir eine günstigere Variante der Tabletten empfohlen, die ich üblicherweise nahm. Ich bezahlte, faltete den Beipackzettel auseinander und ging lesend auf die automatische Schiebetür zu, als ich mit einem jungen Mann zusammenstieß, der in genau diesem Augenblick hereinstürmte.

»Hoppla«, sagte er und fasste mich behutsam an den Schultern.

Ich wich instinktiv zurück und er ließ mich los.

»Meine Schuld, ich hab nicht aufge...« Erst da sah ich ihm ins Gesicht und erkannte ihn. Sein Lächeln war jungenhaft und unbekümmert. Er schien sich über unsere Begegnung richtig zu freuen.

»Das ist ja eine nette Überraschung«, sagte er.

Wir standen direkt vor der Tür und allen im Weg. Aus einer merkwürdigen Übereinstimmung heraus gingen wir nach draußen, um uns weiter zu unterhalten.

»Wohnen Sie in dieser Gegend?«, fragte er.

Meine Anschrift hatte dick und fett auf dem Kaufvertrag gestanden, aber er schloss bestimmt viele solcher Verträge ab und konnte nicht alle Einzelheiten im Kopf behalten.

»Nein. Ich arbeite hier in der Nähe. Und Sie?«

»Bin beruflich unterwegs.«

Genau der Typ, auf den Merle abfuhr. Sie hatte einen ganzen Tag lang von ihm geschwärmt. Ich musste mir ein Grinsen verkneifen, als ich daran dachte. Wie würde sie mich beneiden, wenn sie wüsste, dass ich hier stand und mit ihm redete.

»Ich hätte mich sowieso heute oder morgen bei Ihnen gemeldet«, sagte er.

Das wunderte mich. Ich schaute ihn fragend an.

»Ihr Wagen wurde versehentlich für den Verkauf freigegeben, obwohl er vorher ein letztes Mal durchgecheckt werden sollte.«

»Das heißt, ich muss ihn noch einmal vorbeibringen?«

»Ich fürchte, ja. Es sei denn ...« Er sah auf seine Armbanduhr. »Hätten Sie vielleicht jetzt Zeit für eine kurze Probefahrt?«

Unmöglich. Frau Stein hatte einen Termin außer Haus, da wurde im Heim jede Hand gebraucht. »Wie lange würde das denn dauern?«

Er hob die Schultern. »Zehn, fünfzehn Minuten?«

Wenn ich meine Mittagspause vorverlegte und den ganzen Tag durcharbeitete, konnte ich mir den Aufwand ersparen, extra zur Werkstatt rauszufahren. Ich zog mein Handy aus der Tasche.

Fünf Minuten später saßen wir in meinem Wagen. Der Verkehr war nicht mehr ganz so dicht und wir kamen gut durch. Er wollte ein Stück Landstraße fahren, um das Verhalten des Wagens auf schneller, gerader Strecke zu testen.

»Ich heiße Manuel«, sagte er. »Und wie war dein Vorname noch mal?«

»Jette«, antwortete ich.

Er war nicht viel älter als ich, da erschien es mir ganz natürlich, dass wir uns duzten.

*

Er befand sich in einem unbeschreiblichen Aufruhr. Nie hätte er damit gerechnet, dass der Zufall ihm so in die Hände spielen würde.

Sein ursprünglicher Plan war es gewesen, das Mädchen am Abend nach ihrer Arbeit abzufangen. Der Parkplatz war um diese Zeit so gut wie leer, das hatte er recherchiert. Aber ihren Besuch in der Apotheke für eine ganz beiläufig wirkende Begegnung zu nutzen, war ein genialer Schachzug gewesen.

Besser hätte er es sich nicht wünschen können. Er hatte sich ihr Vertrauen erschlichen, hatte ihr glaubwürdig die faustdicke Lüge aufgetischt und auch noch wie selbstverständlich das Steuer ihres Peugeots übernommen.

Nachdem er seinen eigenen Wagen in einem anderen Stadtteil abgestellt hatte, wo er mit ein bisschen Glück zunächst einmal niemandem auffallen würde, war er mit dem Bus hierhergefahren. Viel zu früh, weil das Lampenfieber ihn getrieben hatte. Eigentlich hatte er vorgehabt, noch einmal die Gegend abzugehen, um bloß im entscheidenden Moment nicht von einer neu eingerichteten Baustelle oder einer unbekannten Straßensperrung überrascht zu werden.

Er würde es der Polizei so schwer wie möglich machen. Später würde kein Hahn mehr nach dem krähen, was er jetzt zu tun gezwungen war. Imke würde seine Handlungen als das begreifen, was sie waren: Zeichen seiner Leidenschaft für sie. Niemand würde ihn dafür zur Verantwortung ziehen.

Und für den Tod der Putzfrau? Und den des Bussards?

Was für eine Rolle spielten sie schon in dem Drama um Romeo und Julia, diesem ewig wahren, großartigen Stück, für das Imke und er hätten Modell stehen können?

»Hörst du was?«, fragte das Mädchen ihn und lauschte mit schräg geneigtem Kopf.

Doch da konnten keine Nebengeräusche sein, denn der Wagen war vom Kühler bis zum Heck in Ordnung. Manuel selbst hatte ihn gründlich durchgecheckt. Er hörte nur eines und das war sein Herzschlag, heftig, stark und eine Spur zu schnell.

Dam ... dabadam ... dabadabadam ...

Wie leicht ihr das *Du* von den Lippen ging, nach allem, was sie hinter sich hatte. Wie vertrauensselig sie war. Fast tat es ihm leid, dass er ihr nun wieder Schmerzen zufügen musste. Sie hatte einfach Pech.

»Ich bin mir nicht ganz sicher«, antwortete er. Dabei war er sich selten so sicher gewesen.

26

Imke nahm sich Zeit für den Abschied. Sie frühstückte in aller Ruhe, dann packte sie ihre Sachen ins Auto und beglich die Rechnung. Vor der Abreise wollte sie noch einen letzten Spaziergang machen.

Der Frühling leuchtete auf den Wiesen und überzog die Schieferhäuser mit einem matten Schimmer. Imke genoss den lauen Wind, der über die Felder wehte, und blieb eine Zeit lang auf einem moosbewachsenen Baumstumpf sitzen. In ein paar Stunden würde sie wieder zu Hause sein.

Sie hatte niemandem Bescheid gesagt. Sie wollte Tilo und Jette überraschen. Vielleicht wäre es gut, dachte sie, sich schon einmal eine Erklärung für den Kommissar zurechtzulegen. Sie hatte ihn seit ihrem gemeinsamen Essen nicht mehr gesehen, und sie vermisste ihn. Sie hatte keine Ahnung, wie sie damit umgehen sollte.

Kommt Zeit, kommt Rat, pflegte ihre Mutter zu sagen. Und damit hatte sie recht. Viele der alten Weisheiten stimmten, man musste nur lernen, sie wieder zu verstehen.

Im Ort besuchte sie ein letztes Mal ihr Lieblingscafé und setzte sich an einen der Tische im Garten. Überall zwischen den alten Buchen wuchs und rankte es grün durcheinander. Hier und da waren ein paar Farbtupfer, das dunkle Blau einer Klematis, das samtene Rot eines Rosenstrauchs, das blasse Gelb eines Geißblatts. An jedem der Tische hatte Imke schon gesessen, an jedem umhergeschaut und nachgedacht.

Mit ihrem Roman war sie gut vorangekommen, doch zum ersten Mal war sie nicht glücklich darüber. Sie hatte Angst, weiterzuerzählen. Solange sie die Ebenen nicht trennen konnte, war jedes Wort gefährlich.

Seufzend schlug sie die Zeitschrift auf, die sie aus dem Ständer neben der Kuchentheke genommen hatte, und vertiefte sich in die Lektüre eines Artikels über Wohnen und Kunst. Sie zwang sich, nicht in Eile zu verfallen. So konnte sie die Freude auf zu Hause länger auskosten.

*

Er war nicht sehr gesprächig, was ihn aber nicht unsympathisch machte. Er konzentrierte sich aufs Fahren, beschleunigte, verlangsamte und schien auf jedes noch so kleine Geräusch zu achten. Ich beglückwünschte mich dazu, ihn getroffen zu haben. Es ersparte mir Zeit.

Vielleicht konnte ich dem Kommissar die Erlaubnis abluchsen, am Wochenende meine Mutter zu besuchen. Merle und ich hatten noch keine richtige Tour mit dem neuen Wagen gemacht. Das Sauerland wäre nicht das schlechteste Ziel und die hügeligen, gewundenen Straßen reizten mich sehr. Aber eigentlich glaubte ich nicht daran, dass der Kommissar ein Einsehen haben würde. War es nicht genau das, was der Stalker wollte? Dass wir unvorsichtig wurden und ihn zu meiner Mutter führten?

Ich hätte gern das Verdeck zurückgefahren, doch es war Wind aufgekommen und es sah nach Regen aus. Dabei war für heute Sonnenschein angesagt, *mit einigen lockeren Wolkenfeldern.*

»Schau mal, dahinten.«

Ich blickte in die Richtung, in die Manuels Finger zeigte. Das sah nicht nur nach Regen aus, da braute sich ein Unwetter zusammen.

»Vielleicht sollten wir lieber umkehren«, sagte ich.
Er nickte.
Doch wir fuhren weiter.
Vielleicht suchte er nach einer geeigneten Stelle, um zu wenden. Aber wieso nutzte er nicht die Möglichkeiten, die sich anboten? An mindestens fünf Feldwegen war er bereits vorbeigebraust, obwohl drei davon asphaltiert gewesen waren und breit genug, um mit einem Lastwagen darauf zu drehen.
Die schwarze Wolkenwand näherte sich. An ihrem aufgerissenen Rand konnte man erkennen, dass in der Ferne ein Wolkenbruch niederging. Es wurde merklich dunkler.
»Hast du Angst vor Gewittern?«, fragte Manuel.
Ich schüttelte den Kopf. Nirgends, das hatte ich gelernt, war man während eines Gewitters sicherer als in einem Auto, weil es wirkt wie ...
»Ein Auto wirkt wie ein Faraday'scher Käfig«, erklärte Manuel. »Es schirmt zuverlässig gegen ...«
»... äußere elektrische Felder ab«, beendete ich seinen Satz.
Er warf mir einen überraschten Blick zu und wandte sich dann wieder der Straße zu. Diesmal berührte mich sein Schweigen unangenehm.
Der Wind war jetzt so stark, dass sich die Bäume unter ihm bogen.
»Noch ein paar Kilometer«, sagte Manuel, »dann kommt ein Parkplatz. Ich schau mir noch mal kurz den Motor an, dann kehren wir um, okay?«
Der Himmel verdunkelte sich jetzt mit einer solchen Geschwindigkeit, dass Manuel das Licht anmachen musste. Die schwarze Wolkenfront war beinah schon über uns.
»Kein Wunder, dass die Menschen früher bei so etwas glaubten, die Welt würde untergehen«, sagte ich.
»Manche glauben heute noch daran«, antwortete er.
Ich musterte ihn von der Seite, konnte jedoch nicht

ausmachen, ob das ein Scherz sein sollte oder nicht. Niemand kam uns entgegen. Niemand überholte uns. Als hätten alle irgendwo angehalten, um das Unwetter abzuwarten, oder als wäre keiner außer uns unterwegs. Blätter tänzelten über die Straße. Ein Zweig klatschte gegen die Windschutzscheibe.

»Ein denkwürdiger Tag«, sagte Manuel.

Wer hat Angst vorm schwarzen Mann, schwarzen Mann, schwarzen Mann, wer hat Angst ...

Das alte Kinderlied spielte in meinem Kopf, während die Dunkelheit sich auf uns legte. Nie zuvor hatte ich erlebt, dass es mitten am Tag Nacht wurde, außer bei einer Sonnenfinsternis, doch genau das passierte nun.

Die ersten Blitze zuckten über den Himmel. Ich hatte auch diesmal keine Angst vor dem Gewitter, aber mir wurde mit einem Mal bewusst, dass ich Manuel überhaupt nicht kannte und dass ich mich auf diese Fahrt nicht hätte einlassen dürfen.

*

Bert sah fasziniert aus dem Fenster. Die Vögel hatten aufgehört zu singen. Die ersten Regentropfen fielen.

Und dann brach das Unwetter los. Der Wind fegte den Regen über die Dächer. Hagelkörner prasselten gegen die Fensterscheibe. In wenigen Sekunden waren die Rinnsteine voller Wasser, das auf die Kanaldeckel zuströmte. Blitze hellten grell den Himmel auf und ließen ihn umso schwärzer zurück.

Bert hatte seinen Computer vorsichtshalber ausgeschaltet. Er hatte kein Licht angemacht. In völliger Dunkelheit stand er am Fenster und sah auf ein Naturschauspiel hinaus, wie er es noch nie erlebt hatte.

Die Nachricht, die er gerade bekommen hatte, passte zu einem solchen Morgen. Das Haar, das sie an dem roten Kleid gefunden hatten, konnte nach Abgleich mit der DNA-Kartei des Bundeskriminalamts niemandem zugeordnet werden.

Sie kamen keinen Schritt weiter.

*

An den Rändern der Straße hatte sich das Wasser gesammelt und spritzte in hohen Fontänen unter den Reifen auf. Manuel drosselte das Tempo. Weltuntergang, dachte er. Der Himmel stürzt ein und begräbt alles Leben unter sich.

Das Mädchen schien keine Angst zu haben. Genauso wenig wie er selbst.

Trotzdem war sie ihm zuwider.

Weil sie Imkes ungeteilte Zuneigung besaß.

Er wünschte ihr die Pest an den Hals.

Manuel bog von der Straße ab, ohne zu blinken. Wozu auch, es war kein anderer Wagen in Sicht. Auch der Parkplatz war leer. Sie waren vollkommen allein mit dem Wind, dem Regen und den Blitzen am Himmel.

*

Tilo hörte der Patientin zu, die von den Schwierigkeiten berichtete, die es ihr bereitete, ihren Vater als Normalsterblichen zu betrachten. »Er war immer so groß, so stark und so klug«, erklärte sie, »dass ich daneben zur absoluten Bedeutungslosigkeit geschrumpft bin.«

Tilo wurde misstrauisch, wenn er jemanden so reden hörte. Das klang sehr nach hunderttausendfacher Selbstbespiegelung, wirkte glatt und eingeübt. Da war kein Gefühl spürbar, und wäre es nur ein Zipfelchen von Trauer, Angst oder Verzweiflung.

Vielleicht wurde er der Patientin damit nicht gerecht. Womöglich gab sie sich große Mühe, ihr Empfinden in Worte zu fassen. Doch dazu sprach sie zu schnell. Das alles plätscherte aus ihrem Mund wie wahrscheinlich schon Hunderte Male zuvor.

Und draußen war das Chaos.

Tilo fragte sich, ob wohl auch im Sauerland Unwetter tobten. Imke hatte ihm von ihren ausgedehnten Wanderungen erzählt. Wusste sie, wie man sich bei Gewitter verhalten sollte?

Ich weiß es ja selber nicht, dachte er. Waren nicht Eichen besonders gefährlich? Oder eher Buchen? Hoffentlich passte Imke auf sich auf.

Er hatte keine Lust, dieser Frau zuzuhören. Ihr Vater war ihm egal.

Er machte kein Licht. Er schrieb nichts nieder.

Er verhielt sich unprofessionell und schämte sich nicht einmal deswegen.

*

Es war eine andere Dunkelheit, in der ich wieder zu mir kam, stickig und eng. Ich konnte mich nicht bewegen, konnte nichts sehen und nicht sprechen. Mein Kopf tat weh.

Ganz allmählich erkannte ich meine Situation.

Meine Hände waren auf dem Rücken gefesselt, meine Füße zusammengebunden. Über meinem Kopf lag eine Kapuze, so dicht, dass ich kaum atmen konnte. Am schlimmsten aber war, dass ein Knebel in meinem Mund steckte.

Ich lag zusammengekrümmt auf der Rückbank meines Wagens. Der Wagen fuhr. Am Steuer saß Manuel.

Langsam stieg die Erinnerung in mir hoch. Wir waren auf den Parkplatz eingebogen. Manuel war im strömenden Regen ausgestiegen und hatte die Motorhaube aufgemacht, und obwohl ich von Autos und Motoren nichts verstand und absolut keine Lust hatte, mich nass regnen zu lassen, war ich ebenfalls ausgestiegen und hatte mich neben ihn gestellt.

Es war inzwischen stockfinster geworden, und ich hatte

mich gefragt, ob Manuel vielleicht Röntgenaugen hatte. Er hatte sich ein wenig vorgebeugt, hatte ein Kabel oder sonst etwas berührt und sich wieder aufgerichtet.

»Alles so, wie es sein soll«, hatte er gesagt, und seine Stimme hatte mir nicht gefallen. Sie war auf einmal rau gewesen und irgendwie gepresst.

»Dann würde ich jetzt gern zurückfahren.«

Diesmal war ich zur Fahrerseite gegangen. Der Wagen war in Ordnung, das hatte er selbst gesagt, die Probefahrt zu Ende. Also würde ich fahren. Und zwar auf dem schnellsten Weg zum Dienst.

Ab da hatte ich einen Filmriss.

Manuel musste mich niedergeschlagen haben, als ich mich vorbeugte, um die Tür aufzumachen. Das würde die Schmerzen erklären, die in meinem Kopf dröhnten, und das Brennen am Hinterkopf.

Panik. Mein Körper erinnerte sich an das Gefühl.

Ich zerrte an den Fesseln. Bekam keine Luft. Der Knebel ließ mich würgen, so heftig, dass mir die Augen tränten.

»Es ist leichter, wenn du dich ruhig verhältst«, hörte ich Manuels Stimme.

Ich versuchte, gleichmäßig zu atmen. Das Würgen ließ nach.

Hatte er mich vergewaltigt?

Ich spürte kein Brennen, keine Nässe, keine Verletzung zwischen den Beinen und ich war noch komplett angezogen. Das erleichterte mich so, dass mir die Tränen kamen. Und wieder fing ich an zu würgen.

Ich konzentrierte mich auf meine Atmung. Ein. Aus. Ein. Aus.

Manuel hustete. Ich hörte die Fahrgeräusche. Das Prasseln des Regens auf dem Dach. Ich hörte meinen eigenen Atem. Das Rascheln meiner Kleidung, wenn ich mich bewegte.

Denk nach!

Unsere Begegnung war nicht zufällig gewesen. Manuel musste mich abgepasst haben. Aber wieso? Was hatte er mit mir vor? Wenn er mir etwas hätte antun wollen, wäre auf dem Parkplatz die beste Gelegenheit dazu gewesen.

Ich hörte ein Hämmern, ein Stampfen, das ich nicht einordnen konnte. Es wurde leiser und verschwand. Kurz darauf nahm ich ein Rasseln wahr, als würde eine Kette über Metall geschleift.

Achte auf alles! Damit du dich später daran erinnern kannst.

Ich bibberte vor Kälte. Der Schock. Mein Körper hatte alle Funktionen heruntergefahren, um sich zu schützen.

Wir holperten über Kopfsteinpflaster, dann wurde der Untergrund wieder eben. Manuel pfiff vergnügt vor sich hin.

Vielleicht sind dies die letzten Minuten deines Lebens.

Der Gedanke war so groß und so furchtbar, dass er mich in ein kleines Häuflein Elend verwandelte. Ich dachte an meine Mutter, an Tilo und Merle. An Ilka und Mike irgendwo in Brasilien. Sie würden mir nichts mehr von ihrer Reise erzählen können. Ich dachte an Mina und an meine Großmutter, die ich so lange nicht mehr besucht hatte.

Luke.

Ich war ihm Erklärungen schuldig. Ich hätte nicht vor seinen Fragen weglaufen dürfen. Ich hätte zumindest versuchen müssen, Antworten zu finden.

Der Wagen blieb stehen. Manuel schaltete den Motor aus. Ich konnte das akustische Signal einer sich schließenden Bahnschranke hören. Hungrig klammerte ich mich an jedes Geräusch, an jede Wahrnehmung.

Der Fahrersitz knarrte. Manuel hatte sich zu mir herumgedreht.

»Wo ist deine Mutter?«, fragte er, jedes Wort betonend.

Ich hielt die Luft an.

Meine Mutter.

Das also war es, was er von mir wollte. Ich schloss die Augen. Etwas in mir hatte es die ganze Zeit gewusst.

*

Imke wartete das Unwetter in einem Rasthof ab. Mit einem Cappuccino saß sie an einem Tisch am Fenster und starrte auf die unwirkliche Szenerie. Als hätte ein schwarzes Loch alles Licht geschluckt, dachte sie.

Die Scheinwerfer der vorüberfahrenden Wagen waren gelbe Lichtkegel in der Finsternis. Seit Tagen schon wurde Sand aus der Sahara herübergeweht. Jetzt mischte er sich mit dem Regen. Bräunliche Tropfen liefen an den großen, schmutzigen Fensterscheiben herunter.

Der Regen ließ so plötzlich nach, wie er begonnen hatte. Unmerklich kehrte das Licht zurück. Es war fahl und kränklich, gelb mit einem Stich ins Grünliche. So hatte Imke sich immer das Licht nach einer Nuklearkatastrophe vorgestellt.

Sie wartete noch einen Moment, dann brachte sie die Tasse zur Geschirrrückgabe und nahm die unterbrochene Fahrt wieder auf. Noch eine halbe Stunde und sie würde die Mühle wiedersehen. Sie hielt es vor Sehnsucht kaum noch aus.

*

Sie verhielt sich ruhig, zappelte nicht herum und versuchte nicht zu schreien. Hätte mit dem Knebel sowieso keinen Zweck gehabt.

Schade. Sie war kein adäquater Gegner. Pardon: keine adäquate Gegnerin. Auch von sich selbst verlangte Manuel Präzision in der Wahl seiner Worte. Imke würde ihn nicht lieben können, wenn er sich ausdrückte wie einer dieser Freaks aus den Fernsehtalkshows.

Die phänomenale Wolkenbank war vorbeigezogen. Der Himmel hatte sich wieder aufgehellt. Ob Imke das Naturschauspiel ebenfalls beobachtet hatte? Ob sie darüber schreiben würde?

»Wo ist deine Mutter?«, wiederholte er leicht gereizt.

Erst in diesem Augenblick fiel ihm ein, dass das Mädchen ja gar nicht antworten konnte. Okay. Sie hatten später noch Zeit, sich zu unterhalten. Als Erstes musste er sich ihren Kopf anschauen. Als er sie fesselte, hatte er Blut an ihren Haaren gesehen. Vielleicht hatte er ein klein wenig zu fest zugeschlagen.

Das hätte auch schiefgehen können.

Ab jetzt musste er aufpassen, dass ihm kein Patzer mehr unterlief. Er brauchte das Mädchen noch. Ein einziger Fehler, und alles konnte verloren sein.

Es war immer noch kaum Verkehr auf den Straßen. Das kam ihm sehr gelegen. Am Wasser dürfte sogar noch weniger los sein. Bei Unwetter legte doch niemand ab. Da blieb man schön daheim und achtete darauf, dass der Keller trocken blieb.

Manuel fing wieder an zu pfeifen. Er war ein Glückskind. Selbst der Gott der Himmelsstürme war auf seiner Seite.

*

Draußen war es heller geworden. Durch die Kapuze schimmerte ein Hauch von Licht. Schweiß lief mir übers Gesicht. Obwohl ich so ruhig und tief wie möglich atmete, hatte ich Angst zu ersticken.

Ich wehrte mich nicht gegen die Fesseln und den Knebel, um keine kostbare Kraft zu vergeuden. Was immer auf mich zukommen würde – ich wollte gewappnet sein, so gut es ging.

Draußen hörte ich eine Möwe schreien.

Eine Möwe. Hier?

Wenn ich verrückt wurde, bevor er mich tötete, würde ich vielleicht gar nicht merken, dass ich starb.

*

Das Haus stand fest verankert in der schönsten Landschaft, die Imke je gesehen hatte. Alles war noch da, der Wintergarten, die Scheune, der Zaun mit seinen schiefen Pfosten. Auf der Wiese grasten friedlich die Schafe. Die Muttertiere hatten ihre Jungen bei sich und Imke sah gerührt ihren eckigen Sprüngen zu.

Alles war wie sonst. Als wäre Imke gar nicht weg gewesen.

Nur der Bussard fehlte.

Gerade über ihn hätte Imke sich besonders gefreut.

Sie trug das Gepäck ins Haus und registrierte zärtlich die Spuren von Tilos Anwesenheit. Er hatte das Frühstücksgeschirr nicht in die Spülmaschine geräumt, der Esszimmertisch war kaum noch zu erkennen unter all den Zeitungen und Büchern, und auf dem Sofa und den Sesseln lagen achtlos hingeworfene Kleidungsstücke.

Imke ließ Wasser in die Badewanne laufen, legte sich Buch, Brille und Telefon zurecht und ließ sich glücklich ins heiße Wasser sinken. Niemand würde sie jemals wieder von hier vertreiben, was immer auch geschehen mochte.

27

Niemand zu sehen. So hatte er sich das erhofft. Der See lag grau und ohne erkennbare Konturen vor ihnen. Es regnete wieder. Dicke Tropfen rissen die Oberfläche auf. Es roch nach brackigem Wasser, als hätte der stürmische Wind das Unterste zuoberst gekehrt.

Manuel hatte dem Mädchen scheinbar locker den Arm um die Schultern gelegt, dirigierte sie jedoch mit eisernem Griff über den Steg. Er hatte ihr die Kapuze abgenommen, ebenso den Knebel und die Fesseln, für den unwahrscheinlichen Fall, dass jemand sie beobachten sollte. Aber er kannte die Leute hier. Es waren Schönwettersegler, wie er sie für sich nannte. Bei der kleinsten Eintrübung blieben sie zu Hause.

Trotzdem. Man konnte nie wissen. Es war geschickt, den Eindruck zu erwecken, sie seien ein Paar. Manuel hatte das Mädchen gezwungen, die Sonnenbrille aufzusetzen, die er in ihrem Rucksack gefunden hatte. Die großen Gläser verdeckten fast ihr Gesicht, das vom Regen glänzte.

»Lehn den Kopf an meine Schulter!«, befahl er.

Sie gehorchte nicht, und er drückte sie mit solcher Kraft an sich, dass ihr die Luft wegblieb und sie einen ächzenden Schmerzenslaut von sich gab.

»Zwing mich nicht, dir richtig wehzutun«, zischte er, die Lippen an ihrer Schläfe, als flüstere er ihr Liebkosungen zu.

Sie bog den Kopf weg.

Er blieb stehen und hielt sie wie in einer Umarmung. Mit

der linken Hand hatte er ihren Hinterkopf gepackt (der sich trocken anfühlte, also blutete er nicht mehr) und zwang sie, ihn anzusehen. Sie versuchte, sich ihm zu entwinden, doch nach wenigen Sekunden gab sie auf.

»Ich habe nichts zu verlieren«, flüsterte er. »Also tu, was ich dir sage.«

Er spürte, wie ihr Widerstand erschlaffte. Seine Hände glitten über ihren Körper. Fürs Familienalbum, dachte er spöttisch und behielt aus den Augenwinkeln die Boote im Blick, die nebeneinander im schaukelnden Wasser lagen. Aber er entdeckte niemanden.

Das Mädchen fühlte sich gut an.

Imke.

Er hielt sich an ihrem Namen fest.

»Komm jetzt!«

Er hatte ihr wieder den Arm um die Schultern gelegt und zog sie weiter. Die Planken des Stegs waren nass und glatt. Er musste sich höllisch konzentrieren, um nicht auszurutschen.

Und um sich nicht ablenken zu lassen.

Denn bei jedem Schritt fühlte er, wie der Körper des Mädchens sich warm und weich an seiner Seite rieb.

*

Ich hatte also tatsächlich eine Möwe gehört. Sie hockten auf dem Zaun und auf den Dächern der Boote oder tippelten in ihrem eigentümlich schaukelnden Gang über den Steg. Viel mehr konnte ich durch die nassen, dunklen Gläser der Brille nicht erkennen. Nur ab und zu gelang es mir, einen kurzen Blick über ihren Rand werfen.

Manuels Nähe war kaum zu ertragen. Seine Finger bohrten sich mir ins Fleisch. Er ließ mir kaum Raum, mich zu bewegen, geschweige denn, mich loszureißen.

War es wirklich denkbar, dass ein zufälliger Beobachter uns

für ein Liebespaar halten würde? Denn das versuchte er vorzuspielen.

Keine Frage. Ich wusste, dass man ihm die Rolle abnehmen würde. Den Leuten reichte das Bild, das sie vor sich sahen. Ein junger Mann und ein junges Mädchen. Eng umschlungen. Verliebt.

Es ist nicht, was ihr denkt! Macht doch die Augen auf!

Dabei war ohnehin keiner in der Nähe. Man konnte förmlich spüren, wie verlassen die Boote waren.

Manuel gab mir einen Stoß, und ich stolperte an Deck und fiel auf einen der weißen Sitze, die dafür gedacht waren, dass man hier saß und das Leben genoss, Sonnenstrahlen auf dem Gesicht, das Plätschern des Wassers im Ohr, ein Buch auf den Knien.

Der Sitz war aus Kunststoff. Er war kalt und unbequem. Bevor ich mich regen konnte, war Manuel neben mir. Er packte mich und schob mich drei, vier Stufen hinunter. Unter Deck. Dort stieß er mich in eine winzige Kabine, die mich an einen Campingwagen erinnerte. Es gab hier nur einen kleinen, runden Tisch, eine Sitzbank und einen Einbauschrank. Die Möbel waren fest im Boden verschraubt. Die Bank konnte wahrscheinlich zu einer Schlafstelle umgebaut werden.

»Setz dich!«

Seine Stimme war voller Verachtung und in seinem Blick zeigte sich unverhüllter Hass.

Die Sonnenbrille hing schief auf meiner Nase. Aber ich wagte nicht, sie abzunehmen. Ich wollte ihn auf keinen Fall verärgern.

Wir hatten kaum Platz zu zweit in dieser Enge. Es war stickig und schwül hier unten, was vielleicht auch daran lag, dass unsere Kleider nass geworden waren und nun die Feuchtigkeit ausdünsteten.

Manuel kramte in einer Schublade und zog eine grüne

Plastikschnur heraus, wie man sie in jedem Baumarkt kaufen kann.

»Hände auf den Rücken!«

Ich musste dringend aufs Klo, aber ich traute mich nicht, ihm das zu sagen. Vielleicht würde meine Stimme ihn noch wütender machen, als meine Gegenwart das schon tat.

Er band mir die Hände auf dem Rücken zusammen, so fest, dass die Schnur mir ins Fleisch schnitt. Eine aberwitzige Hoffnung keimte in mir auf – vielleicht hatte er die alten Fesseln weggeworfen, nachdem er sie mir abgenommen hatte.

Dann würde die Polizei sie finden.

Falls sie ihm jemals auf die Spur käme.

Manuel nahm mir die Brille ab.

»Danke«, flüsterte ich.

Er stieß mich auf die Bank zurück und fesselte meine Füße.

Die Panik schlich sich langsam heran, beinah gemächlich. Ich presste die Lippen zusammen, damit er nicht sah, wie sie bebten.

»Ein einziger Ton«, sagte er, »und du wirst wieder geknebelt. Es liegt an dir.«

Damit verließ er mich. Ich hörte ihn die Stufen hochsteigen.

Erst jetzt löste sich meine Verkrampfung. Mir wurde schlecht.

*

Der Kühlschrank war so gut wie leer. Imke fragte sich, wie Tilo es vor ihrer Beziehung fertiggebracht hatte zu überleben. Wie lange konnte man sich von Tomaten, sauren Gurken, Streichkäse und extra scharfen Peperoni ernähren?

Zumindest frisches Brot war da, sogar zwei Sorten, und die Äpfel in der Obstschale waren noch rotbackig und voller Saft.

Imke schmierte sich zwei Brote, ließ sich einen Kaffee einlaufen und setzte sich im Bademantel und mit noch feuchten Haaren auf die Terrasse hinaus.

Das Wetter hatte sich beruhigt. Die Sonne war sogar hervorgekommen. Eine feine Dunstschicht stand über dem Gras.

Sturm und Regen hatten die Bäume kräftig durchgeschüttelt. Blätter und Äste lagen auf dem Boden verstreut. Imke sah gelassen darüber hinweg. Die Aufräumarbeiten hatten Zeit. Zuerst musste sie das alles hier genießen.

Sie würde Jette anrufen, sobald sie ihren Dienst beendet hätte. Bei Tilo würde sie sich vorher melden. Lächelnd stellte sie sich seine Freude vor. Sie glaubte nicht, dass er ihr Vorwürfe machen würde. Anders als der Kommissar. Der würde im Dreieck springen. Und ausgerechnet ihn musste sie zuallererst informieren.

Aber noch nicht sofort.

Sie hörte ein Geräusch in der Luft, ein kraftvolles Flügelschlagen. Erwartungsvoll hob sie den Kopf.

Es war nur eine Taube, die plump auf dem Dach der Scheune landete.

Eine Taube? Im Revier eines Bussards?

Imke verscheuchte sie mit lautem Rufen und Klatschen. Verwundert stand sie im nassen Gras, drehte sich um sich selbst und suchte vergeblich den Himmel ab.

*

Bert konnte es nicht fassen. Sie war zurückgekommen. Nach all dem mühseligen Versteckspielen hatte sie einfach aufgegeben. Wozu hatte sie einen falschen Namen benutzt? Sich Perücken gekauft? Immer wieder das Quartier gewechselt? Das alles hätte sie sich sparen können.

Er war fuchsteufelswild. Seine Ausflüge ins Sauerland, seine Anrufe. Hatte er nicht alles getan, um ihr beizustehen, so gut er konnte? Er hatte ihr mehr Zeit und Aufmerksamkeit gewidmet als jedem anderen Menschen. Und nun brach sie ihre Zelte ab und bot sich dem Stalker geradezu an.

»Du weißt, wie viel Kraft man braucht, um unterzutauchen«, sagte Isa.

Er hatte sie angerufen und seinen gesamten Frust über sie ausgeschüttet. Postwendend war sie in sein Büro gekommen, zwei Becher Kaffee in den Händen und eine Tafel Schokolade in Übergröße unter den Arm geklemmt.

»Hier.« Sie hatte alles auf seinem Schreibtisch aufgebaut. »Nervennahrung. Vollmilch-Mandel. Die vertilgen wir jetzt bis auf den letzten Krümel.«

Er war zu aufgebracht, um ihr zu widersprechen, nahm den ersten Riegel, dann den zweiten und schließlich den dritten. Isa hörte ihm kauend zu und leckte sich hin und wieder Schokolade von den Fingern.

»Mach ihr keine Vorwürfe«, sagte sie. »Du darfst die Menschen nicht mit deinen Maßstäben messen.«

»Mit welchen sonst?«

»Imke Thalheim hat durchgehalten, so lange sie konnte. Jetzt müsst ihr einen anderen Weg finden.«

»Wir?« Bert verzog den Mund zu einem ironischen Lächeln. »*Er* ist es, der einen Weg finden wird.«

Mehr gab es nicht zu sagen. Isa beugte sich vor und strich ihm leicht über den Arm, dann stand sie auf und verließ sein Büro.

*

Ruth stellte ihm das Gespräch durch, obwohl er mitten in einer Therapie war. Das tat sie normalerweise nicht ohne Grund.

»Verzeihung.« Tilo lächelte seiner Patientin zu und griff nach dem Hörer. »Baumgart?«

Ein Rauschen, ein fernes Knacken, sonst nichts.

»Hallo?«

Er wollte gerade wieder auflegen, als er die Stimme hörte. *Seine* Stimme, ohne jeden Zweifel.

»Ich bin zu einem Tausch bereit.«

Er spricht durch ein Taschentuch, dachte Tilo. Und zusätzlich verstellt er seine Stimme. Erst dann drangen die Worte zu ihm durch. Tausch? Was für ein Tausch?

»Richte ihr das aus.«

Er hielt sich nicht mehr mit Förmlichkeiten auf. Der Psychologe in Tilo wertete das als sicheres Indiz für eine weitere Stufe in Richtung Eskalation. »Warten Sie! Können Sie mir nicht ...«

Teilnehmer hat aufgelegt.

Tilo starrte auf das Display. Er rührte sich nicht. Von welchem Tausch, zum Teufel, hatte der Mann gesprochen?

*

Tilo Baumgart klang aufgeregt, als er Bert von dem Anruf berichtete. »Haben Sie vielleicht eine Ahnung, was er damit meint?«, schloss er. »Ich kann mir überhaupt keinen Reim darauf machen.«

In Berts Kopf läuteten sämtliche Alarmglocken Sturm, doch das behielt er für sich.

Tilo Baumgarts Stimme kletterte eine ganze Oktave höher, als er von Imke Thalheims Rückkehr erfuhr. »Sie hat *was*?«

»Sie hat beschlossen, sich nicht länger zu verstecken.«

Schweigen. Dann, stockend, die Frage. »Seit wann wissen Sie das?«

»Seit einer halben Stunde vielleicht.« Zögernd gestand Bert sich ein, dass es ihm insgeheim schmeichelte, auf Imke Thalheims Prioritätenliste ganz oben zu stehen. War es ein Zeichen? Bedeutete es ...

Alter Esel, verspottete er sich selbst. Sie hat nicht dich angerufen, sondern den Hauptkommissar. Und das nur aus einem einzigen Grund. Sie hat Angst und will Schutz.

Das war ihr gutes Recht, und Bert wünschte, er hätte seine Gefühle im Griff. Er signalisierte Tilo Baumgart, die Polizei habe alles unter Kontrolle, und beendete das Gespräch. Ohne eine Sekunde zu verlieren, wählte er die Nummer des *St. Marien*. Doch schon während er das tat, wusste er, dass er Jette dort nicht erreichen würde.

*

Merle hatte sich den ganzen Vormittag mit organisatorischem Kram beschäftigt. Sie hatte sich ins Büro des Tierheims zurückgezogen, hatte Listen geschrieben, Termine vereinbart und Anrufe entgegengenommen. Für den Tag der offenen Tür musste allerlei herangeschafft werden, Tische und Stühle, Geschirr und Besteck, Servietten, Kerzen, Kaffeemaschinen und Getränkekästen.

Es gab eine erfreuliche Menge freiwilliger Helfer, die eingeteilt werden wollten. Kuchen und Torten sollten gebacken, Hackfleischbällchen gebraten und Salate hergerichtet werden. Die Leute von der Presse mussten informiert, die Sponsoren gesondert eingeladen und die Handzettel großflächig verteilt werden.

Das alles musste irgendjemand sinnvoll koordinieren, und Merle, die bei den Tierschützern gelernt hatte, Aktionen zu planen und durchzuführen, war genau die Richtige für diesen Job.

Ihre Ohren waren vom Telefonieren schon ganz heiß und ihre Wangen glühten. Sie warf einen Blick auf die Uhr und beschloss, dass es Zeit war für eine kurze Mittagspause. Einen Block weiter gab es ein kleines Selbstbedienungscafé, das sie manchmal für ein schnelles Essen besuchte. Sie wollte gerade aufstehen, als das Telefon wieder läutete.

»Albert-Schweitzer-Tierheim. Guten Tag.«

»Melzig, Kriminalpolizei. Ich hätte gern ...«

Merles Herzschlag setzte aus. Sie richtete sich auf, kerzengerade. »Hallo, Herr Kommissar.«

»Merle! Ich habe Ihre Stimme gar nicht erkannt. Gut, dass ich Sie direkt erwische.«

Sie atmete ganz flach und duckte sich innerlich, um den Schlag abzuwehren. Keine Sekunde lang bezweifelte sie, dass es um etwas Ernstes ging, sonst hätte der Kommissar sie nicht bei der Arbeit angerufen, gleichgültig, wie viel Optimismus er in seine Stimme legte.

»Ich habe versucht, Ihre Freundin Jette zu erreichen, aber ...«

Aber. Ein gefährliches Wort.

»... aber sie ist nicht im *St. Marien.*«

Was erzählte er da? Natürlich war Jette im *St. Marien.* Sie war heute Morgen zum Dienst gefahren, wie sie das jeden Morgen tat, und das bereits seit fast einem Jahr. Wo sonst sollte sie sein?

»Können Sie mir sagen, wie ich sie erreichen kann?«

»Sie ...« Merles Stimme bröckelte. Sie machte einen zweiten Anlauf. »Wieso ... ich verstehe nicht ...«

»Ihre Freundin hat pünktlich im *St. Marien* angerufen, um einer Mitarbeiterin mitzuteilen, dass sie ihre Mittagspause vorziehen wollte.«

Mittagspause. Vorziehen. Merles Kopf war wie mit Watte gefüllt. Die Informationen mussten sich durch dicke Schichten kämpfen, um das Gehirn zu erreichen.

»Und dann?«, fragte sie.

»Sie ist nicht erschienen.«

Nicht erschienen. Worte. Merle hatte kein Gefühl dafür. Die Watte breitete sich jetzt in ihrem ganzen Körper aus. Ihre Finger waren taub. Sie konnte sie nicht bewegen. Sie konnte sich überhaupt nicht bewegen. Sie saß da wie eine Schaufensterpuppe.

»Das kann nicht sein«, sagte sie.

Sogar das Sprechen war mühsam. Als hätte ihre Zunge von einem Moment zum andern ihre Größe verdoppelt. Schwerfällig und fremd lag sie in Merles Mund.

»Merle? Ist alles in Ordnung mit Ihnen?«

Er war ein netter Typ, ganz anders als die Bullen, die sie sonst so kannte. »Sie kann doch nicht ... Es war doch nicht ... Sie hat mir nichts gesagt.«

»Hören Sie, Merle ...« Seine Stimme verfing sich in der Watte in Merles Kopf. »Wahrscheinlich ... Missverständnis ... werde ... wenn Sie ... und bloß nicht ... versprechen ... erwarte ... unter keinen Umständen ...«

Einmal in ihrem Leben war Merle betrunken gewesen. Da hatten die Leute genauso geredet. Ihre Worte hatten wie kleine Luftballons an der Decke geschwebt. Merle hatte sie einfangen wollen und war dabei der Länge nach hingeschlagen. Einmal. Ein einziges Mal. Sie hatte es nie wieder so weit kommen lassen.

Jetzt war sie genauso hilflos. Der Kommissar hatte aufgelegt. Merle hielt den Hörer immer noch in der Hand.

Ihre Gedanken zappelten in der Watte. Merle erhob sich und ging zur Toilette. Sie beugte sich übers Waschbecken und trank kaltes Wasser aus dem Kran. Es rann ihr übers Kinn und versickerte in ihrem T-Shirt.

Ein Scheißgefühl, dachte Merle, aber sie trank weiter. Danach schaute sie in den Spiegel. Auf ihrem T-Shirt war ein großer dunkler Fleck.

»Warum hast du nicht auf sie aufgepasst?«

Das Spiegelbild gab keine Antwort. Groß und schreckensrund starrten die Augen Merle an.

»Du hättest es doch wissen müssen!«

Der Wasserhahn tropfte. Das Klo stank nach Urinstein. Totgeschlagene Mücken klebten an der fleckigen Wand. Die Deckenlampe gab ein knisterndes, ungesundes Geräusch von sich. Das gedämpfte Hundegebell draußen kündigte einen Besucher an.

Merles Augen brannten. Sie nahm sich vor, nicht zu weinen.

*

Bert konnte es nicht länger aufschieben. Als Nächstes würde er Imke Thalheim anrufen müssen. Es gab noch die Hoffnung, dass Jette einfach blaugemacht hatte und irgendwann quietschfidel wieder auftauchen würde, aber groß war sie nicht. Ein solches Verhalten passte einfach nicht zu dem Mädchen, das er als ernsthaft und zuverlässig kennengelernt hatte.

»Zu einem Tausch bereit«, murmelte er. »Dieser Dreckskerl!«

Du hast getan, was du konntest.

Hatte er das? Getan, was er konnte? Was hatte es genützt, nachts einen Polizisten vor dem Haus der Mädchen zu postieren, wenn der Täter am frühen Morgen ganz woanders zuschlug?

Hör auf, dich selbst zu bemitleiden.

Da hatte seine innere Stimme endlich einmal recht. Entschlossen griff Bert nach Jacke und Handy und stürmte aus dem Büro. Auf dem Weg zum *St. Marien* würde er bei der alten Mühle vorbeifahren. Vielleicht hatte er Glück und traf Imke Thalheim zu Hause an. Solche Dinge besprach man besser persönlich und nicht am Telefon.

*

Manuel hatte sich um das Auto des Mädchens gekümmert. Er hatte es in einer nahe gelegenen Stadt abgestellt, in einem

Viertel, in dem eine Menge ausgeflippter Typen wohnte. Da achtete keiner auf keinen und der Peugeot würde nicht weiter auffallen. Manuel würde die Angelegenheit in Ruhe zu Ende bringen. Danach sollten sie den Wagen ruhig finden, dann wären sie längst über alle Berge, Imke und er.

Er hatte sich einen Leihwagen besorgt, einen schlichten schwarzen Golf, und war zur Yacht zurückgefahren. Er wünschte, er hätte das alles schon hinter sich. Allmählich meldeten sich nämlich Bedenken, die ihn verwirrten.

Würde Imke ihm die Entführung ihrer Tochter wirklich verzeihen?

Mit den Zweifeln waren die Kopfschmerzen gekommen, die ihm von innen den Schädel zu zerquetschen schienen. Er kannte das. Fast immer war Stress der auslösende Faktor. Er hoffte inständig, dass sich die Schmerzen nicht zu einer handfesten Migräne auswachsen würden. Er hatte nicht die Zeit und nicht die Möglichkeit, sich für ein paar Stunden in einen abgedunkelten Raum zu legen, um sie auszukurieren.

Er stieg aus dem Wagen und ging langsam auf den Steg zu. Die Sonne schien. Das Unwetter war bloß noch Erinnerung. Auch die Geschichte mit dem Mädchen wäre bald nur noch eine Erinnerung. Er durfte nicht aufhören, daran zu glauben.

*

Imke sah den Wagen des Kommissars die Auffahrt heraufkommen und wusste, dass etwas Schreckliches geschehen sein musste. Die Knie wurden ihr weich und sie stützte sich an der Wand ab. Mühsam schleppte sie sich zur Tür.

Der Kommissar trat lächelnd auf sie zu, demonstrierte Zuversicht. Er war ein schlechter Lügner.

»Was ist passiert?« Ihre Stimme klang lächerlich hoch. Sie erkannte sie kaum.

»Hat Herr Baumgart noch nicht mit Ihnen gesprochen?«

Sie schüttelte den Kopf, wich unwillkürlich einen Schritt zurück.

»Ich versuche, Ihre Tochter zu erreichen …«

»Jette? Sie ist um diese Zeit im *St. Marien.*«

Er blickte auf seine Füße. Wie ein kleiner Junge, dachte sie. Ein Junge mit einem schlechten Gewissen. Langsam hob er den Kopf.

»Sie hat dort angerufen, um zu sagen, dass sie später kommen wollte. Seitdem ist sie … verschwunden.«

»Verschwunden?« Ein sonderbares Wort. Es gelang ihr nicht, es mit Jette in Verbindung zu bringen. »Wohin?«

Der Kommissar legte eine Hand auf ihren Arm.

Fass mich nicht an!, dachte sie. Komm mir nicht zu nah! Sie wusste, wie sie seine Geste einzuschätzen hatte – er konnte ihre Frage nicht beantworten.

»Vielleicht war ihr nicht gut«, sagte sie tonlos und zog den Arm weg. »Vielleicht ist sie nach Hause gefahren und hat sich hingelegt.«

»Ich habe mehrmals versucht, sie anzurufen.«

»Vielleicht geht sie nicht ans Telefon.«

In diesem Moment schoss schlingernd Tilos Wagen heran. Das Heck brach aus, als er im spritzenden Kies zum Stehen kam.

Die Stille, die darauf folgte, wurde vom Gurren einer Taube unterbrochen.

Imke horchte. Sie fühlte sich leer und matt und wund.

»Was geht hier vor?«, fragte sie und wich Tilos Umarmung aus.

28

Bevor Manuel von Bord gegangen war, hatte er mir wieder den Knebel in den Mund gestopft. Er hatte kein Wort geredet. Von der Tür aus hatte er mir noch einen prüfenden Blick zugeworfen, dann war er verschwunden.

Nach drei oder vier heftigen Würgeattacken hatte ich mich allmählich mit dem Knebel arrangiert. Ich durfte nur nicht an ihn denken und musste bewusst durch die Nase atmen. Das war schwieriger, als ich gedacht hätte.

Manuel war jetzt schon eine ganze Weile weg und ich war allein mit den Geräuschen um mich herum. Das Wasser klatschte leise gegen die Bootswände. Holz knarrte. Möwen schrien. Ich hockte auf der Bank, die Füße angezogen, die Hände auf dem Rücken. Die Fesseln schnürten mir das Blut ab, und meine Hände, die zuerst gekribbelt hatten, fühlten sich nun taub an und aufgedunsen. Es fiel mir schwer, die Tränen zurückzuhalten, aber durch das Weinen würden meine Nasenschleimhäute anschwellen, und wenn ich durch die Nase keine Luft mehr bekäme, würde ich ersticken.

Die Panik, die mich bei diesem Gedanken überfiel, trieb mir erst recht die Tränen in die Augen. Ich riss sie auf und ließ zum hundertsten Mal den Blick durch mein Gefängnis wandern, um mich abzulenken.

Die beiden kleinen Bullaugen waren von winzigen Rollos verhängt. Wie in einem Puppenhaus. Und ich war die Puppe, die man zwischen all die putzigen Möbelchen gesetzt hatte.

Nicht heulen.

An den Rändern der Bullaugen drang in schmalen Streifen leuchtendes Sonnenlicht herein, das ich gierig aufsog. Gutes Wetter war meine einzige Hoffnung. Je mehr Betrieb hier am See wäre, desto sicherer wäre ich. Manuel würde mir nichts antun können, wenn er damit rechnen musste, von allen Seiten beobachtet zu werden.

Weiter so. Gib nicht auf.

Gefesselt und geknebelt konnte ich nicht viel ausrichten. Ich konnte nicht fliehen und ich konnte nicht schreien. Ich konnte höchstens versuchen, mit den Füßen gegen die Wand zu treten, um auf mich aufmerksam zu machen, doch das würde mir den Rest meiner Kraft rauben und wäre wahrscheinlich völlig umsonst, denn da draußen schien noch immer keine Menschenseele zu sein.

Meine einzige Waffe waren meine Gedanken. Sie konnten mich vor der Panik schützen und mich überleben lassen. Vielleicht.

*

Merle hatte einer Mitarbeiterin Bescheid gesagt und sich sofort auf den Weg gemacht. Zu Hause angekommen, hatte sie in jedem Zimmer nachgeschaut und bei den Nachbarn nach Jette gefragt.

Niemand hatte sie gesehen.

Merle hatte herumtelefoniert. Ohne Erfolg. Als Erstes hatte sie es bei Luke versucht, doch sie hatte ihn weder auf seinem Handy noch im Maklerbüro erreicht. Danach hatte sie sämtliche Freunde und Bekannte angerufen. Schließlich fehlten bloß noch Jettes Vater und Jettes Großmutter auf ihrer Liste. Bei Herrn Weingärtner hatte sich niemand gemeldet, auch der Anrufbeantworter nicht, und Jettes Großmutter war vor drei Wochen mit ihrer Yogagruppe zu einer längeren Bildungsreise nach Italien aufgebrochen. Jetzt saß Merle im Hof und überlegte verzweifelt, was sie als Nächstes tun könnte.

Sie hatte jedes Angebot abgelehnt, ihr bei der Suche nach Jette zu helfen. *Weil es keinen Sinn hatte zu suchen.* Jette konnte überall sein. Um *sie* zu finden, musste die Polizei den Stalker finden. Merle war sich sicher, dass er Jette in seiner Gewalt hatte. Die Vorkehrungen, die der Kommissar getroffen hatte, waren umsonst gewesen. Der Kerl war zu gerissen für die Polizei.

Smoky, der ein feines Gespür für ihre Stimmungen hatte, legte sich zu ihren Füßen nieder und begann, laut zu schnurren.

»Ich dich auch«, sagte Merle leise.

Die Angst und die Aufregung rumorten in ihr und ihr war speiübel. Sie hasste es, zur Untätigkeit verdammt zu sein. Was würde dieser Typ Jette antun, abgedreht, wie er war?

»Shit«, flüsterte Merle. »Shit, Shit, Shit.«

Ihr Handy klingelte. Merle schaute auf das Display. *Imke Thalheim.* Sie rief von ihrem Festnetzanschluss an. Das bedeutete, dass sie wieder zu Hause war!

»Merle«, sagte Imke Thalheim. »Wo ist Jette?«

*

Die Heimleiterin empfing Bert in ihrem Büro. Sie kam ihm mit ausgestreckter Hand entgegen.

»Bringen Sie gute Nachrichten?« Sie blieb vor ihm stehen und sah ihm forschend ins Gesicht. »Nein. Sagen Sie mir nicht, dass Jette verschwunden ist.«

Seit ihrem letzten Zusammentreffen, das nun schon eine Weile her war, hatte Frau Stein sich nicht verändert. Sie schien aus lauter Widersprüchen zu bestehen, war forsch und sensibel, zupackend und behutsam, polternd und sanft.

»Ist Ihnen irgendetwas aufgefallen?«, fragte Bert.

»Ich war gar nicht im Haus«, erklärte sie. »Jette hat mit einer Mitarbeiterin gesprochen. Soll ich sie rufen lassen?«

Bert nickte und Frau Stein führte ein kurzes Telefonat. Zwei Minuten später schüttelte Bert die kalte, schlaffe Hand einer etwa fünfzigjährigen Frau, die schüchtern seinem Blick auswich.

»Haben Sie etwas Ungewöhnliches an Jette bemerkt?«, fragte er.

Sie schüttelte den Kopf, verschränkte die Finger ineinander und bog sie durch, dass es knackte.

»Was hat sie denn genau zu Ihnen gesagt?« Bert lächelte sie aufmunternd an, dabei zerriss es ihn fast vor Ungeduld.

»Dass sie wegmuss und die Mittagspause vorziehen will und dass sie versucht, pünktlich zu sein.« Ihr Blick kroch zu ihrer Chefin, schuldbewusst und voller Angst. »Ich weiß, dass ich einen Fehler gemacht hab.«

»Hat Jette sich irgendwie anders angehört als sonst?«

Die Frau hob die Schultern. Wieder bettelte ihr Blick um Vergebung. »Ich hab nicht drauf geachtet. Es war so viel zu tun. Der Professor lief im Haus rum und hat sich aufgeregt, und ich wollte hin und ihn beruhigen.«

»Der Professor?«

»Einer unserer Bewohner«, erklärte Frau Stein. »Er ist manchmal etwas ... schwierig. Jette kommt übrigens blendend mit ihm zurecht. Sie dringt sogar dann zu ihm durch, wenn er depressiv ist. Sie haben eine gemeinsame Wellenlänge. Das ist sehr selten und sehr kostbar.«

Bert entließ die zitternde Frau und bat Frau Stein, ihn zu dem Professor zu führen.

»Kommen Sie«, sagte sie und ging voran durch das Labyrinth der Flure, auf denen sich heute keiner der Bewohner blicken ließ.

Als wäre das *St. Marien* in einen Dornröschenschlaf versunken. Nur dass hier kein Prinz mehr vorbeikommt, um irgendwen wachzuküssen, dachte Bert.

Er ärgerte sich über seinen schnoddrigen Zynismus. Seine Anspannung wuchs und wuchs.

*

Und kein Wort zu den Bullen.

Merle hatte die Stimme noch im Ohr, zu hoch, zu schrill, ganz eindeutig verstellt. Wie in diesem grauenvollen Film, den sie sich einmal auf DVD angeschaut hatte, in dem ein irrer Mörder mit einer weißen Puppenmaske vor dem Gesicht eine ganze Stadt in Angst und Schrecken versetzt.

Der hatte auch so geklungen. Eine Stimme wie von einem Band.

Dennoch blitzte in Merles Kopf eine vage Erinnerung auf. An was oder wen, das konnte sie nicht sagen.

Claudio hatte ihr seinen Wagen geliehen. Ausnahmsweise. Er mochte Jette und wollte ihr helfen, so gut er konnte. Manchmal war er wirklich in Ordnung, da flackerten all die verschütteten Gefühle in Merle wieder auf. Vielleicht sollten sie sich mal mit Tilo unterhalten. Vielleicht hatte der ein paar Tipps für sie, wie sie es schaffen konnten, miteinander auszukommen, ohne sich gegenseitig die Augen auszukratzen.

Merle hatte ihren Besuch vorsichtshalber nicht angekündigt. Die Polizei kontrollierte bestimmt schon sämtliche Anrufe, die bei Imke Thalheim eingingen.

Kein Wort zu den Bullen.

Da hatte der Typ sich genau die Richtige ausgesucht. Kein Polizist hätte jemals auch nur ein Wort aus ihr herausbekommen. Der Kommissar war der einzige Bulle, dem Merle vertraute, und nicht mal ihm bedingungslos.

Ihre Hände zitterten. Ihre Wangen glühten. Das schreckliche Geheimnis lag ihr schwer im Magen. Sie wurde von einem

Sportwagen geschnitten und drückte zornig auf die Hupe. Jetzt bloß keinen Unfall riskieren.

Ich habe eine Nachricht für Imke Thalheim. Wenn sie ihre Tochter wiedersehen will, dann soll sie tun, was ich sage. Ich werde sie anrufen. Und zwar auf deinem Handy. Sieh zu, dass du das hinkriegst.

Er will mich zur Vermittlerin machen, hatte Merle gedacht, damit ich Imke Thalheim für ihn finde. Er weiß noch nicht, dass sie wieder nach Hause gekommen ist.

Hätte er es gewusst, wäre es nicht nötig gewesen, Jette weiter festzuhalten. Es wäre nicht mal nötig gewesen, sie überhaupt zu entführen.

Deshalb hatte sie es ihm gesagt.

»Imke Thalheim ist wieder da.«

Ein kurzes Zögern. Und gleich ertönte wieder diese irre Stimme.

Umso besser. Dann beeil dich. Und kein Wort zu den Bullen.

»Was ist mit Jette? Wie geht es ihr?«

Merle hatte die Frage fast in den Hörer geschrien. Doch dann hatte sie gemerkt, dass das Gespräch unterbrochen war. Er hatte einfach aufgelegt.

»Gib Gas, du Schnarchnase!«, brüllte sie den Fahrer eines Polo an, der vor ihr an der Ampel stand und träumte. »Grüner wird's nicht!«

Sie wagte nicht, auf die Uhr zu sehen. Seit dem Anruf war bestimmt schon eine Viertelstunde vergangen.

»Halt durch, Jette«, flüsterte sie. »Wir holen dich da raus. Halt nur noch ein bisschen durch.«

*

»Herr Professor, haben Sie einen Moment Zeit für uns?«

Der Mann, der sich aus dem Sessel am Fenster erhob, war

groß und hager und hatte ein schmal geschnittenes, empfindsames Gesicht. Frau Stein erklärte ihm, worum es ging, und Bert beobachtete die Reaktion des alten Mannes.

Er nahm die Mitteilung, dass Jette verschwunden war, scheinbar unbewegt entgegen, doch es entging Bert nicht, dass das Unterlid seines rechten Auges unkontrolliert zu zucken begann.

»Haben Sie irgendetwas bemerkt, das Ihnen seltsam vorgekommen ist?«, fragte Bert.

Der alte Mann nickte. Er trat ans Fenster und sah hinaus. »Er war da draußen und hat das Haus beobachtet«, sagte er.

Bert hielt die Luft an.

»Vielleicht war er in sie verliebt, wer weiß?«

Jetzt langsam. Vorsichtig. Bert wusste, dass ein Demenzkranker von einer Sekunde auf die andere vom Nebel seiner wirren Gedanken verschluckt werden konnte. »Haben Sie ihn oft gesehen, Herr Professor?«

Der alte Mann versuchte, sich zu erinnern. Sein Gesicht verzerrte sich vor Anstrengung. Dann wurde es vor Enttäuschung ganz leer. »Ich weiß es nicht.«

Keine weitere Frage stellen, dachte Bert. Das setzt ihn nur unter Druck. »Bestimmt war er jung«, sagte er vorsichtig.

»Nicht so jung wie Jette.« Der Professor wiegte den Kopf. »Aber auch nicht sehr viel älter. Ein dunkler Typ. Kein Intellektueller. Dazu waren seine Hände zu kräftig.«

Bert versuchte, sich sein Erstaunen nicht anmerken zu lassen. Er hatte selten mit Zeugen zu tun, die über eine derart präzise Beobachtungsgabe verfügten.

»Ein Introvertierter, wissen Sie, einer von denen, die nicht viel reden. Er kann auch vom Geheimdienst sein. Heutzutage sind die Grenzen doch fließend.«

Mit diesen Worten verbeugte sich der alte Herr höflich, kehrte zu seinem Sessel zurück und wandte sich wieder dem Fenster zu, als hätte es die Unterbrechung gar nicht gegeben.

*

Imke fühlte sich wie eine Gefangene in ihrem eigenen Haus. Zwei Polizeibeamte, ein Mann und eine Frau, beide um die vierzig, hatten sich im Erdgeschoss eingerichtet. Sie lasen Zeitung, tranken Kaffee, unterhielten sich leise miteinander, ließen jedoch nie die Fenster und Türen aus den Augen.

Ab und zu warfen sie einen Blick in die übrigen Zimmer und kontrollierten den ersten Stock. Zu ihrer Ausrüstung gehörte ein Fernglas, durch das sie immer wieder den Garten absuchten und das riesige Stück Land, das zu Imkes Besitz gehörte.

Sobald Imke sich außer Sichtweite begab, folgte ihr einer von beiden. Sogar wenn sie zur Toilette ging, hielt einer draußen vor der Tür Wache. Nicht einmal zum Weinen gab es eine Nische.

Auf Anraten des Kommissars war Tilo wieder in seine Praxis gefahren. Alles sollte so normal wie möglich wirken.

Eine unnatürliche Ruhe hatte sich in Imke ausgebreitet, eine Ruhe, die jeden Moment ins Gegenteil kippen konnte. Sie half ihr, die Minuten durchzustehen, die sich anfühlten wie Stunden.

Er war zu einem Tausch bereit. Sie ebenfalls.

Sag mir, was ich tun soll!

Er rief nicht an. Niemand rief an. Stumm stand das verfluchte Telefon da. Als wollte es ihre Ängste verhöhnen. Auch das Handy schwieg. Noch hatte Imke niemanden informiert. Sie konnte jetzt mit keinem reden.

Er war zu einem Tausch bereit, der Scheißkerl. Sie würde ihn umbringen, wenn er Jette auch nur ein einziges Haar krümmte!

Ein Wagen war auf der Auffahrt zu hören, und die Polizeibeamten sprangen auf, drückten sich an die Wand und spähten aus dem Küchenfenster. Sie winkten Imke heran.

Imke erkannte die Aufschrift *Pizza Service Claudio,* dann sah sie Merle aussteigen. Das Mädchen schaute sich unbehaglich um, während es sich der Haustür näherte.

»Die Freundin meiner Tochter«, erklärte Imke und erhielt die Erlaubnis, Merle hereinzulassen.

Merle fiel ihr um den Hals und Imke drückte sie fest an sich.

»Kommen Sie mit nach draußen«, flüsterte Merle ihr ins Ohr. »Bitte. Fragen Sie mich nichts. Kommen Sie.«

*

Er hatte dem Mädchen den Knebel aus dem Mund genommen und ihr etwas Wasser zu trinken gegeben. Dann hatte er ihr erlaubt, auf die Toilette zu gehen. Er hatte sie von den Handfesseln befreit, die Fußfesseln jedoch nur ein wenig gelockert. Als sie zu dem kleinen Bad gehoppelt war, hatte er sich dicht hinter ihr gehalten. Sicher war sicher.

Gehorsam war sie wieder herausgekommen und hatte sich erneut die Hände binden lassen. Dabei hatte er sich zu ihr hinuntergebeugt. Ihr Kopf hatte aufgehört zu bluten. Er hatte den Duft ihres Shampoos wahrgenommen und einen leichten Geruch nach Schweiß. Es hatte ihm gefallen. Viel zu sehr.

Zornig hatte er sie von sich gestoßen und sie war mit voller Wucht gegen die Rückenlehne der Sitzbank geprallt. Einen Aufschrei unterdrückend, hatte sie sich die Schulter gehalten, das Gesicht schmerzverzerrt. Und da war ihm aufgefallen, dass sie ihm nie in die Augen blickte.

»Sieh mich an«, hatte er gesagt.

»Nein.«

Nein? Sie wagte es, sich ihm zu widersetzen?

»Sieh mich an!«

Sie hatte den Kopf weggedreht.

Er hatte ihr einen Schlag versetzt, einen einzigen nur, dann hatte er sich wieder im Griff gehabt. Endlich hatte sie ihn angeschaut. Ihre aufgeplatzte, blutende Unterlippe war ein stummer Vorwurf gewesen, grandios in Szene gesetzt, um ihm ein schlechtes Gewissen zu bereiten.

Fast hätte er noch einmal zugeschlagen, doch es war ihm gelungen, rechtzeitig die Kabine zu verlassen. Imke sollte ihre Tochter unversehrt finden.

An Deck empfing ihn wohltuende frische Luft, gereinigt vom Regen, sauber und klar. Manuel ließ sich ganz davon durchdringen. Er dachte an das Mädchen unter Deck und an ihre Freundin, die inzwischen in der alten Mühle angekommen sein dürfte. Man musste nur hart durchgreifen, dann spurten sie alle.

*

Bert war ins Büro zurückgekehrt und kümmerte sich um die nächsten Schritte. Er veranlasste, dass nach Jette gefahndet wurde, ließ nach ihrem Wagen suchen und versorgte die Presse mit Material für einen entsprechenden Artikel in der nächsten Ausgabe. Dann setzte er sich mit Isa zusammen und berichtete ihr von dem Gespräch mit dem Professor.

»Er sprach von einem dunklen Typ«, sagte er. »Das schwarze Haar an dem Kleid, das der Täter Jette geschickt hat, stammt also mit sehr großer Wahrscheinlichkeit tatsächlich von ihm selbst.«

»Hat dieser Professor unser Profil bestätigt?«, erkundigte sich Isa.

»Er hat den Mann als introvertiert beschrieben«, berichtete Bert. »Kein Intellektueller, dafür seien seine Hände zu kräftig.«

Seine Erregung hatte sich auf Isa übertragen. Ihre Augen glänzten vor Eifer.

»Das stimmt mit unserer Annahme überein, dass er einen typischen Männerberuf ausübt«, sagte sie. »Aller Wahrscheinlichkeit nach arbeitet er also mit den Händen. Und sein Alter?«

»Schätzungsweise Mitte zwanzig.«

»Mitte zwanzig«, murmelte Isa nachdenklich. »Körperliche Arbeit. Typische Männerdomäne ...«

»Maurer, Fliesenleger, Klempner«, zählte Bert auf. »Dachdecker, Autoschlosser, Gärtner.«

»Im Bereich Gartenbau sind die Frauen stark auf dem Vormarsch«, wandte Isa ein.

»In den anderen Berufen auch. Ich kenne zwei Dachdeckerinnen, eine Autoschlosserin und eine Fliesenlegerin. Die reine Männerdomäne gibt es doch gar nicht mehr.«

»Straßenbauarbeiter«, schlug Isa vor, ohne darauf einzugehen, »Holzfäller.«

Bert gab eine Runde Kaffee aus. Ihm rauchte der Kopf und sein Adrenalinspiegel war in den vergangenen Stunden hochgeschossen wie eine Quecksilbersäule. Als das Telefon klingelte, griff er gereizt nach dem Hörer. »Ja!«

Es war der Kollege, den er zum Schutz Imke Thalheims abgestellt hatte. Er war so aufgelöst, dass er sich ständig verhaspelte. Bert drückte den Hörer fester ans Ohr. »Wie bitte? Ihr habt sie verloren?«

Er sprang auf und schnappte nach Luft. Dann brüllte er, dass man es bis zum Polizeipräsidenten hören konnte: *»Was heißt das, verloren?«*

Er bemühte sich, zuzuhören und nicht vor Wut in den Hörer zu beißen. Der Kollege bekam vor lauter Stottern kaum noch einen Satz zu Ende.

»Ich kümmere mich darum«, sagte Bert eisig.

»Was ist passiert?«, fragte Isa, nachdem er aufgelegt hatte.

»Imke Thalheim ist verschwunden«, sagte er, bebend vor Zorn. »Mit der Freundin ihrer Tochter. Sie haben die Kollegen nach allen Regeln der Kunst ausgetrickst und sind auf und davon.«

Er trat gegen den Schreibtisch, dass es schepperte. Dann griff er zum Telefon.

»Mischa? Wir suchen jetzt auch den Wagen vom *Pizza Service Claudio*. Veranlasse bitte alles Nötige.«

Isa verließ leise das Büro. Bert winkte ihr halbherzig nach und regelte, was zu regeln war. Obwohl er Imke Thalheim verstehen konnte, war er enttäuscht. Er hatte gehofft, ihr Vertrauen zu ihm wäre größer gewesen.

*

Meine Lippe hatte aufgehört zu bluten. Die Wunde brannte wie Feuer und mein Kiefer und meine Zähne taten weh. Die Tränen hatten meine Augenlider anschwellen lassen. Sie pochten vor Hitze, und ich hätte gern die Augen geschlossen, um sie ein bisschen zu entspannen. Aber sobald ich es versuchte, überwältigte mich die Panik, und ich riss sie wieder auf.

An Deck konnte ich ihn hören, Manuel, wie er auf und ab ging. Ich wartete sehnlich darauf, dass er das Boot wieder verlassen würde. Solange er in meiner Nähe war, konnte ich nichts tun, nicht mal klar denken.

Ich war in seiner Gewalt. Und ich hatte den Ausdruck in seinen Augen bemerkt, bevor er mich von sich gestoßen hatte.

So wie ich jetzt aussah, verheult und von Blut verschmiert, würde ich ihn wohl kaum noch reizen. Das war mein Glück, und ich war ihm fast dankbar dafür, dass er mich geschlagen hatte.

Und wenn es genau das ist, was ihn scharf macht? Wenn er es mag, ein Mädchen winselnd zu seinen Füßen zu sehen?

Mein Magen zog sich zusammen und schickte Wellen von Schmerz durch meinen Körper. Es haute mich um – ich war einem Psychopathen ausgeliefert und verspürte Hunger!

Ich hatte mich so auf der Sitzbank zusammengekauert, dass ich das Kinn auf die Knie legen konnte. Das entlastete Arme und Rücken ein bisschen. Die Zeit verging, und ich blieb allein hier unten und schmiedete Fluchtpläne, die ich gleich darauf wieder verwarf.

Er wollte nicht mich. Er wollte meine Mutter.

Das schützte mich für den Moment. Erst wenn er meine Mutter nicht bekäme, würde er seine Enttäuschung an mir auslassen, aber so weit war es noch nicht. Die Stunden, die mir blieben, wollte ich sinnvoll nutzen. Indem ich beispielsweise versuchte herauszufinden, wo ich mich befand.

Es gab eine ganze Seenlandschaft um Bröhl herum und zahlreiche Flüsse und Flussarme, die in den Rhein mündeten. Auf dem Weg zum Boot hatte ich so gut wie nichts erkennen können. Doch selbst wenn die nasse Sonnenbrille mich nicht behindert hätte – ich hatte keine Erfahrung mit Booten und hatte noch nie einen Jachthafen aus der Nähe gesehen.

Ich konzentrierte mich auf meine Erinnerungen an die Fahrt hierher. Die Kapuze hatte zwar meine Augen bedeckt, aber meine Ohren hatten alles mitbekommen.

Da waren hämmernde, stampfende Geräusche gewesen. Östlich von Bröhl befand sich ein Eisenwerk. Ich hatte irgendwo gelesen, dass die Anwohner seit Jahren vergeblich versuchten, gegen den Lärm der Fabrik vorzugehen.

Und dann dieses … Rasseln. Einige Kilometer nördlich vom Eisenwerk betrieb ein Bauunternehmer einen Steinbruch. Möglicherweise hatte ich gehört, wie Kies oder Sand von einem Förderband auf einen Lastwagen geschüttet worden war.

Das Kopfsteinpflaster. Wenn man der Landstraße weiter

folgte, kam man durch einen kleinen, malerischen Ort, dessen Straßen ihren ursprünglichen Belag behalten hatten, dicke, unregelmäßige Wackersteine. Sie hatten den Wagen vibrieren lassen. Die Bewegungen waren mir durch Mark und Bein gegangen.

Danach war mir nichts Besonderes mehr aufgefallen. Ich hatte auch jedes Zeitgefühl verloren. Waren wir zwei Stunden unterwegs gewesen? Drei? Länger? Kürzer? Mir war es vorgekommen wie ein ganzer Tag.

Meine Wahrnehmungen konnten mich aber auch getäuscht haben. Vielleicht hatte Manuel eine ganz andere Richtung eingeschlagen.

Wir konnten überall sein. Das war das traurige Fazit meiner Überlegungen.

Irgendwann kam Manuel wieder herunter. Ich versuchte, mich möglichst aufrecht hinzusetzen. Mein Rücken brannte vor Schmerzen. Manuel betrat die Kabine und guckte mich an. Ich fühlte mich nackt und hätte am liebsten die Augen zugekniffen, um seinen Blick nicht erwidern zu müssen.

»Hunger?«, fragte er.

Mir war schlecht vor Hunger. Doch der Gedanke an Essen beflügelte mich noch aus einem anderen Grund: Zum Essen brauchte ich meine Hände.

»Ja«, sagte ich.

Mein Kopf dröhnte, meine Lippe brannte, meine Augen fühlten sich an wie nach vierzehn Stunden am Computer, aber ich würde mich auf ihn stürzen mit aller Kraft, die ich noch zur Verfügung hatte.

Sobald er mir die Fesseln löste. Ich musste ihn nur lange genug außer Gefecht setzen. Das einzige Gerät, das dazu infrage kam, war eine Rohrzange, die ich unter dem Sitz der Bank entdeckt hatte. Ein einziger Schritt und ich könnte sie greifen.

Los, mach mir die Fesseln auf!

Ich hatte nur die eine Chance und ich musste sie nutzen.

Manuel ging wieder hinaus und kam mit einem dampfenden Teller zurück. »Ich hoffe, du magst Linsen.« Er rührte mit einem Löffel in der Suppe und setzte sich neben mich. »Ich werde dich füttern müssen, vorsichtshalber. Das verstehst du doch?«

Die Enttäuschung trieb mir die Tränen in die Augen.

»Na, komm schon.« Er hielt mir den Löffel an die Lippen. »Mach den Mund auf.«

Ich drehte den Kopf weg, aber der Löffel folgte mir. Der Duft nach Majoran stieg mir in die Nase. Mein Magen knurrte voller Verlangen. Zögernd öffnete ich den Mund.

»Braves Mädchen.«

Ich kaute. Schluckte. Und hasste ihn.

Er füllte den Löffel ein zweites Mal und hielt ihn mir wieder hin. Ich machte den Mund auf, doch diesmal kaute ich nicht.

Ich spuckte ihm die Suppe ins Gesicht.

Für einen Moment saß Manuel vollkommen reglos. Dann stellte er den Teller auf den Tisch. Er drehte sich zu mir um und schlug mir ins Gesicht.

Es tat weh, aber ich gab keinen Laut von mir. Triumphierend starrte ich ihm ins Gesicht, in dem Linsen und Lauchfäden klebten.

Er schlug mich noch einmal. Blut floss mir aus der Nase. Es fühlte sich warm an und weich und furchterregend.

Manuel griff mir ins Haar und zog meinen Kopf so weit zurück, dass ich ihn ansehen musste. Ich erschrak vor seinem Gesicht. Es war von Hass verzerrt.

»Wenn deine Mutter nicht wäre«, zischte er, »dann wärst du jetzt tot.«

Er schlug mich ein drittes Mal, so heftig, dass ich zur Seite geschleudert wurde. Dann stürmte er hinaus. Erst jetzt wurde mir bewusst, was ich getan hatte. Ich hatte mit meinem Leben gespielt.

29

Jettes Wagen war in Borghausen entdeckt worden, in einem Viertel am Hafen, in das abends niemand mehr freiwillig einen Fuß setzte. Die Fensterscheibe auf der Fahrerseite war eingeschlagen worden. Das Radio fehlte.

Glassplitter waren auf die Sitze geregnet, auf das Armaturenbrett und auf die Fußmatten. Die Spurensicherung hatte mehrere schwarze Haare sicherstellen können und sie ins Labor geschickt. Bis zum Ergebnis der DNA-Analyse würden einige Stunden vergehen, doch Bert war sich sicher, dass diese Haare demselben Mann gehörten, dessen Haar sie auf dem roten Kleid gefunden hatten.

»Der Täter hat das Mädchen also auf dem Weg zum *St. Marien* in seine Gewalt gebracht und sie in ihrem eigenen Fahrzeug entführt«, schlussfolgerte er.

Die Kollegen hatten sich alle im Besprechungsraum eingefunden. Angespannt saßen sie da. Der Freude über den ersten Fahndungserfolg war die Ernüchterung gefolgt. Jette Weingärtner befand sich in einer äußerst kritischen Lage, die jederzeit eskalieren konnte.

»Niemand hat einen Kampf beobachtet«, wandte der Chef ein. »Weder unterwegs, noch auf dem Parkplatz des Heims.«

»Vielleicht hat ja auch gar kein Kampf stattgefunden«, sagte Isa. »Das Mädchen könnte den Täter gekannt haben.«

»Durchaus möglich«, bestätigte Bert. »Wir haben jede Menge Fingerabdrücke im Innern des Fahrzeugs sichergestellt. Da uns jedoch Vergleichsmaterial fehlt, sind sie für den Augenblick nutzlos. Am Lenkrad ließen sich drei unterschiedliche Fingerabdrücke finden. Bisher wurde der Wagen von Jette Weingärtner und ihrer Freundin Merle gefahren, was mich in der Vermutung bestätigt, dass möglicherweise der Täter am Steuer saß. Das würde bedeuten, dass Jette nicht freiwillig mit ihm unterwegs war.«

»Oder dass sie ihm erlaubt hat zu fahren, falls sie ihn kannte«, beharrte Isa.

»Und sonst?«, fragte der Chef.

Das Bonbon hatte Bert sich bis zum Schluss aufbewahrt.

»Auf der Fußmatte vor dem Fahrersitz befand sich ein haselnussgroßer Fleck, bestehend aus einer Art Maschinenöl, der mit an Sicherheit grenzender Wahrscheinlichkeit von einer Schuhsohle dort hinterlassen wurde.«

Er war dankbar für die fantastischen Verbindungen, die er sich mit den Jahren aufgebaut hatte. Ein freundschaftlicher Anruf, und das Labor legte einen deutlichen Zacken zu, um ihm einen Gefallen zu tun. Den Chef ließ man gern ein paar Tage auf Ergebnisse warten.

»Und?«, fragte der Chef.

Die Kollegen tauschten vielsagende Blicke. Jeder von ihnen hatte allein im kleinen Finger mehr ermittlungstechnisches Talent, als der Chef jemals besitzen würde.

»Sollte dieser Fleck von der Schuhsohle des Täters stammen, wäre das ein Hinweis auf das Umfeld, in dem wir den Täter suchen müssen.«

»Und wenn er von der Sohle des Mädchens stammt?«

»Dann«, sagte Bert und schob seine Unterlagen zusammen, »haben wir ganz schlechte Karten. Und Jette Weingärtner auch.«

Er verließ den Besprechungsraum, um herauszufinden, wie hoch er mit seinen Karten pokern konnte.

*

Manuel hatte geduscht und die Kleider gewechselt, aber der Geruch der Suppe war noch immer in seiner Nase. Dieses Mädchen! Er verabscheute es aus tiefster Seele.

Mach das nie wieder!

Er checkte ein letztes Mal sämtliche Geräte, bloß um sich auf andere Gedanken zu bringen. Dabei wusste er genau, dass alles in Ordnung war. Er sah auf die Uhr. Wie langsam die Zeiger dahinkrochen.

Noch ein paar Minuten, dann würde er anrufen.

*

Als Merle den Wagen kommen hörte, blieb sie stehen und hob den Daumen, doch der Fahrer rauschte an ihr vorbei.

»Das ist ein Notfall!«, brüllte Merle hinter ihm her.

Sie war wütend und verzweifelt. Imke Thalheim hatte den Wagen genommen und das Handy, so wie der Typ es bei seinem Anruf gefordert hatte. Ebenfalls nach seinen Anweisungen hatte sie Merle an der Landstraße zurückgelassen.

Merle hatte sie angefleht, ihr zu erlauben, sich hinten im Wagen zu verstecken, doch Imke Thalheim hatte sich nicht erweichen lassen.

»Ich werde dich nicht in Gefahr bringen«, hatte sie gesagt. »Er hat verlangt, dass ich allein zu ihm komme.«

Dann war sie losgefahren, ohne Merle ihr Ziel zu verraten.

Merle sehnte einen Wagen herbei, der anhalten würde, um sie mitzunehmen, doch sie sah nichts als die leere Straße vor sich, endlos und still. Sie fluchte. Sie betete. Sie rannte. Und dann fing sie an zu weinen.

*

Imke hielt sich an die Geschwindigkeitsbeschränkungen, obwohl sie am liebsten gerast wäre. Sie durfte auf keinen Fall eine Polizeistreife auf sich aufmerksam machen.

»Komm allein«, hatte der Mann verlangt. Etwas in Imke erinnerte sich vage.

Diesmal hatte er seine Stimme nicht verstellt. Imke ahnte, was das bedeutete. Er hatte nicht vor, sie wieder gehen zu lassen.

Doch das war ihr gleichgültig. Hauptsache, er tat Jette nichts an.

»Geht es ihr gut?«, hatte sie gefragt.

Seine Antwort war ein Lachen gewesen, das ihr kalt über die Haut gekrochen war.

Ab und zu schaute sie auf den Zettel, den sie neben sich auf den Beifahrersitz gelegt hatte. Nach den Angaben des Stalkers hatte sie eine kleine Skizze angefertigt. Hoffentlich hatte sie keinen Fehler gemacht.

Pass auf meine Tochter auf, dachte sie, und ihre Gedanken waren nicht an irgendeinen Gott gerichtet, sondern an den Bussard, den sie sich immer noch auf dem Dach der Scheune vorstellte, reglos und aufmerksam.

Auf die Landschaft, durch die sie fuhr, die kleinen Orte und Alleen, achtete sie kaum. Ihre Hände waren kraftlos vor Aufregung, ein paarmal hatte sie sich schon verschaltet, und ein Blick auf die Tankanzeige hatte sie erstarren lassen. Das Benzin ging zur Neige und sie hatte keinen Cent bei sich.

Lass es ausreichen, betete sie, diesmal zum Gott ihrer Kindheit, auf den sie so lange blind vertraut hatte. Lass mich nicht im Stich!

*

Es war dämmrig geworden. Die letzten Streifen von Sonnenlicht waren verschwunden. Zweimal war ich eingenickt und hatte erschrocken die Augen wieder aufgerissen.

Schlafend würde ich mich nicht wehren können.

Schon seit einiger Zeit waren oben neben den Schritten andere Geräusche zu hören. Ob Manuel das Boot wieder verlassen würde? Diesmal würde ich Lärm machen, so gut ich konnte. Irgendwer musste doch in der Nähe sein! Irgendwer mich hören.

Immer noch schmeckte ich Blut. Ich hätte mir gern den Mund ausgespült. Und etwas getrunken. Ich wäre gern aufs Klo gegangen. Aber daran war nach der Geschichte mit der Suppe nicht zu denken.

Die Erschöpfung und der Hunger schärften meine Sinne. Ich spürte jeden Muskel, nahm jeden noch so gedämpften Laut wahr, fühlte jede noch so leichte Erschütterung, die Manuel mit seiner Geschäftigkeit an Deck verursachte. Und plötzlich wusste ich mit absoluter Klarheit, war er da oben trieb.

Mein Herz fing an zu pochen.

Tatsächlich sprang der Motor an und das Boot setzte sich in Bewegung.

Was hatte das zu bedeuten? Wohin brachte er mich?

Im nächsten Moment wurde mir bewusst, dass ich nun keine Möglichkeit mehr bekommen würde, irgendwen auf mich aufmerksam zu machen. Manuel war an Bord. Wir lagen nicht mehr im Hafen. Selbst wenn ich ein Höllenspektakel veranstalten würde – auf dem Wasser konnte mich niemand hören.

*

Imke hoffte, die richtige Stelle gefunden zu haben. Schilf, hatte er gesagt. Darin verborgen ein kleiner Bootssteg. Fünfzehn Minuten Fußweg vom Waldparkplatz aus. Ungefähr.

Ungefähr.

Wie folgenschwer so ein Wort werden konnte.

Den Wagen hatte sie nach seinen Anweisungen auf dem

Parkplatz stehen lassen. Sie hatte ihn neben einem abgehalfterten Wohnmobil abgestellt, das schon seit Ewigkeiten hier zu verrotten schien.

Nirgendwo sonst, hatte er gesagt. Auf keinen Fall woanders.

Sie hatte sich gezwungen, in einem normalen Tempo zu gehen, damit sie in seinem Zeitraster blieb.

Fünfzehn Minuten. Ungefähr.

Mit jedem Schritt war ihre Angst größer geworden. Zittrig hatte sie Luft geholt, bebend ausgeatmet. Und die ganze Zeit hatte sie die Vorstellung verdrängt, womöglich nicht die richtige Stelle zu erwischen.

Setz dich auf den Steg und warte auf mich.

Und da saß sie nun. Wartete. Und wusste nicht, auf wen.

*

Bert stand vor seiner Pinnwand und dachte nach. Was hatte er in der Hand?

Der Täter arbeitete in einem typischen Männerberuf.

»Maurer«, murmelte Bert. »Dachdecker. Klempner.«

Sie hatten in Jettes Wagen einen Ölfleck gefunden.

»Holzfäller. Autoschlosser. Fliesenleger.«

Möglicherweise stammte der Fleck ja auch von Jette selbst. Aber achtete man bei einem neuen Wagen nicht darauf, ihn bloß nicht zu beschmutzen?

Es handelte sich bei dem Öl um eine Art Maschinenöl. Bert vermutete, dass die Werkzeugkästen der meisten Handwerker so etwas enthielten. Er wusste jedoch mit hundertprozentiger Sicherheit, dass in jeder Autowerkstatt Öl und Wagenschmiere eine große Rolle spielten.

Im nächsten Augenblick war er am Telefon. Merle meldete sich nicht. Er versuchte es bei Tilo Baumgart.

»Melzig hier. Eine Frage, Herr Baumgart: Wo hat Jette ihren Wagen gekauft?«

Er hörte zu und nickte, notierte Namen und Anschrift.

»Und wann genau war das?«

Er riss den Zettel vom Block und beendete das Gespräch. Im Hinausgehen schnappte er sich sein Sakko und verließ auf schnellstem Weg das Haus. Imke Thalheim hatte bei einem Anruf des Stalkers ein zischendes Geräusch im Hintergrund gehört. Bert hätte jede Wette darauf abgeschlossen, dass es sich dabei um Pressluft gehandelt hatte und dass der Anruf aus einer Autowerkstatt gekommen war.

Endlich, dachte er und wäre beinahe gerannt.

*

Es war ein Trucker, der sich ihrer erbarmte und anhielt. Ende fünfzig, Vollbart, rundes, freundliches Gesicht. »Wo soll's denn hingehn, Mädchen?«

Merle mochte die jovialen Typen nicht, die jedes weibliche Wesen unter vierzig als Mädchen bezeichneten und jedes unter achtzig als junge Frau. Die so väterlich taten und dann die Hände nicht bei sich behalten konnten. Aber diesem hier gab sie eine zweite Chance. Immerhin hatte er angehalten.

»Bröhl«, antwortete sie. »Es ist ein Notfall, aber ich darf nicht darüber reden.«

»Schon in Ordnung.«

Er fragte nicht weiter und ließ sie einsteigen. Merle lehnte sich in dem gut gepolsterten Sitz zurück und machte es sich so bequem, wie ihre nervliche Verfassung es ihr erlaubte.

Kein Wort zu den Bullen.

Sie würde sich daran halten. Und nach Hause zurückfahren. Sie wollte unbedingt erreichbar sein, falls Jette sie brauchte.

*

Nichts geschah. Wind war aufgekommen und blies kleine Wellen über die Wasseroberfläche. Das leise Plätschern und das Rascheln des Schilfs erinnerten Imke an lange Wochen am Meer, damals als Jette noch ein Kind gewesen war.

Jettes Haar war silbrig geworden von der Sonne. Auf ihrer gebräunten Haut hatten Salzkristalle geklebt und winzige Sandkörner. Sie hatte zu den Möwen aufgesehen und gelacht. Wie glücklich sie gewesen war. Wie fröhlich.

Ein Sonnenkind.

Imke presste die Hand vor den Mund, um das Schluchzen zu ersticken. Um mit dem Schluchzen auch die Tränen zurückzudrängen und die Erinnerungen. Sie wartete. Und wusste nicht einmal, ob dies die richtige Stelle war.

*

Bert stieg aus und ging auf die Werkstatt zu, aus der laute Radiomusik drang. Das Unwetter hatte Blätter von den Bäumen gerissen und auf dem Hof verwirbelt. An der Hausmauer waren wie dunkle Blumen Nässeflecken gewachsen. Der starke Regen hatte den Schotter unterspült und zu schlammigen Dünen zusammengeschoben.

Let meeee entertain you, sang Robbie Williams, und Bert merkte, wie der Rhythmus des Songs sein Tempo bestimmte.

In der neonbeleuchteten Werkstatt sah er drei Männer arbeiten. Einer von ihnen drehte sich zu ihm herum und wischte sich die Hände an einem schmutzstarrenden Tuch ab. Fragend schaute er Bert ins Gesicht.

Bert stellte sich vor und verlangte, den Chef zu sprechen.

»Richie«, sagte der Mann. »Bring den Kommissar ins Büro.«

Bert folgte dem jungen Mann, der sich geschmeidig zum Takt der Musik bewegte. Die Hose war ihm halb über die schmalen Hüften gerutscht. Auf dem Rücken seines schwarzen T-Shirts fletschte ein Tiger die Zähne. *Get you,* stand in Flammenschrift darunter.

»Kripo, Ellen«, erklärte Richie. »Will zum Boss.« Er warf Bert einen misstrauischen Blick zu und trabte in seinem zuckenden, tänzelnden Gang auf den Hof zurück.

Ellen war eine kompakte Person, die in einem schmuddeligen, rauchgeschwängerten Zimmer hinter einem von zwei Schreibtischen saß. Sie erhob sich wortlos, zog noch einmal an ihrer Zigarette und legte sie auf einem übervollen Aschenbecher ab. Sie führte Bert zum Nebenzimmer, klopfte an und stieß unaufgefordert die Tür auf.

»Ein Herr von der Kripo«, sagte sie mit einer von unzähligen Zigaretten ruinierten Stimme und ließ Bert mit ihrem Chef allein.

Der Mann, der sich aus einem tiefen schwarzen Ledersessel wuchtete, öffnete Berts Vorurteilen Tür und Tor. Die Lederjacke, die Rolex am Handgelenk und der Brilli am kleinen Finger sprachen eine deutliche Sprache. Arme und Beine waren trainiert und gestatteten ihm allenfalls den eingeschränkten Bewegungsspielraum eines Sylvester Stallone, die Haare waren einen Tick zu stark gestylt, die Fingernägel für den Besitzer einer Autowerkstatt zu lang und zu sauber.

So einer wickelt seine Geschäfte woanders ab, dachte Bert und fragte sich, wie es kam, dass manche Menschen sich förmlich Mühe zu geben schienen, dem Klischee zu entsprechen, das man von ihnen im Kopf hatte.

»Bitte?«

Bert kam gleich zur Sache. »Ich möchte wissen, wer für Sie arbeitet, und ich möchte mit jedem Ihrer Mitarbeiter sprechen.«

»Darf ich fragen, wieso?«

Gleich droht er mir mit seinem Anwalt, dachte Bert und zauberte ein freundliches Lächeln aus dem Hut. »Wir ermitteln in einem Entführungsfall.«

»Und?«

Kaltschnäuzig, notierte Bert in Gedanken. Es ist ihm wichtig, den starken Max zu markieren.

»Die junge Frau, die wir suchen, hat vor Kurzem einen Wagen bei Ihnen gekauft.«

Der Mann änderte sein Verhalten schlagartig. Anscheinend hatte er entschieden, sich Ärger zu ersparen. »Kommen Sie ins Büro. Ich lasse Ihnen die Unterlagen raussuchen.«

Na also, dachte Bert. Geht doch. Er hatte keine Lust auf einen Hahnenkampf gehabt. Auch wenn er ihn todsicher gewonnen hätte, er hätte ihn nur wertvolle Zeit gekostet.

*

Manuel hatte lange über das Prozedere nachgedacht. Bis zum Moment der Übergabe durfte keine Panne passieren, dann war er auf der sicheren Seite. Wenn Imke erst an Bord wäre, würde sie erkennen, wie groß und mächtig seine Liebe war. Eine Liebe, die keine Hindernisse kannte, die sich nicht von Imkes Ruhm blenden ließ und nicht an dem Vorurteil zerbrach, dass eine Schriftstellerin und ein Arbeiter nicht zusammenpassten.

Die Anlegestelle hatte er mit Bedacht ausgewählt. Kaum jemand kannte sie, so zugewuchert war sie von Schilf und allerlei wildem Gesträuch. Der ideale Ort, um Imke aufzunehmen und Jette abzusetzen.

Die besten Lösungen waren immer die einfachen.

Ein bisschen ärgerte es ihn, dass er darauf verzichten musste, dem Mädchen den nötigen Respekt beizubringen, aber man konnte nicht alles haben.

Es war niemand sonst auf dem Wasser. Der Wetterbericht hatte weitere Unwetter angekündigt. Und wenn schon. Manuel hatte in seinem Leben ganz andere Schwierigkeiten gemeistert. Dagegen war so ein Sturm ein Klacks.

Manuel warf den Kopf in den Nacken. Er schaute hinaus

auf das Wasser. Nicht mehr lange. Er rieb sich die Gänsehaut von den Armen und lächelte.

*

Einer fehlte. Manuel Grafen. Ellen gab den Namen nur widerwillig preis. Bert spürte, dass etwas sie mit diesem Mann verband, etwas, von dem niemand etwas wusste, vielleicht nicht einmal dieser Manuel Grafen selbst.

Er habe Urlaub genommen, erklärte Ellen, und den Resturlaub vom letzten Jahr dazu. Niemand wisse, ob er ihn wirklich ausschöpfen werde. Er sei ein Abenteurer. Einer, der komme und gehe, wie es ihm passe.

Auch von seinem Chef war er so beschrieben worden. Offenbar durfte Manuel Grafen sich hier alles leisten.

»Ich möchte seine Wohnung sehen«, sagte Bert, nachdem er erfahren hatte, dass Grafen direkt über der Werkstatt wohnte.

»Haben Sie einen Durchsuchungsbefehl?«

Sie kannte sich mit Fernsehkrimis aus. »Nein. Ich setze auf Ihre Vernunft. Sollte Herr Grafen das Mädchen in seine Gewalt gebracht haben, würden wir ihn gern daran hindern, Schlimmeres zu tun.«

Sie kämpfte mit sich, eine dieser Frauen, denen man jede Gefühlsregung vom Gesicht ablesen konnte. Ihr Hals war rot und fleckig vor Aufregung. Sie räusperte sich in einem fort. Schließlich sprang sie auf und lief zur Tür. Nach einem suchenden Blick über den Hof drehte sie sich zu Bert um.

»Der Chef ist schon zu seinem Termin aufgebrochen. Sein Wagen ist weg.«

Bert schaute demonstrativ auf seine Armbanduhr. Ein wenig Druck konnte nicht schaden.

Ellen setzte sich an ihren Schreibtisch und griff zum Telefon. Sie drückte eine Taste und hob den Hörer ans Ohr. Wartete.

»Besetzt!« Unschlüssig nagte sie an der Unterlippe.

»Also?«, fragte Bert.

Sie atmete tief durch und griff nach dem Schlüsselbund, der neben dem Faxgerät lag.

Bert folgte ihr die Treppe hinauf. Der Geruch nach säuerlichem Schweiß stieg ihm in die Nase. Er war so scharf und intensiv, dass er das schwere Parfüm fast überdeckte. Bert wusste, was der Grund dafür war – Ellen hatte Angst.

Er registrierte das aufmerksam. Dann betrat er Manuel Grafens Wohnung.

*

Tilo hatte die restlichen beiden Termine abgesagt. Er konnte sich so schlecht konzentrieren, dass er bei seinem letzten Patienten den Faden verloren hatte. Nachdem der Mann eine Viertelstunde lang geredet hatte, war Tilo bewusst geworden, dass kein Wort zu ihm durchgedrungen war.

Er hatte Imkes Handynummer gewählt. Danach Merles. Und immer wieder die von Jette. Ohne Erfolg. Imke und Merle nahmen das Gespräch nicht an, Jette war *zurzeit leider nicht erreichbar.* Tilo hatte es Dutzende Male versucht, bevor er aufgegeben und sich aufs Warten verlegt hatte. Er war in die Mühle gefahren, doch dort hatten sich seine Befürchtungen nur bestätigt.

Es war vollkommen klar, dass Imke sich auf den Tausch eingelassen hatte. Es war auch klar, dass Merle als Vermittlerin fungiert hatte. Die Polizistin und ihr Kollege waren wieder abgezogen. Sie hatten keine Unordnung hinterlassen. Es war schrecklich still.

Tilo hatte sich im Wintergarten eingerichtet, seinem Lieblingsraum in diesem Haus. Er hatte sein Handy und das mobile Festnetztelefon vor sich auf den Tisch gelegt, sich einen Kaffee geholt und das Buch aufgeschlagen, das er gerade las.

Aber er starrte die Zeilen bloß an, ohne ihren Sinn zu verstehen. Sein linker Fuß schlief ein. Vorsichtig bewegte er ihn. Wenigstens der Schmerz war greifbar, wenn sich ihm sonst schon alles entzog.

*

Der Lastwagenfahrer hatte Merle an der Hauptstraße abgesetzt. Als sie, in ihrer Tasche nach dem Schlüssel kramend, auf das Haus zuging, entdeckte sie Luke. Er saß vor der Tür und kraulte einen völlig hingerissenen Smoky hinter den Ohren.

»Wo ist sie?«

»Ich wünsche dir auch einen Guten Tag«, entgegnete Merle schnippisch.

»Hi.« Er rappelte sich auf und klopfte sich den Staub von der Hose. Smoky huschte erschrocken davon. »Also, wo ist sie?«

Merle ärgerte sich über ihre Kratzbürstigkeit. Luke konnte nichts für ihre Erschöpfung und Gereiztheit. Immerhin hatte er auf ihren Anruf im Maklerbüro reagiert und war hierhergekommen. Vielleicht wartete er schon ewig.

»Du weißt es also auch nicht«, sagte sie, sanfter diesmal, schloss auf und ging vor ihm durch den Flur.

»Willst du mir nicht endlich erklären, was los ist?«

Merle öffnete die Tür zum Hof, und Smoky kam herein, langsam und gemächlich, damit bloß keiner glaubte, er schleime sich ein. Wie zufällig strich er Merle um die Beine. Als sie ihn berührte, machte er einen Genießerbuckel. Donna und Julchen waren nirgendwo zu sehen.

»Was ist los, Merle?«

Er hat ein Recht darauf, es zu erfahren, dachte Merle. Eigentlich wäre er überhaupt der Erste gewesen, der es hätte erfahren müssen.

»Hat Jette dir von dem Stalker erzählt?«, fragte sie.

Luke schüttelte den Kopf. Sein Blick wurde argwöhnisch und Merle konnte einen Funken Angst in seinen Augen erkennen. Sie seufzte.

»Setz dich«, forderte sie ihn auf. »Dann erzähl ich dir alles.«

Luke gehorchte, doch sein Körper blieb angespannt. Merle suchte nach dem ersten Wort. Sie hatte keine Ahnung, wie sie es Luke beibringen sollte.

30

Eine dichte Wolkendecke hielt den Himmel verschlossen. Die kleinen Wellen, die über das graue Wasser liefen, hatten weiße Kronen. Mit einem leisen Plätschern brachen sie sich an der steilen Uferböschung.

Der Steg war alt und verwittert und ragte ein ganzes Stück ins Wasser. Trotzdem hatte Imke sich an seinem Ende niedergelassen, wie der Mann es ihr befohlen hatte. Es war nicht kalt, aber sie fror in der leichten weißen Leinenhose und der schwarzen Bluse. Sie hätte jetzt gern eine Jacke angehabt.

Schon um mich zu schützen, dachte sie.

Sie hätte gern einen Rettungsplan entworfen, für Jette und für sich selbst. Aber sie wusste ja nicht einmal, was auf sie zukam. War er mit einem Wagen unterwegs zu ihr? Sollte sie auf dem Steg sitzen, mit dem Rücken zu ihm, damit sie ihn nicht sehen konnte? Aber das wäre doch Unsinn – sie würde ihn ohnehin sehen, später, irgendwann.

Was hatte er vor? Würde er Jette wirklich gehen lassen?

Imke zog die Schultern hoch. Sie konnte nur versuchen, Kraft zu sammeln. Alles andere würde sich zeigen.

*

Die Wohnung hatte den Charakter einer Höhle. Bert hätte nicht sagen können, weshalb, aber alles hier ließ ihn spüren, dass Manuel Grafen sich in diese Räume zurückzog, sooft er es in der Welt draußen nicht aushielt.

Das Erste, was ihm auffiel, waren die unzähligen Bücher. Beinah an jeder Wand waren Regale angebracht, zum Bersten gefüllt mit Büchern. Keines stand schief, keines lag quer, die Buchrücken waren samt und sonders exakt ausgerichtet.

Krimis schienen Manuel Grafens bevorzugtes Genre zu sein, doch es fanden sich auch Bücher über Geschichte und Musik in den Regalen. Die Bücher waren nach Verfassern alphabetisch geordnet. Bert zog ein paar heraus und stellte beim Durchblättern fest, dass es keine Eselsohren gab, keine an den Rand gekritzelten Notizen, keine Unterstreichungen und keinen einzigen Fleck.

Unruhig nahm er das Wohnzimmer näher unter die Lupe, dann das Schlafzimmer. Er *wusste,* dass er sich in der Wohnung des Stalkers befand, obwohl er kein einziges Buch von Imke Thalheim gefunden hatte und auch sonst nichts darauf hinwies.

Das Badezimmer war schäbig und verwohnt. Auf den ersten Blick konnte man den Benutzer dieses Raums nicht mit dem Besitzer der gut erhaltenen Bücher in Einklang bringen. Die Küche war warm und gemütlich. Hier wurde gekocht, gegessen – und gelesen, denn auch hier reichten die Bücherregale bis an die Decke.

Berts Unruhe nahm zu. Er spürte sein Herz schlagen.

Es *musste* etwas geben, das sich mit Imke Thalheim in Verbindung bringen ließe. Es war gar nicht anders möglich. Aber was?

Plötzlich begriff er. Was diese Räume und ihren Bewohner mit Imke Thalheim verband, war nicht das Vorhandensein ihrer Bücher.

Es war das Fehlen ihrer Bücher.

Bert stürmte ins Wohnzimmer und warf einen Blick in den Schrank. Er hastete weiter ins Schlafzimmer, riss auch hier

Schranktüren und Schubladen auf. Er durchsuchte Bad und Küche. Nichts.

Blieb nur noch der Einbauschrank in der Diele. Bert drehte den Schlüssel im Schloss und zog die Türen auf.

Und dann sog er scharf die Luft ein.

*

Ich hatte kein Gefühl mehr für die Zeit, die vergangen war. In der Kabine war es mittlerweile fast dunkel. Vielleicht war es bereits Abend, vielleicht lag es aber auch nur an den Rollos, die das letzte Tageslicht schluckten.

Mein Hunger war so groß, dass mir der Magen wehtat. Ich versuchte, Spucke zu sammeln, um das Hungergefühl ein bisschen zu betäuben, aber ich bekam kaum welche zusammen. Ich hatte den ganzen Tag so gut wie nichts getrunken. Die Zunge klebte mir am Gaumen.

Der abrupte Wechsel meiner Gefühle machte mich fertig. Im einen Moment hielt mich die Angst gepackt, im nächsten überfiel mich eine maßlose Wut. Und dann die Verzweiflung. Ich hatte so oft an den Fesseln gezerrt, dass ich mir die Hand- und Fußgelenke wund gescheuert hatte.

Ich hörte das Geräusch des Motors und fühlte das Schaukeln und fragte mich, wann Manuel wieder herunterkommen würde. Mir graute davor.

Ob die Polizei schon nach mir suchte?

Ob Luke wusste, dass ich verschwunden war?

Und meine Mutter?

Ich wollte nicht, dass sie sich für mich opferte. Aber ich hatte eine Scheißangst.

*

Er hatte ihr einen Altar errichtet!

Bert stand da wie angewurzelt. Mit offenem Mund.

Durch ein Oberlicht fielen die letzten Strahlen der Sonne in den begehbaren Schrank, einen kleinen Raum mit exakt eingepassten, prallvollen Regalen an den Seitenwänden. Hier waren sie, die Romane, nach denen Bert vergeblich Ausschau gehalten hatte, die unterschiedlichen Sonderausgaben, die Übersetzungen. Hier waren die Hörbücher und DVDs und hier war auch die Literatur über Imke Thalheim versammelt.

Ein Archiv. Einzigartig und haarsträubend.

Bert hob den Blick. Von der Stirnwand her lachte Imke Thalheim ihn an.

Wie eine Göttin.

Unter der enorm vergrößerten Fotografie standen auf einer schönen, geschnitzten Holzkonsole drei rote Kerzen in silbernen Leuchtern. Ein mächtiger Strauß weißer Rosen auf einem kostbaren alten Tisch verströmte einen samtigen Duft. Um die Vase waren gerahmte Autogrammkarten und Fotos von Imke Thalheim aufgereiht.

Bert tastete nach seinem Handy. Dann riss er sich von dem Anblick los und stürzte hinaus.

*

Manuel breitete die Arme aus, wie Leonardo DiCaprio es in *Titanic* getan hatte. Er war Herrscher über den Fluss, über den Himmel und die Zeit. Niemand konnte ihn stoppen, keiner seine Kreise stören.

Sein ganzes Leben war eine Vorbereitung auf das hier gewesen, hatte ihn stark gemacht für die eine, einzige Herausforderung.

Eine ungeheure Kraft floss durch seine Adern. Er spürte die Energie in seinem Innern brennen. Sie vitalisierte jeden Muskel und setzte seine Gefühle unter Strom.

Für einen Moment schloss er die Augen, um ganz bei sich

zu sein. Als er sie wieder öffnete, wusste er mit absoluter Sicherheit, dass er unbesiegbar war.

*

Noch nie hatte Merle jemanden so geräuschlos weinen sehen. Schweigend blieb sie bei Luke sitzen. Das Licht in der Küche veränderte sich. Die Ränder der Wolkenfelder am Himmel färbten sich rot. Die Spatzen in den Bäumen wurden still.

Endlich richtete Luke sich auf. Er wischte sich mit dem Handrücken die Augen. »Darf ich hier mit dir warten?«, fragte er hilflos. »Ich meine, ich wüsste nicht, was ich sonst tun könnte.«

Merle nickte.

Schweigend saßen sie in der Küche. Es kümmerte Merle nicht, ob die Türen und Fenster geschlossen waren. Das spielte keine Rolle mehr. Nichts spielte mehr eine Rolle, solange Jette in der Gewalt dieses Psychopathen war.

Sie war froh, nicht allein zu sein.

*

»Irgendwann hatte der Chef kein Interesse mehr an der Jacht«, sagte Ellen. »Heute hü und morgen hott. Er ist eben so. Und da hat Manu sich darum gekümmert. Aber ich glaube nicht, dass Manu ... Er ist nicht fähig, irgendwem ...«

Hai, dachte Bert. Was für ein seltsamer Name für ein Boot.

»Sie liegt normalerweise am Wackertsee«, verriet Ellen, die urplötzlich gesprächig geworden war. »Das ist kein richtiger See. Es ist eher so eine Ausbuchtung in einem Flussarm, der in den Rhein mündet.«

Bert war vor Jahren einmal dort gewesen, zusammen mit Margot und den Kindern. Es gab da einen kleinen Strand und einen Tretbootverleih und ein Restaurant am Wasser, in dem man guten Kuchen bekommen konnte. Er erinnerte sich an den Tag, den sie dort verbracht hatten, weil es einer ihrer glücklichen Tage gewesen war.

Den Jachthafen hatten sie nur aus der Ferne gesehen.

Bert hatte die Fahndung nach Manuel Grafen bereits veranlasst. Nun hatte er einen weiteren wesentlichen Anhaltspunkt. Er setzte zwei Kollegen auf die Jacht an und sah auf die Uhr. Es blieb ihm jetzt nichts mehr zu tun, als ins Büro zurückzufahren und zu warten.

*

Wie ein Geisterschiff näherte sich die weiße Jacht. Imke spürte, wie das Blut aus ihrem Kopf wich. Langsam stand sie auf. Es war kühl geworden und ihre Gelenke waren steif vom Sitzen. Sie sah dem Boot entgegen, ohne den Blick auch nur eine Sekunde lang abzuwenden.

Am Steuer saß ein Mann. Oder hieß es *Ruder?* Für einen Moment hasste Imke sich dafür, dass sie selbst in einer solchen Lage noch mit Worten spielte.

Es war ihr nicht möglich, den Mann deutlich zu erkennen. Die Glasscheibe (vielleicht war es auch Kunststoff) spiegelte zu sehr. Imke bemerkte, dass er eine Kappe trug. Der Schirm verdeckte sein Gesicht.

Der Bug des Boots glitt mit einem leisen Rascheln ins Schilf.

Das Motorengeräusch verstummte.

Der Mann erhob sich.

Und dann schaute er sie an.

*

Sie sah wunderschön aus, wie sie da so stand, so demütig und erwartungsvoll. Gar nicht die große Dame, als die sie immer gefeiert wurde. Fast wie ein Mädchen.

Manuel kostete diesen Moment aus. Den Anfang seines Lebens.

»Ich liebe dich«, sagte er leise.

Er hatte noch keinen Schritt auf sie zu getan.

Eins nach dem andern, dachte er voller Freude. Ich habe so lange gewartet. Was sind dagegen schon ein paar Minuten?

*

»Wo ist meine Tochter?«

Imke hörte erleichtert, dass ihre Stimme einen festen Klang hatte. Vielleicht ließ er sich davon täuschen. Seine Augen waren wie schwarze Löcher in seinem Gesicht. Das Lächeln erstarb auf seinen Lippen.

Der junge Omar Sharif!

Sie erinnerte sich.

Deshalb war seine Stimme ihr so vertraut vorgekommen.

»Ich hole sie.«

Imke stockte der Atem. Wenn er nicht bluffte, hieß das, dass Jette nichts zugestoßen war.

Er blickte sich aufmerksam um. Traute ihr nicht. Wusste er denn nicht, dass sie ihre Tochter niemals und unter gar keinen Umständen gefährden würde?

Schließlich drehte er sich um und verschwand unter Deck.

Imke zwang sich dazu, ruhig stehen zu bleiben. Am liebsten wäre sie an Deck gesprungen, doch dann hätte er sie beide in seiner Gewalt gehabt, und Imke hätte ihren einzigen Trumpf verspielt. Für eine Sekunde blitzte die Erkenntnis in ihr auf, dass sie dieser Situation nicht gewachsen war. Imke verdrängte sie schnell. Der Anblick ihrer Tochter ließ sie leise aufstöhnen. Das Mädchen, das dieses Ungeheuer da vor sich hertrieb, hatte kaum Ähnlichkeit mit Jette. Ihr Gesicht war blutverschmiert und übel zugerichtet. Schweißnass hingen ihr die Haare in die Augen.

Er hatte ihr die Hände auf dem Rücken gefesselt und dirigierte sie mit einem brutalen Griff um ihren linken Arm vorwärts. Jette hielt den Kopf gesenkt wie in Erwartung eines Schlags. Sie ließ die Schultern hängen und schien sich nur mit Mühe aufrecht halten zu können.

Was hatte dieses Scheusal dem Mädchen angetan?

Imke schluckte schwer.

»Sie hat sich das selber zuzuschreiben«, sagte er. »Sie war nicht kooperativ.«

»Jette? Liebes?« Imke achtete nicht auf seine Worte. »Ich bin hier.«

Unendlich langsam hob Jette den Kopf.

Imke zuckte zusammen. Der Ausdruck in den Augen ihrer Tochter passte absolut nicht zu ihrer armseligen Körperhaltung.

»Mein Name ist Manuel«, sagte der Mann. »Sprich ihn aus.«

»Manuel«, sagte Imke leise, den Blick fest auf Jette gerichtet.

»Lauter!«

Es schien ihm Spaß zu machen, sie zu demütigen. Hoch aufgerichtet stand er da. Selbstbewusst. Mächtig.

»Manuel«, wiederholte Imke, und sie wusste, sie würde diesen Namen nie wieder über die Lippen bringen.

*

Er raubte ihr den letzten Rest ihrer Würde. Zwang sie, seinen Namen auszusprechen, wie man einem Hund befiehlt, einem die Hände abzulecken.

Meine Mutter sah mir in die Augen.

Ich erkannte die Angst, die sie um mich hatte.

Und ihren Stolz.

Manuel würde ihn nicht brechen können. Niemals. Und

wenn meine Mutter seinen Namen stundenlang übers Wasser riefe – *es bedeutete nichts.* Nichts als einen kleinen, kostbaren Aufschub, in dem wir Kraft sammeln konnten.

*

Wie teuer ihr dieses jämmerliche, schwitzende Mädchen war. Manuel konnte es nicht begreifen. Fast hatte er Lust, diese Mutterliebe auszuradieren. Es wäre so einfach. Er müsste Imke nur die Tochter nehmen.

Aber allmählich erfasste ihn die Ungeduld.

»Imke«, sagte er.

Sie hatten jeder den Namen des andern ausgesprochen und waren jetzt eins.

Er zog das Messer aus der Tasche und beugte sich vor, um die Fesseln des Mädchens durchzuschneiden.

*

Imke sah das Messer.

Sie sah, wie Jette den Kopf hob.

Und dann sah sie, wie Jette Luft holte.

*

Ich hatte mir so viele Gedanken gemacht. Dabei war alles so einfach. Es war noch genug Energie in mir, um mich zu wehren.

Er löste mir die Fesseln und ich nutzte die Chance.

Ich wirbelte herum und rammte ihm meinen rechten Ellbogen unter das Kinn. Manuel verlor das Gleichgewicht und ruderte mit den Armen. Das Messer fiel ihm aus der Hand und landete mit einem hellen Klang außerhalb seiner Reichweite.

Bevor es Manuel gelang, sich wieder aufzurichten, warf ich mich gegen ihn. Wir gingen beide zu Boden, doch ich hatte mehr Glück als er, weil ich weich auf ihm landete, während er mit dem Kopf aufschlug. Ich hörte, wie seine Zähne klapperten. Er stöhnte.

Im nächsten Moment war ich wieder auf den Füßen und sprang von Bord.

Ich versank im Wasser. Es war grottenkalt. Ich schnappte nach Luft, streifte die Schuhe ab und fing an zu schwimmen, so gut das im Schilf möglich war.

*

»Lauf, Mama!«

Imke hörte die Stimme ihrer Tochter und folgte ihr blindlings. Ihre Schritte ließen die Holzplanken des Stegs bedenklich vibrieren. Aus den Augenwinkeln nahm sie Manuel wahr, der auf dem Boot schwankend das Gleichgewicht zu halten versuchte.

»Verdammtes Miststück!«, schrie er. »Ich hab dir vertraut!«

Imke sprang vom Steg, mitten in das raschelnde Grün der Uferpflanzen, und duckte sich. Und dann hörte sie den Schuss.

Sie hatte so oft darüber geschrieben, ohne je einen wirklichen Schuss gehört zu haben. Für einen Moment kam alles zum Stillstand. Auch sie. Auf Zehenspitzen stand sie da und horchte in die unnatürliche Stille.

»Komm zurück!«

Vorsichtig schlich Imke auf die Stelle zu, an der sie Jettes Stimme gehört hatte.

»Zwing mich nicht, dich mit Gewalt zu holen!«

Imke glitt die Böschung hinunter, in das eiskalte Wasser hinein, und suchte Deckung unter dem Steg. Ein zweiter Schuss krachte über sie hinweg, ein dritter, ein vierter. Dann hörte Imke die schweren Schritte über ihrem Kopf.

*

Noch nie war er so wütend gewesen.

Sie konnten beide nicht weit sein.

Doch das Mädchen interessierte ihn nicht. Sollte sie doch laufen und ihr erbärmliches kleines Leben in Sicherheit bringen.

Ihn interessierte nur Imke.

Sie würde jetzt lernen, ihm zu gehorchen.

*

Das brackige Wasser brannte mir in den Augen. Meine Kleider hatten sich vollgesogen und hingen an mir wie Gewichte aus Blei. Es war stockdunkel hier unter dem Steg. Hoch und stark wie ein Wald, ließ das Schilf nicht mal einen Schimmer von Licht herein.

Ich hatte nicht damit gerechnet, dass Manuel eine Pistole besaß. Jeder einzelne Schuss hatte sich mir wie ein Schmerz auf die Haut gelegt. Panik hatte mich erfasst und mich unter Wasser gedrückt. Halb erstickt war ich wieder hochgekommen.

Vorsichtig mit den Armen paddelnd, hielt ich mich über Wasser, ängstlich bemüht, keine Geräusche zu machen. Ich konnte das nicht lange durchhalten. Es war nur eine Frage der Zeit, bis ich untergehen oder Manuel mich finden würde.

*

Seine Wut hatte einer kalten Entschlossenheit Platz gemacht. Auf leisen Sohlen ging Manuel auf dem Steg auf und ab. Es war dämmrig geworden. Ein Blick nach oben zeigte ihm, dass sich eine dunkle Wolkendecke herangeschoben hatte. Leichter Regen fiel. Doch das war ihm egal.

Alles war ihm egal.

Nur eines nicht – Imke durfte ihm nicht entkommen.

Er hätte sich ohrfeigen mögen. Wie hatte ihm das passieren können? Das Mädchen so zu unterschätzen. In seinem Mund war der metallische Geschmack von Blut. Seine Zunge hatte die scharf gezackten Überreste eines abgebrochenen Zahns ertastet. Er konnte von Glück sagen, dass ihm nichts Schlimmeres widerfahren war.

Mit konzentriertem Blick suchte er die Umgebung ab. Bis zum Wald war es ein ganzes Stück. So weit konnten sie noch nicht sein. Das Land davor war flach und frisch gepflügt. Dort konnten sie sich nicht verstecken.

Blieben das Schilf und der Fluss.

Manuel horchte. Der Regen trommelte kleine Dellen in das Wasser. Er war stärker geworden und machte feine Geräusche. Manuel mochte Regen. Aber nicht jetzt!

Aufmerksam spähte er ins Schilf und hielt die Waffe fest umklammert.

Er konnte Imkes Nähe spüren.

Allmählich begann die Jagd ihm Spaß zu machen.

*

Noch immer konnte Imke nichts sehen. Und jetzt überdeckte das Prasseln des Regens auch noch jeden anderen Laut.

Jette musste in ihrer Nähe sein. Wenn es doch nicht so finster wäre.

Bestimmt wusste er längst, wo sie sich versteckten. Er musste nicht einmal einen Finger rühren, um sie zu finden. Er brauchte nur abzuwarten, bis ihm die Eiseskälte seine Opfer in die Arme trieb. Jette war völlig entkräftet. Sie durfte keine Minute länger im Wasser bleiben.

Und draußen? Da wäre sie erst recht in Gefahr.

Der Hass in seinen Augen. Er war Imke nicht entgangen.

Dieser Mann würde ihre Tochter töten, um Imke zu bestrafen.

In all den Wochen im Sauerland, in denen sie ihn schreibend umkreist hatte, war sie ihm nah genug gekommen, um zu wissen, wie er reagieren würde. Sie war sich absolut sicher. Und es gab nur einen Weg, um Jette zu schützen.

»Ich bin hier!«, rief sie, kam unter dem Steg hervor und wartete auf ihn.

*

Sie war vernünftig geworden. Gut.

Manuel ging über den Steg auf sie zu. Ihr Haar war tropfnass. Es stand ihr. Allerdings war ihre Wimperntusche verlaufen. Das verlieh ihr ein bisschen das Aussehen eines Clowns.

Er lächelte unwillkürlich und voller Wärme.

Er war jetzt nicht mehr böse auf sie. Beinah bedauerte er es, sie bestrafen zu müssen.

Er reichte ihr die Hand, um sie aus dem Wasser zu ziehen.

Um das Mädchen würde er sich kümmern, sobald er Imke sicher eingeschlossen hätte.

*

Ich schwamm auf ihre Stimme zu. Mein Keuchen war laut und verräterisch.

Ich hörte, wie er sie aus dem Wasser zog.

»Willkommen, mein Engel«, sagte er.

»Lass uns wegfahren von hier«, hörte ich meine Mutter bitten. »Nur du und ich. Jetzt gleich.«

Was tat sie da? Ich wollte nicht, dass sie mich schützte. Nicht so.

»Bald, mein Herz«, antwortete Manuel mit zärtlicher Stimme. »Aber vorher musst du deine Lektion lernen, damit du nie vergisst, dass du mir zu gehorchen hast.«

Vorsichtig klammerte ich mich am Steg fest und spähte über den Rand. Manuel hatte meiner Mutter den Arm um die Schultern gelegt und führte sie zum Boot. Sie wehrte sich nicht.

Als sie unter Deck verschwunden waren, hangelte ich mich mühsam hoch. Klatschnass platschte ich auf das Holz, vor Kälte schnatternd und eine Tonne schwer. Ich raffte mich auf, ohne zu überlegen, und kehrte geräuschlos zurück auf das Boot, das ich niemals mehr hatte betreten wollen.

*

Er band ihr die Hände auf dem Rücken zusammen, behutsam, liebevoll beinah. Dann nahm er sich ihre Füße vor.

»Bitte«, bat Imke ihn. »Tu meiner Tochter nichts an.«

Ein Ausdruck von Bedauern glitt über sein Gesicht. Er hob die Hand und strich ihr das nasse Haar aus der Stirn.

Sie konnte seine Berührung kaum ertragen, doch sie hielt sie aus, so wie sie es aushielt, um Jettes Leben zu betteln.

»Sag meinen Namen«, flüsterte er.

Und sie tat es. Langsam und den Tränen nah.

»Ma...nu...el ...«

Er sah ihr in die Augen. Küsste ihre Schläfen, ihr Kinn.

»Ich könnte dich niemals ... lieben, wenn meiner Tochter etwas zustoßen würde.«

Imke hörte, wie lang und auffällig ihr Stocken gewesen war. Und sie bemerkte sofort, dass auch er es wahrgenommen hatte. Er stieß sie zurück auf das Bett und verließ die Kabine.

*

Meine einzige Chance bestand darin, ihn zu überraschen. Er hatte sich darauf eingestellt, mich suchen zu müssen, und war bestimmt nicht darauf gefasst, mich an Bord zu finden.

Ich musste nicht lange auf ihn warten.

Sobald er aus der Tür getreten war, sprang ich ihn an.

Diesmal ließ er sich nicht überrumpeln. Er packte mich am

Hals. Sein Griff war stark und fest. Ich versuchte, ihn zu lockern, aber seine Finger ließen nicht los.

Das Blut staute sich in meinem Kopf. Es rauschte in meinen Ohren. In meiner Kehle pochte es. Ich bekam keine Luft.

Mit letzter Kraft trat ich ihm gegen das Bein, doch er drückte nur fester zu.

Weit entfernt hörte ich einen Schrei. Und einen Schuss.

Manuel sank zu Boden und begrub mich unter sich.

31

Die Wasserschutzpolizei hatte sich um alles gekümmert. Sie hatten uns warme Decken gegeben und uns mit heißem Tee versorgt. Und dann war Tilo gekommen, um uns nach Hause zu holen.

Merle und Luke erwarteten uns in der Mühle, gemeinsam mit dem Kommissar. Merle sah blass aus und elend und von Sorge zermürbt. Vor lauter Erleichterung brach sie bei unserem Anblick in Tränen aus.

Luke kam unsicher auf mich zu und umarmte mich so vorsichtig, als hätte er Angst, mich zu zerbrechen. Für einen Moment lehnte ich die Stirn an seine Schulter. Für einen Moment war ich ihm nah und vielleicht war das genug für einen neuen Beginn.

Sie hatten ein Abendessen zubereitet, Tee, Brot und Käse, und aus Höflichkeit aß jeder von uns einen kleinen Happen.

Nachdem ich wieder zu mir gekommen war, hatte ich es erfahren. Ich spürte, wie der Schock noch immer das Wissen auf Abstand hielt, damit es mich nicht zerstören konnte.

Meiner Mutter war es gelungen, ihre nur halbherzig angelegten Fesseln abzustreifen. Sie hatte sich an Deck geschleppt und sich hinterrücks auf Manuel gestürzt. Seine Waffe war losgegangen und er hatte sich selbst erschossen. Die Kugel war an der rechten Schläfe eingedrungen und oberhalb der linken wieder ausgetreten.

Er war auf der Stelle tot gewesen. Ich betrachtete das wie von fern.

Etwas in meinem Innern sagte mir, dass es auch ganz anders gewesen sein konnte. Und dass meine Mutter es mir dann irgendwann anvertrauen würde. Später. Wenn sie dazu in der Lage wäre.

Draußen stand die Dunkelheit, unterbrochen nur vom Licht der Scheunenlampe.

Meine Mutter schwieg. Kreidebleich noch immer.

Ich hätte sie gern umarmt, aber ich war zu schwach, um von meinem Stuhl aufzustehen.

Merle und Luke lachten erleichtert über irgendetwas. Tilo und der Kommissar schmunzelten. Ich war todmüde. Zum ersten Mal seit Wochen fühlte ich mich geborgen und geschützt.

Ein Geräusch draußen ließ mich den Kopf drehen.

Der Bussard war mit einem leisen Ruf auf dem Dach der Scheune gelandet.

Meine Mutter erhob sich schwankend. Sie ging langsam zur Tür und legte die Stirn ans Glas.

»Hallo«, sagte sie leise. »Da bist du ja.«

Vielleicht war es ein Wunder. Warum nicht. Ich war bereit, an Wunder zu glauben.

Es gibt eine Reihe von Menschen, die mir beim Schreiben dieses Buchs nah waren. Ihnen allen möchte ich von Herzen danken. Vor allem aber:

meiner Freundin Linda, die sich in Bert verliebt und mich um seine Telefonnummer gebeten hat …

meiner Freundin Marleen für den Anstoß, aus einem Erlebnis, von dem ich ihr erzählt habe, diese Geschichte zu machen …

dem leidenschaftlichen Publikum einer Sternschnuppenlesung im Raum Landshut, das dem geplanten Verlauf der Handlung eine andere Richtung gegeben hat (wie ihr seht, habe ich mein Versprechen gehalten) …

dem Landeskriminalamt NRW für Auskünfte, die mir schnell und unkompliziert weitergeholfen haben …

meiner Familie für all die Entlastungen – und die ungezählten Tassen Tee, die mich beim Schreiben gewärmt haben …

Und endlich möchte ich auch meiner Lektorin Susanne Stark einmal für die Freude und Leidenschaft danken, mit der sie meine Figuren und mich seit Jahren begleitet. Dafür, dass sie mit untrüglichem Gespür den Finger auf die Schwachstellen legt ☺, und dafür, dass sie nie die Geduld verliert …

Monika Feth